La fierté du Highlander

*Du même auteur
aux Éditions J'ai lu*

Les MacLeods :
1 - LA LOI DU HIGHLANDER
N° 9332

2 - LE SECRET DU HIGHLANDER
N° 9394

MONICA McCARTY

Les MacLeods - 3

La fierté du Highlander

ROMAN

*Traduit de l'américain
par Elisabeth Luc*

Titre original
HIGHLANDER UNCHAINED

Éditeur original
Published by Ballantine Books, an imprint of Random House
Publishing Group, a division of Random House, Inc., New York

© Monica McCarty, 2007

Pour la traduction française
© Éditions J'ai lu, 2011

*Pour Penny et Tracy, qui ont passé
un long après-midi à comploter.
Comme toujours, je dédie ce roman à Nyree
et Jami, pour leur soutien, leur enthousiasme
et leur esprit en toutes circonstances.*

Remerciements

La publication d'une trilogie en si peu de temps est une entreprise d'envergure qui exige de nombreux efforts de la part de tous les collaborateurs impliqués. Je tiens à remercier toute l'équipe, surtout Charlotte Herscher, mon éditrice, qui est formidable, ainsi que Signe Pike, l'assistant d'édition qui a travaillé sur les trois romans.

Merci également à Barbara Freethy, Candice Hern et Carol Culver qui ont trouvé que l'histoire du Lady's Rock constituerait un excellent prologue. Merci à Kalen Hughes, nommée avec moi en finale du prix Golden Heart, qui m'a procuré des renseignements précieux sur les costumes.

Rien de tout cela n'aurait été possible sans mes agents Kelly Harms et Andrea Cirillo, mon mari Dave, et mes enfants, Reid et Maxine, qui (en général) sont très compréhensifs. Merci !

Prologue

J'ai rêvé de ma dame, j'ai vu tous ses griefs,
J'ai rêvé que son maître était un chef,
Sur un rocher, en mer, la belle fut perchée :
Glenara ! Glenara ! Livre-moi tes pensées !
Extrait de *Glenara*, Thomas Campbell, 1777-1844

Firth of Lorn, un rocher situé entre Lismore et
Mull.
Par une froide journée d'hiver, il y a presque cent
ans, naquit une malédiction...

Lady Elizabeth Campbell se refusait à supplier. Elle ne l'implorerait ni de l'aimer, ni de lui laisser la vie sauve. Pourtant, elle était terrorisée. Jamais de toute sa courte vie elle n'avait eu aussi peur. Vingt-six ans, n'était-ce pas trop jeune pour mourir ?

Au fil des minutes, elle devait lutter avec de plus en plus de détermination pour rester ferme. De toute façon, ses supplices seraient restées lettre morte. Plus que toute autre, cette pensée l'empêchait de s'agenouiller pour demander pitié.

Car cet homme en était totalement dépourvu. Il refusait même de la regarder.

Lachlan Cattanach Maclean, chef des Maclean. Ce mari qu'elle avait eu la folie d'aimer. Ses yeux s'attardèrent sur ses traits si familiers, son visage dur, marqué par les batailles, ses yeux bleus, sa bouche charnue, sa mâchoire volontaire... Elle sentit son cœur se serrer. Même face à cette trahison ultime, elle ne pouvait nier son attirance pour lui.

Lachlan était une véritable forteresse, un Highlander puissant doté de l'âme d'un chef que rien ne saurait faire plier. Ces qualités qu'Elizabeth admirait naguère, cette volonté de fer, cette détermination à toute épreuve, se retournaient à présent contre elle.

La décision de Lachlan était prise : Elizabeth était quasiment morte.

L'un des gardes de son mari la prit par la main et l'aida à débarquer du *birlinn* avec une galanterie incongrue, compte tenu de sa mission meurtrière. Elle aurait pu rire d'une telle absurdité, mais cette hilarité n'aurait fait que la plonger dans une hystérie à laquelle elle se refusait de céder.

Dès qu'elle foula la surface rugueuse du rocher fatal, elle fut parcourue d'un frisson. À quoi bon tenter de résister ? Les hommes de son mari l'auraient traînée de force sur son sinistre perchoir. Seule sa volonté lui permettait de poser un pied devant l'autre. Malgré sa souffrance et sa terreur, jamais elle ne leur donnerait la satisfaction de lui voir perdre toute dignité.

Le souffle court, elle se laissa lier les poignets. Le garde semblait mal à l'aise. À contrecœur, il noua l'autre extrémité de la corde à une bouée destinée à alerter les bateaux de la présence du rocher dangereux. Cette précaution macabre n'était pas utile : elle ne savait pas nager. En tentant de s'enfuir, elle ne pouvait que sombrer dans les eaux noires.

La peur la glaçait. Les sens en alerte, elle ressentait les éléments avec une rare acuité, de la moindre gouttelette d'écume salée aux fibres de la corde qui meurtrissait sa peau délicate. Mais le plus intense était la douleur que lui causait son cœur brisé.

Seigneur ! Comment pouvait-il lui infliger un tel sort ? Comment son mari pouvait-il la condamner à mourir ainsi, engloutie par la marée montante ?

Elle avait toutes les peines du monde à accepter cette terrible vérité. Son mari ne voulait plus d'elle et l'avait déjà remplacée. Toutefois, il ne voulait pas prendre le risque de contrarier le puissant clan Campbell, notamment le frère d'Elizabeth, le comte d'Argyll, en la répudiant. Il avait donc imaginé ce plan barbare.

Si au moins il avait choisi de lui trancher la gorge ! Hélas ! Une noyade accidentelle était plus facile à expliquer qu'une gorge tranchée.

Le vent se leva soudain, balayant tout sur son passage, au point qu'Elizabeth eut toutes les peines du monde à garder l'équilibre sur son rocher glissant. Elle claquait des dents sous la fine cape qui ne la protégeait guère du froid, mais elle n'en était qu'au début de ses souffrances…

Les hommes remontèrent à bord de leur embarcation et s'éloignèrent. Des larmes se mirent à ruisseler sur ses joues tandis qu'elle regardait s'en aller ceux qui l'avaient considérée jusqu'alors comme leur maîtresse, ainsi que ce mari qu'elle avait aimé.

Il la condamnait à mort alors qu'elle avait élevé ses deux fils comme les siens. Son unique tort, à ses yeux, avait été de ne pas avoir pu lui en donner d'autres.

Soudain, elle fut submergée par un sentiment de solitude intolérable.

— Je t'en supplie… Non !

En entendant son cri, il tourna la tête vers elle avec une indifférence glaciale.

Ne m'abandonne pas ! pensa-t-elle.

Face à ce regard vide, elle perdit tout espoir. Lachlan n'avait aucune pitié. C'était fini.

Elle ne pouvait le laisser partir ainsi sans réagir. Par tous les saints, il allait payer son crime ! La colère et la terreur constituaient une arme redoutable, aussi est-ce d'une voix vibrante qu'elle cria vengeance.

— Sois maudit, Lachlan Cattanach ! Et que maudite soit ta descendance ! Tu m'assassines parce que je ne suis pas fertile ; tes terres le seront encore moins ! Comme tu m'as liée à ce rocher, le sort de ton clan sera à jamais lié à une Campbell ! Pas un chef Maclean ne prospérera sans une Campbell à son côté ! Tel sera ton héritage et celui de ta descendance jusqu'à ce que la vie d'un Maclean soit sacrifiée par amour pour une Campbell !

Les yeux de Lachlan étincelèrent dans la nuit, et Elizabeth en ressentit une certaine satisfaction : elle avait réussi à l'alarmer. La force de sa malédiction avait résonné comme une prophétie.

Le vent glacial fouettait Elizabeth, tandis que l'eau montait inexorablement pour couvrir ses pieds... ses chevilles... ses genoux. Elle agrippa la corde, son unique espoir de salut désormais, car chaque vague menaçait de la faire tomber.

Il faisait nuit noire, mais elle sentait l'eau s'élancer à l'assaut du rocher, centimètre par centimètre. Combien de temps encore ? Pourvu que ce soit rapide... Les nerfs à fleur de peau, elle attendait la fin, le souffle court. Elle avait l'impression de déjà se noyer.

Elle leva les yeux vers le ciel sans lune.

Mon Dieu, venez-moi en aide ! implora-t-elle.

En guise de cruelle réponse à sa prière, la vague suivante la renversa. Elle écarta ses cheveux dégoulinants de son visage en cherchant désespérément à rester accrochée à son rocher. Lorsqu'elle voulut se relever, une nouvelle vague la submergea.

Elle fut projetée en avant et sentit ses forces l'abandonner. Elle n'avait plus la volonté de lutter.

Que la fin vienne vite…

Au moment où elle allait fermer les yeux pour laisser l'eau l'engloutir, elle crut voir quelque chose. Qu'était-ce donc, au loin ? Une lueur… Celle d'une torche qui tremblotait dans la nuit. Elle retint son souffle et dressa l'oreille. Oui, c'était bien le clapotis de rames sur l'eau.

Elle reprit espoir.

C'est lui ! songea-t-elle. *Il revient. Il m'aime encore. Je savais bien qu'il était incapable de me faire cela !*

Agrippant la corde, Elizabeth puisa en elle la force de se mettre à genoux et de se relever.

— Par ici ! cria-t-elle. Aide-moi, mon époux ! Je suis là !

Le clapotis s'intensifia à mesure que l'embarcation s'approchait. Des éclats de voix se firent entendre, puis le petit bateau de pêche…

Soudain, elle comprit. La déception fut accablante. Ce n'était pas lui. Son mari n'était pas revenu la chercher…

Elle observa les occupants abasourdis de l'embarcation, puis se rendit compte qu'elle venait d'être sauvée par des pêcheurs.

— Milady ? s'exclama un homme avec stupeur.

Il ne s'agissait pas de n'importe quels pêcheurs, mais de *ses* pêcheurs. Les Campbell.

Elle se mit à rire, en proie à une crise d'hystérie, puis des larmes ruisselèrent sur ses joues. Elle rit comme une démente de cette ironie du sort au goût si amer. Ce soir-là, si quelqu'un devait perdre la vie, ce ne serait pas elle.

Elizabeth Campbell, car plus jamais elle ne porterait le nom de Maclean, ne se noya pas, ce jour-là. Elle vécut assez longtemps pour regagner la maison de son frère et pour lire la surprise sur le visage de son époux quand il se présenta au château d'Inveraray pour annoncer son « décès tragique » à sa famille.

La satisfaction qu'elle avait eue à défier la mort sur le « rocher de la Dame », comme on appellerait plus tard le lieu de cette tentative de crime, fut intense mais de courte durée. Elle mourut peu après du chagrin de cet amour trahi avec, serrée contre son cœur, l'amulette que son frère avait arrachée du cou de son mari après l'avoir tué de ses mains.

Toutefois, l'héritage d'Elizabeth Campbell perdura et se transmit de génération en génération, ainsi que l'amulette.

1

Près de Falkirk, Écosse, printemps 1607

— Vous n'avez pas changé d'avis ?

Flora MacLeod se détourna de la vitre pour observer l'homme assis en face d'elle dans la pénombre. Elle n'avait jamais de regrets, ce qui était une bonne chose, car il était trop tard pour changer d'avis. Quand elle prenait une décision, elle s'y tenait. Le fait qu'il s'agisse d'un mariage ne changeait rien à l'affaire.

— Ne dites pas de bêtises, répondit-elle. Je n'ai jamais été aussi heureuse.

De toute évidence, William, lord Murray, fils du comte de Tullibardine, son futur époux, n'en croyait pas un mot.

— Heureuse ? répéta-t-il. Je ne vous ai pas vue aussi réservée depuis des mois. (Il marqua une pause :) Il n'est pas trop tard pour renoncer, vous savez.

C'était faux. Flora le savait depuis l'instant où elle avait quitté discrètement le palais de Holyrood pour monter à bord de cette voiture qui l'attendait.

— Il n'est pas question de reculer.

Hélas ! l'assurance qu'elle espérait avoir mise dans sa voix se perdit dans le fracas des roues sur la route accidentée. Elle agrippa son siège pour ne pas être projetée contre les boiseries qui ornaient les parois de la voiture, mais elle était certaine de perdre le combat avant la fin de la journée, car la route ne faisait que se dégrader à mesure qu'ils approchaient de la paroisse de Falkirk.

— Peut-être aurions-nous mieux fait de voyager à cheval, après tout, hasarda-t-elle.

C'était sur l'insistance de lord Murray qu'ils avaient pris cette voiture luxueuse mais peu adaptée à la région frontalière des Highlands.

— Ne vous inquiétez pas, nous sommes en parfaite sécurité. Mon cocher est des plus compétents.

William lui rendit son sac, qui était tombé de la banquette, mais à peine l'eut-elle en main qu'il lui échappa pour se retrouver de nouveau à terre.

— Jamais je n'aurais imaginé voir un jour Flora MacLeod aussi anxieuse! commenta-t-il en riant.

Piquée au vif, elle s'efforça de sourire.

— Certes, je le suis un peu… C'est la première fois que je fais ce genre de chose, vous savez.

Il lui tapota la main d'un geste amical.

— Je l'espère bien. Mais soyez rassurée, tout est prévu. Ce ne sera plus très long.

Elle s'adossa plus confortablement à son siège et essaya de se détendre. Si tout se déroulait comme prévu, dans quelques heures, elle serait lady Murray. Lord Murray – William, se corrigea-t-elle – avait trouvé un pasteur disposé à célébrer un mariage clandestin sans publier les bans. Tout homme avait son prix. Pour le pasteur de l'église Sainte-Marie, il se limitait à une barrique de vin et cinq cents *merks*. De quoi atténuer les conséquences de toute éventuelle sanction de ses supérieurs à cause de cette cérémonie clandestine.

Car ce mariage illicite était l'unique solution, pour Flora. Elle ne pouvait prendre le risque qu'un de ses frères ou son puissant cousin soient informés de ses projets et tente de l'empêcher de les mener à bien.

Puisqu'elle devait se marier, songea-t-elle amèrement, ce serait avec l'homme de son choix.

Elle maudissait le destin de lui avoir imposé cette décision car elle n'avait aucun désir de se marier. Hélas ! elle avait pour demi-frères deux chefs de clan très respectés et, comme si cela ne suffisait pas, son cousin était le Highlander le plus influent de toute l'Écosse. Flora était donc un « beau parti », comme on la surnommait, ce qui la mettait hors d'elle. Dieu sait qu'elle aurait préféré ne pas avoir ce privilège. Un mariage ne pouvait que la rendre malheureuse.

Le calvaire de sa mère était encore trop présent à sa mémoire.

Cependant, il y avait une chose encore pire qu'un mariage : un mariage forcé. Elle avait donc décidé de prendre en main le choix de son futur époux. C'était ainsi qu'elle s'était retrouvée là, traversant la campagne écossaise à toute allure pour se rendre auprès d'un pasteur à la moralité douteuse dans quelque paroisse reculée où nul ne la reconnaîtrait.

Elle observa à la dérobée l'homme assis en face d'elle. Malgré la pénombre qui régnait dans la voiture, elle distinguait les reflets blonds de ses cheveux, qui tombaient en mèches rebelles sur un visage qu'elle n'hésitait pas à qualifier de sublime. Cependant, bien qu'il soit indéniablement agréable à regarder, ce n'était pas pour son physique que Flora avait accepté de l'épouser. Pas plus que pour son esprit ou son intelligence, même s'il ne manquait ni de l'un ni de l'autre. C'était parce qu'il était riche, puissant et qu'il avait un statut élevé : il n'était donc pas intéressé par sa fortune. Elle pouvait se fier aux motivations qu'il avait invoquées : ils étaient bons amis et pouvaient tirer tous deux avantage d'une telle union.

De plus, il ne semblait guère s'intéresser à la politique des Highlands. Or, elle n'en avait que trop entendu sur ce sujet épineux. Elle avait bien retenu les leçons de sa mère : mieux valait épouser un crapaud qu'un Highlander.

Elle réprima un petit sourire. Lord Murray était infiniment plus séduisant qu'un crapaud...

— Et vous, William, avez-vous des regrets ?

— Pas le moindre.

— Vous n'êtes donc pas inquiet de ce qui se passera quand ils découvriront...

— C'est donc cela ? demanda-t-il en serrant sa main dans la sienne pour la rassurer. Vous avez écrit les lettres, n'est-ce pas ?

Elle opina. L'avantage d'avoir une famille nombreuse était qu'elle pouvait prétendre se trouver en bien des endroits sans éveiller les soupçons. Par chance, la seule personne susceptible de la chercher, sa cousine Elizabeth Campbell, se trouvait sur l'île de Skye pour la naissance du dernier neveu de Flora. Le deuxième fils en deux ans de son demi-frère Alex et de sa femme Meg, que Flora n'avait jamais rencontrée. L'année où ils étaient venus à la cour, la mère de Flora était trop souffrante pour faire le voyage.

— Dans ce cas, ils n'ont aucune raison de l'apprendre, assura William. Grâce à votre déguisement, personne ne vous a vue quitter le palais.

Suivant son regard, elle porta la main à la coiffe blanche dont elle s'était affublée. Elle sourit en imaginant son allure. À Holyrood, elle était connue pour sa tendance à s'attirer des ennuis. Mais quitter subrepticement le palais à minuit habillée en domestique pour aller épouser le plus puissant jeune homme de la cour... c'était encore inédit. Elle s'était surpassée. Et de la part d'une jeune femme qui n'avait pas hésité à enfiler une culotte d'homme pour sortir par une fenêtre du château des Campbell et sauter du parapet pour ne pas se faire attraper par son cousin Jamie, ce n'était pas peu dire...

Mal à l'aise dans sa robe de laine dont les fibres un peu grossières lui irritaient la peau à travers sa fine camisole en coton, elle demanda :

— Vous avez réussi à récupérer ma robe ?

— Vous avez une allure rustique des plus charmantes, ma chère, mais je ne pense pas que la future comtesse de Tullibardine puisse convoler vêtue comme une servante. Votre robe se trouve dans la malle. Je dois dire que j'ai eu toutes les peines du monde à me la procurer auprès de votre couturière.

Flora se mit à rire en pensant à son austère couturière.

— C'était la solution la plus simple. Je ne pouvais tout de même pas faire sortir cette robe du palais en l'emportant avec moi. Mme de Ville me trouve déjà assez scandaleuse...

C'était le moins qu'elle puisse dire. À la cour, Flora avait la réputation d'une rebelle.

Heureusement, William ne semblait guère se soucier de cette réputation. La tendance qu'elle avait à s'attirer des ennuis l'amusait même, jusqu'à un certain point. Quand la nouvelle de leur fuite se répandrait, il aurait cependant besoin de ce sens de l'humour. Leur comportement allait faire scandale, et jamais Flora n'avait eu à gérer une telle situation.

Elle se mordilla nerveusement la lèvre. William prenait un gros risque. À vingt-quatre ans à peine, il s'était déjà fait un nom à la cour du roi Jacques. Il exerçait une influence non négligeable auprès des conseillers du roi, qui géraient les affaires pendant que le monarque recherchait les faveurs de ses sujets anglais si récalcitrants, à Londres. S'enfuir avec la cousine du comte d'Argyll, demi-sœur de Rory MacLeod et Hector MacLean, était un comportement risqué pour un jeune homme ambitieux.

Ce comportement aurait pu s'expliquer par la force des sentiments, mais Flora ne se faisait aucune illusion à ce sujet. Bien qu'attentionné, son futur mari était loin d'être transi d'amour pour elle. Elle-même était tout aussi indifférente, ce qui était en fait un élément de plus en faveur de William. Il n'y aurait pas de mensonges entre eux. Ils étaient amis, rien de plus. C'était déjà mieux que pour la plupart des couples mariés.

De plus, elle le connaissait suffisamment pour savoir qu'il ne chercherait pas à la dominer. Chacun mènerait sa vie en toute liberté ; c'était tout ce qu'elle demandait.

Cela dit, elle ignorait ce qui avait motivé William.

Flora le connaissait depuis son arrivée à la cour, six ans plus tôt. Au contraire des autres jeunes gens de sa connaissance, il ne l'avait jamais courtisée. L'intérêt soudain qu'il s'était mis à lui témoigner lorsqu'elle était revenue tout récemment d'Edimbourg était inattendu mais tombait à point nommé.

Quelques jours plus tard, elle avait reçu une lettre de son demi-frère Rory, chef du clan MacLeod, qui sollicitait sa présence au château de Dunvegan pour « discuter de son avenir ». Par ironie du sort, une lettre de son demi-frère Hector, chef des Maclean, qui souhaitait sa présence sur l'île de Mull arriva peu après. Flora n'était pas dupe de ces deux convocations presque simultanées. Une discussion sur l'avenir d'une jeune femme de vingt-quatre ans restée seule après la mort de sa mère ne pouvait signifier qu'une chose : le mariage. Du moins, le droit qu'avaient ces deux hommes de choisir son mari.

Sa mère était morte, son père aussi, et depuis longtemps. Ce droit revenait donc à Rory, qu'elle connaissait à peine. Pour autant qu'elle se souvienne de lui, il ne semblait pas homme à la forcer à épouser quelqu'un qu'elle n'aurait pas choisi. Quoi qu'il en soit, elle ne pouvait prendre aucun risque. Si Rory pouvait être infléchi, Hector et son cousin Argyll ne manqueraient pas de s'en mêler.

Tous trois seraient furieux en découvrant ce qu'elle avait fait.

Ses frères ne l'auraient pas contrainte, sans doute, mais elle ne les avait pas vus depuis longtemps. Et elle n'avait pas changé. Peut-être avaient-ils oublié la petite fille qui détestait les contraintes...

Flora observa de nouveau William. Ce n'était pas la première fois qu'elle se demandait pourquoi il avait accepté son projet de mariage illicite, mais elle chassa vite ses interrogations.

Murray était le mari idéal. Ses frères allaient peut-être même approuver son choix. De toute façon, ils n'auraient pas leur mot à dire.

— Vous n'avez rien à redouter, assura-t-il comme s'il lisait ses pensées. Même s'ils découvrent nos intentions, il est déjà trop tard. Nous sommes presque arrivés.

— Vous ne connaissez pas mes frères..., répondit-elle.

Au clair de lune, elle décela sur ses traits une expression étrange.

— Pas très bien, admit-il. Je les connais surtout de réputation.

Flora réprima un grognement de dédain.

— Dans ce cas, sachez que vous avez beaucoup à craindre. Mes frères sont redoutables... Cela dit, je ne les connais plus très bien...

— Quand les avez-vous vus pour la dernière fois ?

Elle réfléchit un instant.

— Il y a un certain temps, c'est vrai. Ma mère préférait résider à la cour ou au château de Campbell.

Il s'agissait de la forteresse du comte d'Argyll, dans le sud de l'Écosse, ce qui leur permettait d'éviter les «barbares» des Highlands, comme on les considérait à la cour, ceux qui avaient causé tant de malheurs à la mère de Flora.

— Mes frères détestent quitter les Highlands, expliqua-t-elle. Je vois bien plus souvent mon cousin Argyll que Rory et Hector.

Ou tous ses autres frères et sœurs, d'ailleurs…

Outre quelques rares occasions à la cour, Flora n'avait guère passé de temps avec les membres de sa famille depuis son enfance. Elle avait huit demi-frères et sœurs, cinq du côté de son père, les MacLeod, et trois du côté Maclean. Pourtant, elle avait l'impression d'être fille unique.

Cela n'avait eu aucune importance à ses yeux, puisqu'elle avait toujours eu sa mère.

Hélas! celle-ci avait disparu.

Sa gorge se noua. Sa mère lui manquait désespérément.

Flora ne pouvait qu'espérer que, dans la mort, elle avait trouvé le bonheur qui l'avait fuie toute sa vie. Mariée quatre fois à des hommes qu'elle n'avait pas choisis, sa mère avait toujours souhaité que sa fille ne subisse pas le même sort. Sur son lit de mort, elle avait exprimé la volonté que Flora se marie par amour.

Promets-le-moi, ma fille… N'épouse jamais un homme que tu n'aimes pas, quel qu'en soit le prix!

Elle chassa vite ce souvenir douloureux, ainsi que son sentiment de culpabilité. Elle n'aimait pas William, mais comment tenir sa promesse? Sans la protection de sa mère, elle se retrouvait à la merci d'hommes dominateurs. Une femme n'avait aucune maîtrise de son destin. Que cela lui plaise ou non, elle avait une valeur marchande sur le marché du mariage ; son devoir était d'épouser l'homme que son frère aîné choisirait pour elle.

Mais était-il de son devoir de ne connaître que le malheur ?

Non. Elle refusait d'être considérée comme une marchandise ! Sa décision était prise.

— Il appartenait à votre mère ?

Elle sursauta et se tourna vers William.

— Pardon ?

— Ce pendentif… Chaque fois que vous évoquez votre mère, vous agrippez votre collier.

Flora esquissa un sourire. Machinalement, elle avait crispé les doigts sur son amulette. Le bijou n'avait jamais quitté sa mère, et il lui appartenait maintenant depuis six mois, depuis le jour où le malheur de sa mère avait pris fin.

— Oui.

— Il est original. D'où vient-il ?

Elle hésitait à lui confier l'histoire de son amulette. C'était un détail si intime… Cette réticence était un peu ridicule, elle le savait, puisque cet homme serait bientôt son mari. De plus, la légende et la malédiction associée à cette amulette n'avaient rien d'un secret. Et pourtant…

— Il a été légué à la mère de ma mère par sa tante qui… est morte sans enfants. Puis à ma mère, en tant que fille cadette, et enfin à moi. À l'origine, il appartenait aux Maclean.

— Le clan de votre frère ?

Elle opina.

Soudain, la voiture roula dans une ornière. Flora retint son souffle jusqu'à ce que le véhicule se remette d'aplomb. Quand il s'arrêta tout à coup, elle se dit qu'ils avaient eu un accident.

— Ce maudit cocher va me le payer…

La menace de lord Murray fut noyée par un bruit de sabots et des éclats de voix, au-dehors.

En réalisant ce qui se passait, Flora sentit son cœur s'emballer. Ils étaient victimes d'une attaque !

À en juger par son air ahuri, William, lui, n'avait pas encore compris. Écossais du Sud jusqu'à la moelle, c'était un courtisan, pas un guerrier. L'espace d'un instant, Flora en ressentit quelque frustration, puis elle s'en voulut d'être aussi injuste. Elle n'aurait pas aimé qu'il soit un guerrier, mais, dans une telle situation, il n'allait lui être d'aucun secours.

Le tintement métallique des épées l'alarma. Ils n'avaient pas beaucoup de temps. Elle agrippa le bras de William et l'obligea à croiser son regard.

— Nous sommes victimes d'une agression, dit-elle juste avant d'entendre un coup de feu. Avez-vous une arme ?

Il secoua négativement la tête.

— Je n'utilise jamais d'arme. Je n'en ai pas besoin, mes hommes sont bien armés.

Oubliant toute sa bonne éducation, Flora jura. William fronça les sourcils.

— Vraiment, ma chère, votre langage est inconvenant. Vous ne devriez pas parler ainsi, et encore moins quand nous serons mariés.

Un nouveau coup de feu retentit.

Elle ravala une réplique cinglante. Mariés ? Ils ne seraient peut-être plus en vie dans une heure ! Ne comprenait-il donc pas la gravité de la situation ? La campagne écossaise grouillait de bandits de grands chemins, de hors-la-loi. Des hommes sans clan, féroces et impitoyables. Dire qu'elle avait pensé être en sécurité en ne s'éloignant pas trop d'Édimbourg !

Lord Murray faisait preuve de l'arrogance caractéristique de la plupart des courtisans, une assurance que lui donnaient son rang et sa richesse, mais quelques mousquets n'allaient pas arrêter l'épée d'un Highlander ou un arc très longtemps.

— Une épée ! s'exclama-t-elle en cherchant à masquer son exaspération. Vous devez bien avoir une épée ?

— Bien sûr. Tout homme en porte une, à la cour. Mais je n'avais pas envie de m'en encombrer pour ce trajet. Mon valet l'a mise à l'arrière, avec la malle qui contient votre robe. Cependant, j'ai mon poignard.

Il le sortit de son fourreau et le montra à Flora. En découvrant le manche incrusté de pierres précieuses, elle se dit que c'était une arme à vocation décorative. Toutefois, sa lame de dix centimètres serait suffisante.

Il tenait son poignard avec une maladresse et un dégoût manifestes. Sans doute ne s'en était-il jamais servi.

— Je crains de ne pas avoir beaucoup d'expérience...

Flora, elle, n'en manquait pas.

— Donnez-moi ça.

Elle glissa le poignard dans les plis de sa cape juste au moment où la portière de la voiture s'ouvrait.

Tout se passa très vite.

Avant qu'elle puisse pousser un cri et esquisser un mouvement pour se défendre, elle fut arrachée de son siège par un homme à la poigne de fer. Un homme immense et puissant.

Elle eut le souffle coupé lorsqu'il la plaqua contre son torse imposant et dur comme la pierre. Elle n'était pas petite, mais elle lui arrivait à peine sous le menton.

Seigneur ! Personne ne s'était jamais permis de la toucher ainsi... Jamais elle n'avait rien vécu de tel... Les joues empourprées d'indignation, elle se sentit enveloppée par la chaleur torride qui émanait de son agresseur. D'un bras puissant, il la tenait par la taille, de sorte que ses seins bougeaient contre son bras au rythme accéléré de sa respiration. Mais le pire de tout était le contact de ses fesses sur le bas-ventre de cet homme.

D'instinct, elle rua face à cette promiscuité. Le corps musclé de ce brigand repoussant n'était que trop présent. Sauf qu'il n'était pas si repoussant... Il n'empestait en rien, et dégageait même un parfum de myrte et de bruyère, avec une touche marine.

Furieuse de voir ses pensées vagabonder de la sorte, elle s'en prit à son ravisseur.

— Ôtez vos sales pattes de moi !

Elle se débattit de plus belle, en vain. C'était un bras de fer qui la retenait.

— Je regrette, ma belle, mais il n'en est pas question...

Au son de cette voix grave, de son accent traînant, Flora se figea. Un Highlander. Cette voix lui donnait la chair de poule. Elle était presque hypnotique. Sombre, inquiétante...

Son sang se glaça dans ses veines. Ces maudits Highlanders étaient sans foi ni loi. Si elle ne trouvait pas rapidement une issue, elle était morte.

Réprimant son envie de se débattre de plus belle, Flora s'immobilisa et feignit la soumission, le temps de faire le point. La nuit était tombée depuis un moment déjà, mais la pleine lune baignait la lande de sa lueur douce. Le spectacle qui s'offrait à Flora n'était pas rassurant. Ils étaient encerclés par une vingtaine d'hommes à la mine patibulaire vêtus du kilt et du gros ceinturon traditionnels des Highlands. Tous brandissaient un glaive à deux mains et affichaient une expression dure, implacable. Des guerriers.

Cependant, ils ne semblaient nullement traqués, ni affamés. L'homme qui la retenait portait en fait une chemise en lin raffinée et son kilt était de belle facture, dans une laine douce au toucher.

S'il ne s'agissait pas de hors-la-loi, qui étaient-ils donc ? Que voulaient-ils ?

Flora n'avait aucune intention de s'attarder pour le savoir, mais elle ne voyait toujours aucune issue.

Les quelques hommes qui escortaient lord Murray avaient vite été dépassés. De toute évidence, ils s'étaient rendus sans demander leur reste. Flora vit quelques armes tombées à leurs pieds.

Elle n'était pas femme à se rendre, encore moins à des barbares. Et elle ne doutait pas une seconde qu'elle avait affaire à des Highlanders. Si leur accent ne les avait pas trahis, leurs manières et leur tenue ne laissaient planer aucun doute.

— Que voulez-vous ? fit la voix hautaine de son fiancé. Et ôtez vos mains sales de cette jeune femme !

Lord Murray avait été extirpé de la voiture à la suite de Flora et était tenu en respect par un Highlander impressionnant. Sa carrure, ses yeux d'un bleu perçant, ses cheveux d'un blond pâle évoquaient des origines vikings.

La vue de ce brigand la laissa un moment pensive. La brute qui la retenait était-elle aussi redoutable ? Peut-être valait-il mieux rester tranquille, car malgré son air bravache, elle avait peur. Son cœur battait à un rythme effréné, et cet homme devait s'en rendre compte.

— Prenez ce que vous voulez, et laissez-nous ! poursuivit William. Nous avons une affaire importante à régler, ce soir.

L'agresseur de Flora se crispa, et elle comprit pourquoi. Pour la première fois, elle percevait le ton condescendant de William.

— Vous n'êtes guère en position de nous donner des ordres, milord, répliqua son ravisseur sans masquer son dédain. Mais vous êtes libre de partir.

Emmenez donc vos hommes. J'ai tout ce qu'il me faut, ajouta-t-il en resserrant son emprise sur Flora.

Elle se sentit pâlir. Les propos de cet homme étaient sans équivoque. C'était elle qu'il voulait !

William mourrait plutôt que de permettre à un barbare de l'enlever, songea Flora. Elle allait peut-être être responsable de sa mort... et elle n'osait penser au sort que lui réservaient ces brutes. Elle scruta les alentours avec frénésie.

— Vous ne parlez pas sérieusement. Savez-vous à qui vous avez affaire ? s'exclama William.

Il marqua une pause.

— C'est donc de cela qu'il s'agit ? poursuivit-il. Vous l'enlevez afin de demander une rançon ?

Il éclata d'un rire méprisant qui eut le don d'aga-cer davantage le ravisseur de Flora. Si seulement il pouvait se taire ! pria-t-elle intérieurement. Il allait les faire tuer.

— Si vous l'enlevez, vous prierez pour être pendu ! Vous serez traqué comme une bête !

— Ils ne m'attraperont pas, assura le brigand.

À en juger par son ton, il n'en doutait pas une seconde. Ce brigand n'était pas comme les autres. Il avait une certaine instruction, cela se sentait à sa façon de s'exprimer.

Le regard de Flora se posa sur la voiture dont le toit luisait sous la lune. L'épée de William ! se sou-vint-elle. Sa chance était là. Pourvu que ses soldats réagissent !

William lança de nouvelles menaces. C'était maintenant ou jamais, se dit Flora en rassemblant tout son courage.

Il fallait qu'elle se rappelle ce qu'elle avait à faire. Cela faisait longtemps que ses frères Alex et Rory, ainsi que son cousin Jamie Campbell, lui avaient appris à se défendre.

Après avoir pris une profonde inspiration, elle assena à son ravisseur un violent coup de talon sur le tibia. Sous le choc, il relâcha légèrement son emprise. D'un mouvement vif, elle sortit le poignard de sa cape, pivota sur elle-même et lui enfonça la lame dans le ventre. Mais il s'était déplacé en même temps qu'elle, de sorte qu'elle l'atteignit au flanc.

Il jura et tomba à genoux en réprimant un cri de douleur, les mains crispées sur le manche du poignard fiché en lui.

Flora se sentit pâlir d'effroi. Jamais elle n'avait poignardé un homme… Elle espérait…

Mais non! Cette brute était décidée à l'enlever… voire pire.

Elle se tourna un instant vers lui et lut la surprise sur son visage. Un visage qui n'était pas celui qu'elle s'attendait à découvrir, et qui la fit hésiter. Leurs regards se croisèrent. Aussitôt, elle fut parcourue d'un frisson. Seigneur! C'était l'homme le plus beau qu'elle ait jamais vu!

Mais c'était un brigand.

Se détournant de lui, elle se précipita vers la voiture.

— Battez-vous! hurla-t-elle aux hommes de lord Murray, qui demeuraient bouche bée.

À l'arrière de la voiture, elle vit l'épée de William sanglée sur sa malle et la tira de son fourreau.

Son audace avait redonné du courage aux hommes et le combat reprit.

S'échapper.! Il ne fallait pas que cet homme l'emmène. Peut-être qu'en courant à travers la lande, vers l'orée du bois… Elle jeta un coup d'œil en direction de William. L'homme qui le retenait s'était rapproché de son chef blessé – celui qu'elle avait poignardé ne pouvait être que leur chef – et venait de s'engager dans un combat à l'épée contre un garde de William. Elle lança l'épée à son fiancé qui l'attrapa maladroitement et l'attira discrètement derrière la voiture.

— Il faut s'enfuir! souffla-t-elle.

Il était pétrifié, affichant une expression étrange, comme s'il oscillait entre admiration et répulsion.

Flora maîtrisa à grand-peine sa colère grandissante. Il devrait la remercier, au lieu de la regarder avec cet air ahuri !

— Nous n'avons pas beaucoup de temps, reprit-elle.

Sans lui laisser le temps de réagir, elle l'entraîna avec elle sur la lande et se mit à courir en direction du bois.

Hélas ! sa liberté fut de courte durée. À peine avait-elle fait quelques foulées qu'elle se trouva plaquée à terre, écrasée sous le poids d'un homme.

Elle ne pouvait plus respirer, plus bouger. La bruyère humide de rosée, la terre, les brindilles lui meurtrissaient la joue… Elle devina sans peine qui venait de lui faire mordre la poussière. Il n'était donc pas mort…

Il demeura ainsi pendant une longue minute, pour bien lui faire sentir qu'elle était vaincue, impuissante. Puis il la retourna. Dans sa chute, elle avait perdu sa coiffe. Ses cheveux s'éparpillèrent autour de son visage. L'homme la cloua au sol par les épaules et pesa de tout son corps sur elle.

Il ne dit pas un mot ; c'était inutile. Il émanait de lui une telle rage que Flora avait l'impression qu'il allait s'embraser.

Du coin de l'œil, elle perçut un mouvement.

— William ! À l'aide !

Il avait son épée, après tout, et son agresseur se trouvait dans une position délicate, ainsi couché sur elle.

William semblait pétrifié, comme s'il ne l'avait pas entendue.

— William !

Leurs regards se croisèrent. Elle y lut de la peur, pour lui-même, et de la culpabilité. Elle sentit son sang se glacer dans ses veines.

Il va m'abandonner, songea-t-elle.

Avant qu'elle puisse réagir, il prit ses jambes à son cou.

Abasourdie, incrédule, Flora vit son fiancé disparaître dans la pénombre. Il la laissait à la merci de ces brigands !

L'homme qui était allongé sur elle maugréa un commentaire peu élogieux qui exprimait à merveille ce qu'elle pensait de William. Comment avait-elle pu se méprendre à ce point ? Dire qu'elle avait failli épouser ce lâche…

Toutefois, elle oublia vite la trahison de lord Murray. Son agresseur s'était mis à palper sans vergogne ses seins, ses hanches, ses fesses… puis il descendit le long de ses jambes. Au bord de la panique, elle se crispa.

— Qu'est-ce qui vous prend ? Arrêtez immédiatement !

Elle tenta de se libérer de son emprise, mais il la maintenait prisonnière. Jamais elle ne s'était sentie à ce point impuissante. Des larmes de frustration lui montèrent aux yeux.

— Je vous en prie ! Ne faites pas ça !

Ignorant ses suppliques, il poursuivit son exploration malséante de ses mains rudes. Pas une parcelle de son corps ne lui échappa. Ses gestes étaient froids, calculés, presque détachés. Lorsqu'il s'insinua entre ses jambes, elle tressaillit comme si elle venait de se brûler. Dans un sursaut, elle parvint à dégager une main et lui griffa la joue.

Il jura et l'attrapa par les poignets pour lui rabattre les bras au-dessus de la tête. Puis il se pencha vers son visage d'un air menaçant.

— Assez ! Ma patience a des limites, espèce de mégère !

Elle plongea dans son regard, le souffle court, sa poitrine se gonflant à chacune de ses respirations saccadées. Il se calma, mais elle perçut un changement dans son attitude. Son détachement apparent s'envola. Il posa les yeux sur sa poitrine et s'y attarda. Flora se sentit envahie par une chaleur étrange. Soudain, l'expression de l'homme se durcit.

— Vos craintes sont infondées, dit-il. Je tiens simplement à éviter de prendre un nouveau coup de poignard.

— Je ne suis pas armée !

— Je préfère en avoir le cœur net.

Quand il fut certain qu'elle ne mentait pas, il s'écarta vivement et la releva sans ménagement. Flora avait moins peur, à présent, mais son cœur battait encore à tout rompre.

Privée de la chaleur de son corps, elle frissonna. Elle passa machinalement la main sur le devant de sa robe pour l'épousseter et eut un mouvement de dégoût lorsque ses doigts rencontrèrent une surface poisseuse. En même temps, une odeur métallique de sang lui envahit les narines. Mais ce n'était pas le sien, c'était celui de cet homme. Elle lui jeta un coup d'œil furtif. Une grande tache sombre maculait ses vêtements. Il devait souffrir atrocement ; pourtant, il donnait à peine l'impression d'être blessé.

Lorsqu'il l'entraîna vers la voiture d'une main de fer, elle n'eut plus le moindre remords.

— Vous me faites mal ! protesta-t-elle.

Il la fit pivoter vers lui et la foudroya du regard. Au clair de lune, ses yeux luisaient d'un éclat métallique. Ils étaient d'un bleu intense et, comme le reste de sa personne, durs et implacables... dangereux, presque. Son estomac se serra. De peur sans doute. Ce ne pouvait être que de peur...

Il avait un visage mince, anguleux, viril, dénué de toute douceur. Sa mâchoire carrée était crispée de rage. Son nez avait été fracturé plus d'une fois et sa peau portait de multiples balafres qui ne manquaient toutefois pas de charme. Quatre griffures toutes fraîches venaient s'ajouter aux vestiges de ses batailles, mais Flora n'avait aucun remords, d'autant que ces éraflures étaient superficielles.

Pour un Highlander, il avait les cheveux courts et bien coupés. Ses mèches lui arrivaient à peine aux oreilles, mais elle ne pouvait déterminer s'ils étaient châtains ou noirs.

Debout face à lui, elle prit conscience de sa carrure impressionnante: il était grand, large d'épaules, très musclé… Pas question de se laisser intimider, toutefois. Elle avait l'habitude des colosses, ses frères n'étaient pas moins bien bâtis, mais comment ne pas être troublée par cette force de la nature?

— À vous de décider. Soit je vous tiens, soit je vous attache, déclara-t-il avec un regard qui ne laissait aucun doute sur son envie de mettre sa menace à exécution.

Mortifiée, elle s'empourpra puis redressa fièrement la tête.

— Ce sera votre main, répondit-elle froidement.

— Bonne décision. Mais si vous tentez de nouveau de vous enfuir, je serai moins magnanime.

— Magnanime? répéta-t-elle d'un ton narquois. Vous êtes en train de m'enlever. Je ne vais tout de même pas vous remercier!

— Vous devriez, pourtant.

— Je ne…

Sa voix s'interrompit tandis qu'ils contournaient la voiture et elle se crispa à la perspective de voir les hommes de lord Murray gisant à terre, massacrés. Elle écarquilla les yeux en découvrant qu'il n'en manquait pas un à l'appel. Ils s'étaient rendus et les brigands les avaient désarmés. Le seul blessé était un Highlander touché au bras.

Tout cela n'avait aucun sens! C'était presque comme si ses agresseurs avaient pris soin de ne faire de mal à personne, ce qui était étonnant, de la part de ces barbares. Elle toisa leur chef.

— Que voulez-vous de moi ?

Il resta de marbre.

— Où m'emmenez-vous ?

— Au château.

— Quel château ?

L'homme ne répondit pas tout de suite.

— Drimnin, près de Morvern.

La mère de Flora possédait des terres dans la région de Morvern, ce qui n'avait rien d'extraordinaire, car elle avait des propriétés dans tous les Highlands. Flora n'ignorait pas que ce donjon-là appartenait à Lachlan Maclean, le Maclean de Coll, l'ennemi juré de son demi-frère Hector Maclean de Duart. Elle fronça les sourcils.

— Votre seigneur est-il au courant de ce que vous êtes en train de faire ?

— En quelque sorte, répondit-il avec un rictus amusé.

La métamorphose était étonnante ; il avait cette fois une lueur sensuelle dans le regard. Flora ne put réprimer un certain trouble.

Soudain, elle le vit tiquer sous son regard appuyé. Il devait souffrir plus qu'il ne le laissait paraître. Il se ressaisit cependant vite.

Flora remarqua alors que la plupart des brigands l'observaient avec une expression étrange.

Le Viking posa tout à coup la question qui leur brûlait manifestement les lèvres.

— Tu es sûr que c'est la fille qu'on cherche ? Celle-ci n'a pas l'air d'être le plus beau parti d'Écosse. Ni d'ailleurs, soit dit en passant…

Flora se figea. Ce surnom ne la dérangeait guère, mais aucune femme n'appréciait que l'on critique son apparence. Piquée au vif, elle allait répliquer vertement lorsqu'elle se rendit compte qu'elle n'avait certainement pas fière allure avec les cheveux en désordre, le visage maculé de boue, la robe tachée de sang... une robe de grosse laine grise digne d'une servante.

— C'est elle, dit simplement son ravisseur.

Il ne peut savoir qui je suis... Et que peut-il donc me vouloir ?

Soudain, son cœur se serra. Pour quelle raison enlevait-on une femme fortunée ? Seigneur ! Ce barbare n'avait tout de même pas l'intention de l'épouser de force ?

Il devait y avoir une erreur quelque part...

2

Ignorant ses protestations, il l'avait hissée sur son cheval, afin de pouvoir la surveiller, et cette petite sorcière entêtée n'avait plus prononcé un mot depuis leur départ.

Lachlan Maclean, chef de Coll, n'avait pas le moindre doute : il s'agissait bien de Flora MacLeod, la plus belle héritière d'Écosse, la rebelle de Holyrood. Peu importait le surnom qu'on lui donnait, Flora était la femme dont on parlait le plus à la cour et dont la grande beauté avait brisé bien des cœurs, disait-on...

En tout cas, elle se montrait à la hauteur de sa réputation pour ce qui était de son tempérament de feu. Ses griffures au visage et sa plaie dans les côtes en attestaient. Ce prénom de Flora lui allait à merveille. Flora, la déesse des Fleurs et du Printemps... Cette femme avait tout d'une fleur. D'une rose, plus précisément. Des pétales magnifiques, mais une tige dotée d'épines.

Sa réputation de beauté n'était pas usurpée non plus. Par chance, elle tenait des MacLeod, et non des Maclean de Duart. Un visage ovale délicat, de grands yeux bleus, un petit nez mutin, des lèvres roses et charnues, et de longs cheveux blonds et soyeux. Et un corps...

Bon sang ! Son corps était fait pour le plaisir et la sensualité.

Ses hommes ne voyaient peut-être que sa robe grossière et son visage maculé de terre, mais il avait pu l'observer à loisir. Lors de sa tentative de fuite, il n'avait pas eu l'intention de se coucher sur elle, mais elle avait perdu l'équilibre au moment où il bondissait, et son élan les avait emportés tous les deux.

Concentré sur son objectif – s'assurer qu'elle ne cachait pas un autre poignard – il ne s'était pas rendu compte qu'il lui faisait peur avant qu'elle lui griffe le visage. Il n'avait nullement eu intention de la violer, mais il avait soudain pris conscience de ses courbes. L'espace d'un instant, à quelques centimètres de ses lèvres purpurines, avec ses seins généreux plaqués contre lui, il avait eu la tentation de profiter de la situation. Il aurait fallu être un eunuque pour ne pas être au moins tenté !

À chaque pas du cheval, les fesses de sa captive frottaient contre son bas-ventre. Lachlan vivait l'une des plus longues nuits de sa vie et son flanc blessé lui faisait souffrir le martyre. Pourtant, son désir était aussi intense que s'il n'avait pas possédé une femme depuis des semaines, alors que cela ne faisait que deux ou trois jours à peine…

Ce n'était cependant pas ce désir charnel qui le contrariait le plus. Flora avait un beau visage, un corps voluptueux, mais il ne se laisserait pas distraire de sa tâche. À vrai dire, cette mission le contrariait. Enlever une femme, quels que soient ses charmes, ne lui ressemblait guère. Malheureusement, il n'avait pas eu le choix. L'enjeu était trop important, et il était prêt à tout pour protéger son clan et sa famille, même s'il fallait pour cela maîtriser une beauté au caractère bien trempé.

Une douleur fulgurante lui vrilla soudain les côtes. Il serra les dents en attendant qu'elle s'atténue.

Chaque crise était plus violente que la précédente, et ce long trajet à cheval ne faisait rien pour améliorer son état. Il avait pansé sa blessure, mais il saignait toujours. Tiendrait-il encore debout en arrivant à Drimnin ?

Elle l'avait poignardé ! Il était rare qu'il se laisse prendre au dépourvu, et jamais il n'avait vu une femme manier une lame avec tant d'adresse. Elle n'avait pas eu une seconde d'hésitation... Comment cette donzelle avait-elle pu avoir le dessus sur lui alors que tant de guerriers redoutables n'étaient jamais parvenus à le vaincre ? Y compris Hector Maclean, le chef de Duart, son pire ennemi, le responsable de tous ses problèmes.

Malgré sa souffrance, il devait admettre que cette femme l'impressionnait. Elle savait se défendre, au contraire de cette mauviette qui l'accompagnait. Quel homme digne de ce nom pouvait abandonner une femme aux griffes d'un ravisseur ?

Un Écossais du Sud, bien sûr, songea-t-il avec dégoût, ravi de s'éloigner de cette région au plus vite.

Après Falkirk, il avait mis le cap sur l'ouest, pour franchir les collines de Lomond en contournant les plus hauts sommets des Highlands. Le jour se levait sur ce paysage majestueux. La lande tapissée de bruyère jusqu'à perte de vue était nimbée de rosée. Comme chaque fois qu'il rentrait chez lui, Lachlan sentit sa gorge se serrer sous l'effet de l'émotion.

Comment cette femme pouvait-elle vivre dans le Sud, loin des siens ? Il ne savait pas grand-chose de Flora MacLeod, si ce n'est qu'elle avait vécu dans le Sud depuis la mort de son père, pour ne revenir qu'occasionnellement à Inveraray. Son demi-frère Rory lui avait plusieurs fois parlé d'elle, pour se plaindre de quelque bévue. Apparemment, elle prenait un malin plaisir à le contrarier. Elle n'avait pas souvent séjourné à Dunvegan. Quant à sa réputation de harpie à la cour… Flora s'en montrait digne.

Lachlan n'appréciait guère les courtisanes, surtout quand elles étaient entêtées et gâtées.

En dépit de ses efforts manifestes pour demeurer immobile, bien droite devant lui, ce long trajet en selle l'avait épuisée. Elle avait fini par se laisser aller contre son torse et, à en juger par son souffle régulier, elle s'était assoupie. Lachlan en avait profité pour poser sur elle une couverture en laine qui formait un cocon douillet autour d'eux.

Elle était si douce et attendrissante, dans le sommeil ! Détendue, presque confiante. Il en fut touché, ce qui ne lui était pas arrivé depuis l'enfance de ses sœurs. Il se ressaisit vite. Ce n'était pas le moment de se laisser attendrir. Il allait agir dans l'intérêt de son clan, quel qu'en soit le prix.

Mais elle semblait si… vulnérable. Une nouvelle vague de douleur dans les côtes le ramena vite à la réalité. Jamais il n'avait observé une femme aussi longuement et d'aussi près qu'au cours de cette nuit interminable. Pourtant, il ne pouvait détacher son regard de ses traits délicats, qui étaient désormais gravés dans sa mémoire. Il n'avait plus vraiment besoin de la regarder pour voir ses longs cils soyeux, sa peau d'ivoire, ses lèvres rouges entrouvertes, ses cheveux d'un blond pâle qui cascadaient sur ses épaules…

À plusieurs reprises, il avait cédé à l'envie d'enfouir le visage dans ses cheveux pour respirer leur parfum de fleurs sauvages au soleil. Tout en elle était délicat, féminin… de la courbe parfaite de ses sourcils à son nez mutin. Il n'osait effleurer sa joue d'une caresse, de peur de la réveiller.

Il jura dans sa barbe et se concentra sur le chemin qui s'étendait à l'infini devant lui. Sa fascination pour cette femme devait être une conséquence de sa perte de sang…

Aux premières lueurs de l'aube, Flora remua légèrement. Combien de temps lui faudrait-il pour se rendre compte…

En quelques secondes, elle se redressa vivement et s'écarta de lui autant qu'elle le put. Décidément, elle ne manquait pas de fierté, mais cela ne durerait pas. Ce qu'il lui fallait, c'était une main de fer.

À la lisière nord du loch Nell, Lachlan ordonna à ses hommes de s'arrêter. Il leur restait encore des heures de trajet avant d'atteindre Oban, où ils laisseraient leurs chevaux pour embarquer sur des *birlinns*. Ensuite, ils traverseraient le détroit de Mull, une zone parfois dangereuse, vers le château de Drimnin. Comme la plupart des hommes des îles, Lachlan se sentait dans son élément, sur le détroit.

Mais avant, ils devaient se restaurer, abreuver leurs montures, et soigner cette maudite blessure. Or il ne connaissait qu'un moyen d'endiguer l'hémorragie. Serrant les dents, il mit pied à terre et aida Flora à faire de même. Pris d'un vertige, il dut s'agripper à sa selle pour rester debout.

Sa blessure était manifestement plus grave qu'il ne l'imaginait. Lui qui ne tolérait aucune forme de faiblesse…

— Faites ce que vous avez à faire, dit-il à Flora. Mais ne vous éloignez pas.

Elle ne broncha pas.

— Qui êtes-vous ? Que voulez-vous de moi ? Une rançon ?

Une douleur fulgurante l'obligea à se plier en deux. Cette femme était-elle sourde ?

— Pas maintenant, Flora, maugréa-t-il entre ses dents serrées.

— Vous savez donc qui je suis ?

Il attendit que la douleur s'atténue et prit une profonde inspiration avant de se tourner vers elle. Au moment où il allait la chasser sans ménagement, il fut frappé par l'expression de son visage. Elle venait de prendre conscience qu'il ne s'agissait nullement d'un quiproquo. Il chercha un signe de peur sur ses traits, mais elle semblait plutôt abasourdie.

— Vous pensiez que j'ignorais qui vous étiez ?

— Je me disais qu'il fallait être complètement stupide pour enlever la sœur de Rory Mor Macleod et Hector Maclean. Mes frères vous tueront !

Décelant de la colère dans son regard, il esquissa un sourire narquois.

— Vous allez bien vite en besogne, petite mégère sanguinaire ! Hector a souvent essayé de me tuer, sans succès. Quant à Rory, je le considère comme un ami.

Cela dit, elle n'avait pas tout à fait tort, il le savait. Rory serait furieux en apprenant la nouvelle.

— En fait, je crois qu'il va même me remercier…, ajouta-t-il.

— Vous remercier de quoi ? railla-t-elle. D'avoir enlevé sa sœur ? Vous avez perdu la raison !

Le ton de Lachlan se durcit. Si Flora avait été sa sœur, il lui aurait donné une bonne fessée pour la punir de ce qu'elle avait essayé de faire.

— De vous avoir empêchée de commettre une terrible erreur.

— Lord Murray n'est pas…

Elle s'interrompit brusquement.

— Je ne vois pas de quoi vous parlez.

D'une main ferme, Lachlan lui prit le menton et plongea dans son regard fier. Dans la lumière du matin, ses yeux avaient le bleu profond d'un ciel d'orage.

— Vous savez parfaitement de quoi je parle. Vous ne pouvez nier que vous étiez en train de vous enfuir pour épouser à la sauvette ce gringalet du Sud.

— Comment osez-vous ? s'insurgea-t-elle en se dégageant de son emprise. Cela ne vous regarde en rien, espèce de...

S'ensuivirent quelques noms d'oiseau bien sentis.

Malgré son état de faiblesse, Lachlan se mit à rire. Cette petite avait du répondant. Elle allait trop loin, sans doute, mais elle apprendrait à rester à sa place. Il ne tolérait aucun manque de respect, surtout de la part d'une femme. Mais face à son regard furibond, ses mains sur les hanches, son port altier, il se réjouissait qu'elle n'ait pas un autre poignard.

— Ce langage ordurier n'est pas digne d'une dame de la cour...

Elle parut sur le point de lui cracher une nouvelle bordée d'injures, mais elle se contenta de le dévisager avec une attention décuplée.

— Comment avez-vous su où me trouver ?

Il haussa les épaules.

— Vous m'avez espionnée, reprit-elle, l'air méfiant.

Lachlan ne nia pas.

— Mais je ne comprends pas... Même dans le cas où vous m'auriez surveillée de près, comment avez-vous su que j'avais quitté le palais ? Même lord Murray ne m'a pas reconnue jusqu'à ce que je monte en voiture.

Lachlan n'en savait rien, du moins au départ. Il avait cependant eu l'avantage d'être informé de ses projets. Pendant trois nuits, il avait fait le guet devant les grilles du palais. En voyant une jeune femme monter dans la voiture de lord Murray, il n'y avait d'abord pas vraiment prêté attention car elle avait l'allure d'une domestique. Puis une intuition lui était venue et, en voulant y regarder de plus près, il avait baissé les yeux.

42

Il désigna les pieds de Flora. La pointe de ses pantoufles en soie délicatement brodées, désormais maculées de boue, émergeait de sous sa robe.

— Vos chaussures.

Il se pencha vers elle et ajouta à voix basse :

— La prochaine fois que vous vous déguiserez, oubliez toute vanité.

Elle s'empourpra car il avait vu juste. Le foudroyant du regard, elle fit volte-face et s'éloigna pour lui accorder le temps de panser sa blessure.

— Ne tardez pas trop, Flora ! lui cria-t-il. Sinon, je me lance à votre poursuite.

La menace à peine voilée de son ton ne faisait aucun doute.

Faisant mine de ne pas l'entendre, elle partit d'un pas décidé en direction de la prairie.

Trahie par une paire de pantoufles ! songea amèrement Flora en avançant d'un pas rageur.

Ce maudit Highlander avait raison. C'était ridicule, elle le savait, mais elle avait une passion pour les chaussures, son unique péché mignon. Se marier chaussée de simple cuir n'était pas envisageable, et après tout, elle avait protégé ses pantoufles avec des patins en bois. Nul n'aurait dû les remarquer.

Or, ce détail n'avait pas échappé à Lachlan. Maudit soit-il !

Elle grignota distraitement un biscuit trop sec, arrosé d'une gorgée de bière. Quand son ravisseur avait enfin décidé de s'arrêter, elle était affamée, au point de se réjouir à l'idée d'avaler ces galettes peu appétissantes. Le morceau de viande séchée que l'un des hommes lui avait donné était plus savoureux…

Assise sur un rocher, à l'écart des autres, elle profita de ce moment de répit. Ces heures passées pratiquement sur les genoux de cet homme avaient été un calvaire. Elle avait beau essayer de le chasser de son esprit, elle ne pensait qu'à lui.

Sa proximité la troublait plus que de raison, et elle avait les nerfs à fleur de peau. Quoi de plus naturel ? songea-t-elle. Elle était victime d'un enlèvement… Cet homme l'avait touchée, il avait pris des libertés que nul autre n'avait jamais osé prendre. Quelle femme ne serait pas déstabilisée ? En fait, le moindre de ses mouvements provoquait en elle bien davantage… Ce Highlander avait une telle prestance ! Et son parfum viril lui donnait envie de se blottir contre son torse rassurant et de s'endormir.

C'était d'ailleurs ce qu'elle avait fait, et elle en était mortifiée. Bon sang ! Ce type était son ravisseur !

La fatigue, le pas régulier du cheval avaient pris le dessus sur sa détermination à rester en alerte. Cette faiblesse dont elle n'était pas coutumière la contrariait.

Que lui voulait-il donc ? Et surtout, comment s'échapper ?

Cet homme avait un air implacable et ne tolérait de toute évidence aucune résistance. C'était un meneur, pas un seigneur. Sans doute quelque garde de Coll ou alors le régisseur de l'un de ses châteaux. Ou plutôt son homme de main…

Quoi qu'il en soit, malgré la blessure qu'elle lui avait infligée, il la traitait avec une certaine courtoisie, même si ses menaces n'étaient pas à prendre à la légère. La prochaine fois qu'elle chercherait à s'enfuir, mieux valait éviter d'être rattrapée.

Elle contempla la grosse pierre qui se dressait à la lisière de la prairie. Le soleil levant projetait son ombre dans l'herbe. Ces mégalithes, si nombreux en Écosse, l'avaient toujours fascinée. Certains affirmaient qu'ils appartenaient aux druides, d'autres y voyaient l'œuvre des lutins.

Flora n'était pas superstitieuse de nature, mais ces pierres avaient quelque chose de féerique. Une grande ombre apparut tout à coup à son côté. C'était son ravisseur qui la dominait de toute sa hauteur, tel un dieu nordique impitoyable venu en découdre avec elle.

— Tenez, mangez ceci, ordonna-t-il en lui tendant un autre morceau de viande séchée. C'est la dernière fois avant notre arrivée à Drimnin.

Elle l'accepta avec un signe de tête.

— Vous avez trouvé le cercle des fées ?

— Vous voulez dire cette pierre dressée ? corrigea-t-elle.

— Non, répondit-il en désignant un cercle de pierres, tout autour d'elle. Vous êtes assise en son centre.

Elle se redressa d'un bond. Elle ne s'était pas rendu compte que la pierre sur laquelle elle s'était assise faisait partie d'une trentaine d'autres disposées en cercle.

— Vous craignez qu'elles ne vous portent malheur ? fit-il avec un sourire.

— Il est trop tard, de toute façon…

— Seriez-vous superstitieuse ? insista-t-il en faisant fi de son ironie.

— Non, assura-t-elle en secouant la tête. Pas vraiment. Je suis respectueuse…

Elle observa les alentours et réfléchit un instant.

— Cet endroit a quelque chose de magique…

— Ce sont les Highlands, ma chère ! Ici, la magie est partout.

Il avait raison. Comment ne pas succomber à la splendeur de ces collines verdoyantes et de ces lochs chatoyants à perte de vue ? Hélas ! ils étaient aussi trompeurs que leurs habitants. Ce pays pouvait devenir froid, brutal, en un clin d'œil. Barbare, impitoyable, déchiré par des guerres ancestrales et des tueries continuelles. Ici, les hommes prenaient ce qu'ils voulaient sans se soucier une seconde des vies qu'ils détruisaient.

Sa mère en avait fait les frais, ainsi qu'elle-même, maintenant. Enlevée telle Perséphone lors de sa descente aux Enfers…

Un enfer qui avait pourtant tout du jardin d'Eden.

Tout était différent, quand elle était enfant. Les rares fois où elle avait vu ses frères et sœurs, ils lui avaient raconté ses courses folles dans les collines de Dunvegan. Malheureusement, elle n'en gardait aucun souvenir. Elle n'avait que cinq ans à la mort de son père. Rory avait maintes fois tenté de la ramener à Dunvegan, mais sa mère trouvait toujours une excuse pour l'empêcher de partir. Aussi Flora avait-elle perdu toute envie de revenir…

De temps à autre, un vague souvenir ressurgissait du plus profond de sa mémoire, mais elle le chassait vite. Elle avait aimé les Highlands, puis tout avait changé dès qu'elle avait su ce qui était arrivé à sa mère. Et pourquoi elle souriait si rarement, pourquoi elle détestait cette région et ses habitants.

Janet Maclean Maclean Maclan Macleod, née Campbell, avait été vendue à plusieurs maris successifs, tel un pion au cœur des machinations politiques des hommes. Ceux qui auraient dû la protéger l'avaient utilisée comme un vulgaire objet. À quinze ans, on l'avait mariée à un homme quatre fois plus âgé qu'elle. Son deuxième mari était mort assassiné, et elle n'évoquait jamais le troisième. Quant au dernier, le père de Flora, il était également très âgé. À sa mort, Janet n'était plus en âge d'enfanter. Pour la première fois de sa vie, elle était libre. Mais il était trop tard…

Le mal était fait.

Flora se redressa et se détourna du paysage féerique.

— Je préfère la ville à la nature. Et la compagnie des gentlemen à celle des barbares, ajouta-t-elle en toisant ce guerrier Highlander qui l'avait enlevée sans se soucier des projets qu'il bouleversait.

Son visage se durcit et il fit un pas vers elle d'un air menaçant.

— Comme ce gentleman qui vous a abandonnée sans se retourner?

Flora tiqua. Elle était plus vexée par l'attitude de lord Murray qu'elle ne voulait l'admettre.

— Il ne pensait qu'à aller chercher de l'aide, assura-t-elle.

— Il ne pensait qu'à sauver sa peau, oui!

— Vous vous trompez.

Pourquoi prenait-elle la défense de lord Murray? se demanda Flora. Elle était touchée dans sa fierté: elle s'était méprise sur son compte, et il l'avait abandonnée. Ce Highlander venait peut-être de lui ouvrir les yeux, mais elle n'avait aucune intention de le remercier. Quelle femme avait envie d'être humiliée en public par l'homme qu'elle comptait épouser et qui l'avait laissée aux mains de brigands?

Sauf qu'il ne s'agissait nullement de brigands. Ces hommes étaient des Maclean. Pourvu que cela fasse une différence...

Il la prit par le menton d'une main ferme et riva sur elle son regard d'un bleu intense.

— Ne comptez pas sur le moindre renfort, ma chère. Pas de sa part, en tout cas. Je doute fort qu'il se précipite à Édimbourg en criant sur les toits qu'il vient de s'enfuir après une tentative ratée de mariage à la sauvette.

Il lui lâcha le menton.

— Nous repartons bientôt. Soyez prête quand je vous appellerai.

Sur ces mots, il tourna les talons et s'éloigna, la laissant en proie à ce sentiment étrange qu'il avait le don de susciter par sa simple présence.

Flora le regarda rejoindre ses hommes, puis gagner le bord du loch. Soudain, son cœur s'emballa. Ce n'était pas l'heure de se baigner! Son ravisseur ôta son plaid, son kilt, sa besace et ses bottes, avant de s'immerger.

Elle ne parvint pas à détourner le regard, tant le spectacle était saisissant. Non seulement il était séduisant, mais il était d'une extrême virilité. Son corps semblait sculpté dans la pierre, ferme et puissant. Sa chemise mouillée moulait ses muscles saillants. Il était moins corpulent qu'elle se l'était imaginé, mais il avait les épaules larges et n'en paraissait que plus redoutable.

Elle retint son souffle. La tache sombre qui maculait sa chemise allait de son bras à sa taille. Il grimaça en décollant le tissu de sa plaie. Flora comprit qu'il était en train de nettoyer sa blessure.

Elle se mordit la lèvre. Il devait souffrir terriblement, mais n'en laissait rien paraître. Elle refusait néanmoins de se sentir coupable. Déterminée, elle choisit une pierre en dehors du cercle des fées et se rassit.

Les hommes avaient fini de soigner les chevaux et commençaient à faire du feu. Son ravisseur n'avait-il pas dit qu'ils allaient se remettre en route bientôt? Ce comportement étrange laissa Flora perplexe.

Il sortit enfin du loch et s'assit pour remettre ses bottes. Le Viking – qui se prénommait Allan – lui tendit une gourde dont il but une longue rasade avant de dire quelques mots qui parurent contrarier le Viking.

Le cœur battant, Flora devina de quoi il s'agissait en le voyant soulever les pans de sa chemise. *Non!*

Il se tourna vers elle, comme si elle avait crié, tandis que le Viking versait de l'alcool sur la plaie béante. Le visage du blessé demeura impassible, mais son corps fut secoué de spasmes de douleur.

Elle se leva d'un bond. Voilà pourquoi les hommes avaient allumé un feu ! Elle avait déjà assisté à cette scène, quand elle était enfant. Elle fit un pas vers son ravisseur au moment où ses hommes sortaient un poignard des flammes. La lame rougeoyait.

Flora crispa le poing malgré elle au souvenir de ce jour où elle s'était brûlé la main sur un fer chaud. Elle en gardait une cicatrice sur la paume et n'osait imaginer l'effet du fer rouge sur la plaie. Son ravisseur refusa le bâton qu'on lui proposait de mordre. Dès qu'elle aperçut la blessure, Flora eut un haut-le-cœur. Elle fit un pas de plus vers lui, puis s'arrêta net. Au moment où la lame touchait la chair meurtrie, il croisa son regard.

L'odeur de chair brûlée lui parvint, insoutenable. Jamais elle n'avait vu une telle maîtrise de soi. Elle avait beau refuser de lui présenter des excuses, elle était consciente d'être responsable de sa souffrance. Cet homme avait le don de susciter en elle des sentiments contradictoires. Comment pouvait-elle admirer un homme qui l'avait enlevée ?

Il fallait qu'elle s'en aille au plus vite.

Ce qui risquait de lui arriver représentait son pire cauchemar : être exilée dans les Highlands et mariée de force à un barbare. Elle devait profiter de sa faiblesse pour s'échapper. Lentement, elle recula de quelques pas.

L'homme tourna alors la tête. Flora se figea.

— Flora, dit-il d'une voix dure et ferme. Un pas de plus, et vous allez le regretter.

Loin d'être faible, cet homme était surhumain.

Une autre nuit s'était écoulée lorsqu'ils gravirent les marches menant au château de Drimnin.

Lachlan souffrait comme si la hache d'Allan l'avait fendu en deux. Il ne saignait plus, mais s'il ne se reposait pas, la fièvre allait s'installer.

Ils traversèrent la cour et gagnèrent l'entrée du donjon. Comme souvent, sur ce type de bâtisse, il n'y avait qu'une seule entrée. En cas d'invasion, il suffisait d'enlever l'escalier de bois ou de le brûler pour interdire tout accès.

Lachlan éprouva un vif soulagement en retrouvant la chaleur de son foyer. Peu impressionnée, Flora balaya les lieux du regard, puis se rua sur son ravisseur.

— Où est-il ? demanda-t-elle, furieuse. J'exige d'être conduite auprès de votre seigneur, et tout de suite !

— Vous exigez ? répéta-t-il sèchement car il n'était pas d'humeur à supporter ses caprices. Méfiez-vous, mon petit. N'oubliez pas votre statut, ici.

— Comment pourrais-je l'oublier ? Je suis prisonnière ! J'ai été enlevée par une bande de barbares des Highlands.

Il la saisit par le bras et observa avec attention son beau visage rebelle.

— Je n'aime pas ce terme, dit-il d'une voix glaciale. Ne l'employez plus jamais.

Il décela une lueur dans son regard : elle jubilait de l'avoir piqué au vif !

— La vérité est donc si cruelle ? répliqua-t-elle.

Il la toisa froidement. Un barbare saurait la faire taire...

— Cela vous plairait ?

— Comment osez-vous !

— Il n'y a pas grand-chose que je n'ose faire, et vous feriez bien de vous en souvenir.

Là-dessus, il fit un signe de la tête à ses domestiques et à ses hommes, qui les laissèrent seuls.

— Pour qui vous prenez-vous ? demanda Flora.

Il sourit, mais sans humour.

— D'après vous ? Il se trouve que je suis votre hôte.

— C'est impossible, répondit-elle, les yeux écarquillés.

Son incrédulité n'aurait pas dû le troubler, mais il était le laird de Coll, et elle avait intérêt à le croire.

— Mais…

Elle se tut soudain.

À son expression, Lachlan devina ses pensées : il manquait de raffinement et n'avait pas la prestance d'un laird. Elle n'avait pas tort… Il passait trop de temps à combattre le frère de cette femme, à protéger son clan des inondations, de la famine et de la guerre. Il avait tout appris sur les champs de bataille.

— Pourquoi m'avez-vous amenée ici ? reprit-elle.

— Vous le saurez bientôt.

— Jamais je ne vous épouserai !

L'assurance qu'elle affichait mit le feu aux poudres.

— Je n'ai pas souvenir de vous l'avoir demandé, rétorqua-t-il.

— Les hommes de votre espèce ne demandent rien à personne. Ils se servent.

Furieux, Lachlan fit un pas vers elle. Elle ne connaissait vraiment aucune limite, mais elle apprendrait à rester à sa place.

— Et quelle espèce d'homme suis-je donc ? s'enquit-il d'un ton menaçant.

Refusant de se laisser intimider, Flora leva fièrement la tête et le regarda droit dans les yeux.

— Un rustre qui enlève une dame sans se soucier de ses projets et qui l'emmène de force dans son donjon !

— Vous auriez été malheureuse avec lui.

— Je l'avais choisi !

Lachlan resta un instant songeur. Elle ne niait pas que ce mariage aurait été une erreur, mais elle était toujours furieuse de n'avoir pu mener son projet à terme ! Décidément, il ne parviendrait jamais à déchiffrer les pensées d'une femme.

Elle lui lança un regard de biais.

— Vous n'avez donc pas l'intention de me forcer à vous épouser ?

— Non, répondit-il en toute sincérité.

Elle plissa le nez, comme si elle avait peine à le croire.

— Dans ce cas, c'est mon frère Hector… Vous comptez m'utiliser pour l'atteindre.

Il ne lui avait guère fallu de temps pour comprendre, constata Lachlan. Du moins en partie. Cette femme n'avait pas seulement une langue de vipère et la beauté du diable, elle avait aussi l'esprit vif. Il la dévisagea longuement. Mieux valait se méfier d'elle. Si elle devinait la vérité sur ses intentions, elle risquait de lui mettre les bâtons dans les roues.

Elle afficha un air satisfait.

— Si vous espérez m'utiliser comme monnaie d'échange contre mon frère Hector, vous vous faites des illusions. Je le connais à peine.

— Moi, je le connais.

Trop bien, même. Ils étaient ennemis jurés depuis des années, depuis le jour de l'enterrement du père de Lachlan. Lachlan avait dix ans à peine et Hector avait profité de la situation pour tenter de s'emparer de Coll. L'oncle de Lachlan avait repoussé l'attaque, décapitant nombre de Maclean de Duart et jetant leurs têtes dans la rivière.

Hector n'avait jamais pardonné cet affront.

Depuis des lustres, les deux branches du clan se déchiraient, mais les affrontements avaient repris de plus belle depuis que Lachlan avait refusé de reconnaître Hector comme le chef de la branche supérieure. Il comptait ainsi lui faire payer son invasion de ses terres de Morvern. Hector justifiait ses actes par le refus de Lachlan de participer à sa guerre contre les MacDonald, un devoir envers un chef. Or, le lien de parenté entre les deux branches était oublié depuis longtemps. Lachlan ne devait en réalité allégeance qu'au roi, ce qui était désormais compromis, compte tenu des récentes manœuvres du roi Jacques.

— Hector possède quelque chose qui m'appartient. Et maintenant, je peux en dire autant.

— De quoi s'agit-il ? De votre chien favori ?

— Non. De mon château favori.

Flora écarquilla les yeux.

— Breacachadh, sur l'île de Coll ?

— En effet, répondit-il, les poings crispés.

Son siège ancestral, le château des Duart, ayant été saisi par les hommes du roi à cause de ses intrigues avec la reine Elisabeth, Hector s'était rabattu sur celui de Lachlan.

— Mais comment est-ce possible ?

— J'étais absent.

En l'absence de Lachlan, Hector avait mené ses hommes à Coll et, par ruse, avait pris le château. Depuis, il se battait pour récupérer son bien. Cette fois, Hector allait payer sa trahison.

— Pourquoi n'avez-vous pas averti le roi ?

— Je l'ai fait.

En essayant de suivre la voie légale, il n'avait réussi qu'à faire empirer la situation. Plus jamais il ne commettrait une telle erreur.

— Vous m'avez enlevée pour rien. Mon frère convoitait manifestement Coll depuis longtemps. Jamais il ne l'échangera contre une sœur qu'il connaît à peine.

— Vous sous-estimez votre valeur, Flora.

Il comprit aussitôt que ce n'était pas la chose à dire. Elle se crispa.

— Je sais très bien ce que je vaux, répliqua-t-elle d'une voix enrouée par l'émotion.

Ses paroles étaient lourdes de sens, mais il n'eut pas envie de chercher à comprendre. De toute façon, il refusait d'avoir pitié : elle n'était qu'un moyen d'obtenir ce qu'il voulait. Et il en avait assez de cette conversation. Sans réfléchir, il la souleva dans ses bras et monta l'escalier.

— Mais qu'est-ce que vous faites ? s'exclama-t-elle.

— Je vous emmène dans votre chambre.

— Pou... pourquoi ?

Il comptait l'enfermer à double tour afin de pouvoir dormir tranquille. Au départ, cela lui avait semblé la méthode la plus efficace, jusqu'à ce que sa blessure vienne le rappeler à l'ordre.

— Vous ne devriez pas me porter, reprit-elle en le voyant réprimer une grimace de douleur. Votre plaie va se rouvrir.

— Étant donné que c'est vous qui m'avez infligé cette blessure, je m'étonne que vous vous en souciiez.

— Je ne voulais pas...

Elle s'interrompit.

— Enfin, si, mais... Je n'ai rien dit. Vous pouvez vous vider de votre sang, je m'en moque !

— Votre sollicitude est touchante.

Il ouvrit la porte qui grinça. Les années de famine avaient laissé des traces : le château de Drimnin était dans un état de délabrement dramatique. La chambre n'avait rien à voir avec le confort auquel son hôte involontaire était habituée. Hélas ! tant qu'il n'aurait pas récupéré son château, elle devrait s'en contenter.

Il la déposa sur le lit.

— Vous ne pensez tout de même pas que je vais dormir ici...

— Où préféreriez-vous dormir ? lui demanda-t-il, excédé.

Lorsqu'il se pencha vers elle, Flora tenta de s'écarter, mais le lit était étroit.

Il la domina de sa hauteur, puis s'approcha dangereusement.

— Dans mon lit, peut-être?

— Jamais! répliqua-t-elle en pâlissant.

Lachlan ne sourcilla pas. Pourtant, entre eux, la tension était palpable. Seigneur, il humait son parfum délicat, entendait presque les battements frénétiques de son cœur, goûtait presque la saveur de ses lèvres sur les siennes, si douces et tendres! Son corps brûlait d'un désir contenu.

Il devrait la faire sienne, histoire d'en finir. Dieu comme il la désirait! Bien des hommes en profiteraient, à sa place.

Mais pas lui.

Il s'écarta vivement, furieux de la réaction de son propre corps. Jamais il n'avait employé la force, et il n'allait pas commencer maintenant, bien que la tentation soit forte. Quoi qu'il en soit, elle serait sienne même si, pour l'heure, elle l'ignorait encore.

Flora MacLeod l'épouserait. La demande de rançon lui donnerait le temps de la persuader de l'épouser. Que cela lui plaise ou non, il la voulait, mais ce ne serait pas par la violence. La perspective d'affronter l'esprit de contradiction d'une mégère le rendait amer et il maudit le sort qui exigeait de lui qu'il obtienne le consentement de Flora.

Et s'il lui venait l'idée de résister...

Non, il parviendrait à ses fins.

3

Trois jours plus tard, Flora ne tenait plus en place et commençait à envisager de sauter par la fenêtre de sa prison.

La première fois qu'elle avait tenté de s'enfuir, cinq minutes après que Lachlan eut quitté sa chambre, deux gigantesques gardes s'étaient interposés. Un seul aurait suffi. N'y avait-il donc que des géants, dans ce maudit donjon ?

Un homme avenant d'une quarantaine d'années lui avait gentiment mais fermement fait faire demi-tour.

— Mon maître préfère que vous jouissiez de son hospitalité dans votre chambre, dans l'immédiat, milady.

— Je suis donc prisonnière ? avait-elle demandé d'un ton qui se voulait hautain.

— Il ne faut pas considérer les choses ainsi, milady.

— Et comment suis-je censée les considérer ?

— Voyez-y un moment de répit. Quand le seigneur sera prêt à vous recevoir, il vous fera quérir.

Ne supportant pas l'idée d'être à la botte de Lachlan, elle avait pincé les lèvres.

— Et quand sera-t-il prêt, je vous prie ?

— Bientôt, avait répondu le garde, la mine sombre. Le seigneur est très occupé.

— Je n'en doute pas. Il a l'intention d'enlever d'autres jeunes filles sans défense, cette semaine ?

— Sans défense ? avait répété l'homme en riant. Vous ne manquez pas d'humour, milady !

Sur ces mots, il avait refermé la porte de la chambre.

Occupé ! Ce goujat prenait plaisir à la tourmenter, voilà la vérité !

Le laird de Coll... Elle n'arrivait toujours pas à croire que ce ravisseur au charme ravageur et à la virilité irrésistible puisse être Lachlan Maclean. Pourquoi ne l'avait-elle jamais croisé à la cour ? Elle l'aurait remarqué ; il n'était pas de ceux que l'on oublie.

Deux jours plus tard, sa présence flottait encore dans la chambre. L'espace d'un instant, en le voyant penché sur elle, son regard d'un bleu intense rivé sur elle, elle avait eu si chaud qu'elle avait cru...

Elle avait cru qu'il allait l'embrasser et s'était figée comme une sotte, fascinée par son charme magnétique. Son corps l'avait trahie ; elle avait eu envie qu'il l'embrasse. À ce souvenir, elle s'était sentie rougir violemment.

Au moins, ses craintes du début n'étaient-elles pas fondées. Il n'avait pas l'intention de l'épouser de force. Cependant, servir de monnaie d'échange n'était guère plus reluisant. Les hommes disposés à l'utiliser comme un pion étaient justement ce qu'elle fuyait comme la peste.

Jusqu'à un certain point...

Pendant deux jours, elle avait attendu qu'il se manifeste avec patience, du moins dans la mesure du possible. Elle n'avait rien d'autre à faire que de regarder par la fenêtre pendant des heures, à contempler les vagues, le vol des mouettes...

Ses conversations se réduisaient aux rares propos échangés avec les gardes chaque fois qu'elle voulait quitter sa chambre. Deux jeunes garçons lui avaient apporté un baquet pour sa toilette, et elle voyait de temps à autre Morag, une domestique peu loquace.

Au matin du troisième jour de captivité, Flora était à bout. Les murs de la pièce semblaient se refermer sur elle.

Par chance, la chambre n'était pas aussi affreuse qu'il lui avait d'abord semblé. Spartiate, certes, mais propre, malgré le tapis et les draps élimés. Si l'ensemble était un peu usé et vieillot, elle s'y sentait assez bien. Il y avait une petite cheminée et un banc de bois et, contre le mur d'en face, le lit. Un broc était posé sur une table bancale, devant l'unique fenêtre. Celle-ci constituait la seule issue, avec la porte, qui était sous bonne garde. La fenêtre surplombait le détroit de Mull. Drimnin se composait d'une tour rectangulaire dotée d'une tourelle et d'un escalier extérieur sur la partie orientale. Le laird avait installé sa prisonnière dans la chambre la plus inaccessible.

Le défi était ambitieux, même pour elle, mais si elle devait rester enfermée encore longtemps, elle tenterait peut-être de descendre le long du mur de douze mètres.

Une malle, déposée au pied du lit, contenait une couverture en laine, une brosse et un petit miroir. Elle disposait également de vêtements de rechange, dont la qualité n'était guère meilleure que celle de son déguisement de domestique. Au moins était-elle propre… Elle avait nettoyé de son mieux ses pantoufles en satin, en regrettant de n'avoir pas porté ses bottines en cuir.

Elle finit de se brosser les cheveux et se dirigea vers la porte. La barre avait été enlevée, ce qui l'empêchait de s'enfermer elle-même. En ouvrant, elle eut la surprise de ne voir personne.

— Bonjour, milady.

Elle se tourna vers son geôlier, qui montait la garde un peu plus loin.

— Tiens, tiens, vous n'allez pas me barrer la route, Alasdair ?

Il esquissa un sourire canaille.

— Non, pas aujourd'hui, milady.

— C'est donc votre tour, Murdoch ? demanda-t-elle en s'adressant à l'autre garde.

Murdoch n'avait pas plus de dix-huit ans. Malgré sa taille imposante, il était manifestement intimidé.

— Non, milady, répondit-il en évitant de croiser son regard.

— Donc, je suis libre de partir ?

Le sourire d'Alasdair s'élargit et ses yeux se mirent à pétiller.

— Eh bien…, pas vraiment, milady. Le laird requiert votre présence dans la grande salle, pour le déjeuner.

Flora croisa les bras et observa attentivement les deux hommes.

— Vraiment ?

Elle aurait volontiers ignoré cette convocation, mais elle avait trop envie de quitter cette chambre pour céder à sa nature entêtée.

— Il est grand temps ! déclara-t-elle en redressant les épaules.

Avec un port de reine, elle franchit le seuil et descendit l'escalier en colimaçon. Comme dans la plupart des tours, la grande salle se trouvait au premier niveau. Enfin, la grande salle… si l'on pouvait appeler ainsi cette pièce austère au plancher irrégulier, aux murs blanchis à la chaux. Il y avait une cheminée et des chandeliers en fer, et le jour n'y pénétrait que par quatre malheureuses meurtrières. Pour tout ameublement, Flora découvrit quelques tables en bois et des bancs. Pas d'estrade, ni de tapisseries, ni de lampes,

de tapis : la salle était dépouillée de tout orne-
ment.

Devant une fenêtre, le laird l'attendait, lui tournant le dos. Le chef des Maclean de Coll. Comment son identité avait-elle pu lui échapper ?
Même sa posture exprimait son autorité... et sa
méfiance naturelle.

En l'entendant entrer, il se retourna. Un rayon de
soleil faisait courir un reflet doré sur ses cheveux
châtains. Flora ne put réprimer un frisson. Depuis
le départ, il produisait sur elle un effet étrange qui
ne faisait que s'intensifier. Il suffisait qu'elle se
trouve en sa présence pour être troublée à son
corps défendant. Cela n'avait rien d'étonnant,
songea-t-elle, car c'était un homme imposant.

Dans cette lumière, ses traits semblaient sculp-
tés dans la pierre. Il émanait de son corps musclé
une force qu'elle n'avait encore décelée chez
aucun Highlander. Sa virilité était presque primitive tant il paraissait dominer son environnement,
en digne héritier de nombreuses générations de
guerriers et de chefs implacables.

Il était tout ce que sa mère lui avait appris à
détester : un Highlander, un guerrier, un chef. Pourtant, il n'avait rien de repoussant. Elle le trouvait
déconcertant, voire agaçant, mais elle ne pouvait
nier qu'il ne ressemblait en rien à l'image qu'elle
s'était faite de Lachlan Maclean.

Dans le sud de l'Écosse, on méprisait les barbares du Nord, sentiment que le roi Jacques ne
manquait pas d'exprimer. Sa mère lui avait décrit
des hommes fiers et cruels, dénués de tout sentiment humain, qui régnaient en rois sur leurs fiefs.

À bien des égards, cette réputation était méritée.
Comme les frères de Flora, Lachlan était fier et
bien moins raffiné qu'un courtisan d'Édimbourg.
Au plus profond d'elle-même, elle était néanmoins
attirée par son ravisseur, et cette prise de conscience

ne faisait que renforcer sa détermination à quitter cet endroit maudit. Jamais il ne saurait quel effet dévastateur il produisait sur elle.

L'air sombre, il soutint son regard. En s'approchant, elle constata qu'il était fatigué, un peu pâle, comme s'il était souffrant. Alors, elle comprit. Il ne l'avait nullement évitée, pendant ces quelques jours ; il avait pris le temps de se remettre de sa blessure. C'était un être humain, après tout.

Elle s'arrêta à un mètre de lui, les bras ballants, comme si elle redoutait qu'il tende la main vers elle.

— Vous avez été malade.

Son expression maussade se durcit.

— Non. Je regrette votre confinement, mais j'avais certaines affaires à régler.

Il mentait. Il n'était pas homme à justifier ses actes. De toute évidence, sa fierté lui interdisait de reconnaître la moindre faiblesse.

Flora s'en voulut davantage encore de l'avoir blessé. Elle ne voulait pas, mais elle l'avait fait. Elle avait cherché à lui faire mal.

— Je...

Bien que son coup de poignard ait été justifié, elle faillit s'excuser. Les mots ne vinrent pas et elle s'empourpra.

— Vous vous êtes défendue avec courage, Flora, dit-il, conscient de son malaise. Je suis le fautif, car je vous ai sous-estimée. Mais cela ne se reproduira pas. Asseyez-vous, ajouta-t-il d'un ton plus dur en lui désignant un siège en bois sculpté, manifestement à la table du maître.

Elle eut envie de refuser puis se ravisa en voyant une servante apporter des assiettes fumantes garnies de bœuf. Hélas ! la cuisine ne se révéla guère meilleure que ce dont elle avait dû se nourrir dans sa chambre. La viande était trop cuite, mais au moins, elle était chaude.

Ils mangèrent en silence, Lachlan ne la quittant pour ainsi dire pas des yeux. Flora fit mine de ne rien remarquer, mais elle était gênée.

— Vous a-t-on bien traitée ? demanda-t-il enfin.

Elle avala une bouchée de viande fade et dure et observa son ravisseur avant de boire une gorgée de bière. Le contraste entre ses cheveux châtains et ses yeux bleus était saisissant. Les traces de griffures sur sa joue avaient presque cicatrisé.

— Si l'on considère le fait de rester cloîtrée pendant trois jours comme un bon traitement... En fait, je me suis ennuyée à mourir.

Cette réponse parut agacer Lachlan.

— Je regrette, mais nous n'avons pas de temps à perdre en mascarades et en banquets, ici.

De toute évidence, il la prenait pour une courtisane frivole et capricieuse. Sa réplique cinglante la piqua au vif. Ils menaient des existences radicalement opposées.

— Ce n'est pas ce que je voulais dire, reprit-elle. Je ne m'attendais certainement pas à des mondanités, mais même les femmes des Highlands ne restent pas enfermées à se morfondre pendant des jours entiers !

Il s'adossa plus confortablement et réfléchit un instant.

— Vous avez raison, admit-il.

Cette concession la surprit. Encouragée par son humeur plus avenante, elle décida d'aborder le sujet qui lui tenait le plus à cœur, son départ.

— Avez-vous écrit à mon frère ?

Il arqua les sourcils.

— Vous êtes donc si impatiente de partir ? Vous venez à peine d'arriver.

Elle ignora cette tentative de diversion.

— Alors ?

— Un messager est parti pour Coll peu après notre arrivée.

— Hector a-t-il accédé à votre demande?

— Pas encore.

— Il n'en fera rien.

— Nous verrons bien.

Il semblait bien sûr de lui, mais Flora ne manquait pas d'assurance non plus. Soudain, une idée terrible lui vint.

— Que ferez-vous de moi, s'il refuse?

Il riva ses yeux d'un bleu perçant aux siens.

— Il acceptera.

— Et dans le cas contraire? Vous ne pourrez me garder ici éternellement. Quelqu'un finira bien par se rendre compte de ma disparition.

— En effet. Mais je pense que vous m'avez fait gagner pas mal de temps avec votre tentative de mariage à la sauvette.

— Que voulez-vous dire?

— Je doute que vous ayez quitté le palais en pleine nuit sans préparer une explication valable.

Elle avait en effet écrit à Rory et à son cousin Argyll qu'elle était partie rendre visite à Hector. Ces lettres empêcheraient ses proches de s'inquiéter de son absence.

Mais comment l'avait-il deviné?

Hector était en mauvais termes avec Argyll et Rory. Le seul espoir de Flora était que William alerte son cousin. Cependant, en faisant cela, il aurait des explications à fournir... Allait-il prendre un tel risque?

Lachlan l'observait, la mine indéchiffrable.

— Pourquoi ne vous êtes-vous jamais mariée? lui demanda-t-il soudain. Vous n'êtes plus si jeune...

Elle se crispa.

— Je ne vois pas en quoi cela vous regarde.

Il scruta son visage, puis s'attarda sur sa poitrine.

— Vous êtes plutôt agréable à regarder, pourtant.

Flora en eut le souffle coupé. Était-ce là un compliment ? Elle avait déjà eu l'occasion de constater que le tact n'était pas son fort, et ce n'était pas son manque de galanterie qui la choquait. Il l'avait regardée comme si elle était une bête de foire, ce qui en disait long sur son respect pour les femmes. Mais pourquoi diable s'étonnait-elle ? Jamais un homme ne l'apprécierait pour elle-même. Aux yeux de tous, elle ne valait que par son statut et sa fortune ou en tant que monnaie d'échange.

— Vous êtes bien aimable, railla-t-elle d'un ton sarcastique. Mais que m'apporterait le mariage que je n'aie déjà ?

Lachlan aurait pu répondre à cette question de plusieurs façons mais, par égard pour son innocence, il se garda d'être trop direct. Un regard sur son beau visage et sur son corps de rêve suffisait pour savoir ce que le mariage pouvait lui apporter...

Depuis que Flora était entrée dans la pièce, il ne pensait qu'à cela. Il avait eu toutes les peines du monde à ne pas se pincer pour s'assurer qu'il ne rêvait pas. Le visage éthéré qui avait hanté ses pensées durant les quelques jours qu'il avait passés à soigner sa blessure était encore plus beau dans la réalité, sans la boue qui le maculait et la coiffe de domestique qui cachait la chevelure qui l'encadrait

La vieille robe qu'il avait empruntée à sa sœur était un peu trop petite et moulait ses seins et ses hanches, soulignant ses courbes voluptueuses. Ses longs cheveux blonds cascadaient sur ses épaules, captant la lumière dans leurs reflets dorés. Elle avait le teint nacré et lumineux. Ses yeux bleus étaient ourlés de longs cils soyeux. Quant à ses lèvres rouges si pulpeuses...

C'était en effet sa bouche qui le rendait fou. Elle emplissait son esprit d'images sensuelles. En songeant qu'il avait failli l'embrasser, il déplorait d'avoir reculé, car cela n'avait fait que décupler son désir. Il n'était pas patient de nature, et encore moins quand il convoitait quelque chose. Or, il voulait tellement Flora MacLeod que son sang bouillait dans ses veines.

Arrachant son regard à ses lèvres, il se souvint qu'elle attendait une réponse. Le défi que constituait sa question ne lui avait pas échappé.

— Il est certain que vous n'avez pas besoin de relations ou de richesses supplémentaires, concéda-t-il tout en regrettant de ne pouvoir en dire autant.

Étonnée qu'il la prenne au sérieux, elle arqua les sourcils avec grâce.

— C'est certain.

— Hum... Dois-je présumer que l'amour n'est pas un argument valable, à vos yeux ?

D'expérience, il savait que les jeunes filles rêvaient toutes du grand amour.

— C'est un argument aussi valable qu'un autre, je suppose. Mais un argument pas très pratique. On peut attendre l'amour toute sa vie. Parfois, il n'arrive jamais.

Lachlan fut un peu surpris. Il la croyait aussi pragmatique que lui. S'il avait décidé de se marier, ce n'était pas par romantisme, car il ne laissait jamais une émotion guider ses décisions. L'amour, c'était pour les autres. Son dévouement, sa loyauté, il les réservait à son clan et sa famille. Aucune femme n'y changerait rien, surtout pas celle-ci. Il avait passé l'âge où l'on confondait désir et amour.

Elle lui apporterait beaucoup de choses, mais l'amour ne faisait pas partie du contrat.

Manifestement, Flora n'était pas totalement dénuée d'illusions sur l'amour. Il décida d'oublier cela dans l'immédiat ; il aurait bien le temps d'y penser plus tard. D'abord, il devait comprendre le fonctionnement de son esprit. Il ne lui avait pas fait part tout de suite de ses intentions car elle était en colère et qu'on l'avait mis en garde contre son caractère impulsif. Quoi qu'il en soit, il ferait tout ce qu'il faudrait pour qu'elle accepte ce mariage. Il ne tolérait pas l'échec.

— Dans ce cas, que dites-vous de la passion ? reprit-il.

Il crut la voir rougir légèrement. Elle ne laissa toutefois rien paraître de son embarras.

— Je ne pense pas que l'un soit une condition nécessaire à l'autre.

Lachlan fut submergé d'une onde de colère fulgurante. Elle et ce freluquet avaient-ils... Cette simple pensée fit naître en lui un sentiment de possessivité incompréhensible. Pourquoi l'innocence de cette femme comptait-elle autant à ses yeux ?

— Que voulez-vous dire ? demanda-t-il d'un ton neutre, les doigts crispés sur sa chope.

Elle haussa les épaules.

— Je ne pense pas que la passion soit réservée au lit conjugal. En fait, je crois savoir que le lit conjugal connaît rarement la passion.

Ce cynisme ne plaisait guère à Lachlan, même s'il devait admettre qu'elle n'avait pas tort. S'il avait tant tardé à convoler, c'était justement à cause de cette absence de passion. De plus, il était trop occupé à défendre son fief.

— Pourtant, le lit conjugal est l'unique endroit respectable pour une femme de votre rang.

— Épargnez-moi vos leçons de morale. Je n'en ai que faire ! rétorqua-t-elle. Un homme qui enlève une femme est mal placé pour parler de respectabilité !

— Êtes-vous respectable, Flora ? insista-t-il en la regardant droit dans les yeux.

Elle le foudroya du regard.

— Comment osez-vous ? Cela ne vous regarde en rien, espèce de rustre !

Elle le provoquait ! Cette femme avait le don de le mettre hors de lui. Au lieu de l'attraper par le bras et de la secouer pour lui faire entendre raison, il but une gorgée de bière, le temps de se ressaisir. Ça le regardait, et elle le saurait bientôt.

Elle eut un mouvement de recul et fit mine de se lever.

— Si vous n'avez plus de raisons à citer…

— La protection.

Il lui prit le poignet pour l'empêcher de partir. Ses doigts enserrèrent sa peau délicate d'une poigne de fer. Une peau douce. Elle était un peu grande, pour une femme, mais avait une silhouette svelte, suggérant une certaine vulnérabilité, en dépit de son caractère bien trempé.

— Je n'ai pas besoin…

Flora s'interrompit. Sa seule présence dans ce donjon prouvait le contraire.

— Ma mère me protégeait, reprit-elle.

— Mais elle n'est plus là, dit Lachlan posément, énonçant un simple fait.

Elle tressaillit comme s'il venait de la frapper puis elle posa sur lui un regard plein de désespoir.

— Je n'en suis que trop consciente, dit-elle.

Il eut soudain envie de la réconforter, mais se ravisa. Sa compassion ne ferait qu'empirer les choses. Cependant, il avait eu un aperçu de sa profonde solitude.

— Et vous avez beau affirmer le contraire, vous avez implicitement reconnu qu'il y a des avantages à se marier.

— Que voulez-vous dire ?

— Vous avez déjà oublié votre fiancé ?

— Bien sûr que non ! s'exclama-t-elle en rougissant car il avait vu juste.

— Était-ce de la protection ou de l'amour, Flora ?

Sa réponse était essentielle, aux yeux de Lachlan. Il refusait d'envisager l'hypothèse de la passion.

— Lord Murray était un choix délibéré, déclara-t-elle en se détournant.

Elle l'avait déjà dit, et Lachlan commençait à comprendre ce qui avait pu l'inciter à vouloir se marier à la sauvette.

— Rory ne vous forcerait en aucun cas à vous marier, assura-t-il.

C'était la raison précise pour laquelle lui-même se trouvait dans cette situation difficile. Il avait besoin de l'assentiment de Flora.

Elle esquissa un sourire désabusé.

— Vous le connaissez donc si bien ?

— Assez bien, en effet. Il m'a parlé de vous.

— Vraiment ? demanda-t-elle, surprise.

Elle tenta de masquer son enthousiasme en regardant son assiette, mais son expression n'avait pas échappé à Lachlan. Croyait-elle donc que sa famille l'avait oubliée ?

— Naturellement. Vous êtes sa sœur, non ?

Il lut de la déception sur son visage.

— Il tient à vous, ajouta-t-il malgré lui.

En voyant son regard s'illuminer, il sentit son cœur se serrer. Son désir de plaire à Flora pouvait se révéler dangereux ; il se promit d'y prendre garde.

— Et mon cousin aussi, sans doute.

Le comte d'Argyll... Lachlan se contint. Il ne comprenait que trop bien pourquoi elle redoutait l'intervention de son cousin. Rory avait la mainmise sur le mariage éventuel de Flora, mais il avait aussi des obligations envers Argyll, tout comme Lachlan, ce qui donnait au comte un poids non négligeable.

— Votre cousin a une fâcheuse tendance à se mêler de ce qui ne le regarde pas.

— Et j'ai vu à quel point ses interventions pouvaient apporter le malheur. Quand je me marierai, si je me marie un jour, j'en déciderai moi-même. Ni mes frères ni mon cousin ne choisiront à ma place.

Elle s'exprimait avec une telle fougue qu'il eut la certitude d'avoir trouvé son point sensible. Ce projet de mariage à la sauvette n'était pas un caprice d'enfant gâtée, comme il l'avait d'abord cru. Ses motivations étaient bien plus profondes. Ses actes étaient dictés par la peur. Ce n'était pas le mariage lui-même qu'elle craignait, c'était la contrainte.

— Mais une femme n'est pas en droit de faire un tel choix ! dit-il pour vérifier sa théorie. Que cela vous plaise ou non, le choix de votre mari ne vous appartient pas.

Abasourdie, elle le dévisagea longuement. Pourtant, elle avait bien plus de pouvoir qu'elle ne l'imaginait, songea Lachlan. Quoi qu'il en soit, il valait mieux qu'elle reste dans le doute, s'il voulait arriver à ses fins.

— Le destin d'une femme est donc d'être vendue au plus offrant ?

C'était une façon un peu crue de l'exprimer, mais elle n'avait pas tort.

— En effet.

— Eh bien, je refuse de subir un tel sort, affirma-t-elle avec détermination.

Elle était décidément volontaire et entêtée, constata Lachlan en se promettant d'agir avec précaution. Malheureusement, le temps lui manquait.

Il devina les raisons de son attitude. Janet, la mère de Flora, avait été l'héritière la plus en vue de son époque. On l'avait mariée à quatre chefs puissants, et on racontait qu'elle avait été très malheureuse.

— Votre mère n'aurait pas dû vous mettre de telles idées dans la tête.

— Vous êtes bien présomptueux. Vous ne savez rien de ma mère.

Elle porta la main sur un grand pendentif qu'elle portait au cou.

Soudain, Lachlan se figea, résistant à l'envie de lui arracher le bijou.

— Où avez-vous eu cela ?

Ce n'était pas un pendentif, comme il l'avait d'abord cru, mais une broche accrochée à une chaîne, ornée d'une grosse pierre précieuse en son centre.

Flora pâlit et tenta de le glisser sous le tissu de sa robe.

— Il appartenait à ma mère.

Lachlan tendit la main vers l'amulette pour l'examiner. Il n'en crut pas ses yeux en découvrant les motifs un peu usés représentant des haches et un chardon, gravés dans l'argent autour de la pierre ambrée des Highlands. Les haches et le chardon étaient les emblèmes des Maclean. Il retourna le bijou pour lire l'inscription figurant au dos : *A mon mari bien-aimé, pour notre mariage.*

C'était incroyable !

L'ironie de la situation aurait dû le faire rire. Épouser Flora MacLeod serait un avantage à plus d'un égard. Leur union constituerait un symbole puissant : la fin d'une malédiction. Une malédiction en laquelle il ne croyait pas, mais à laquelle ses gens imputaient les malheurs qui frappaient le clan depuis quatre-vingts ans.

Sans lâcher l'amulette, Lachlan plongea son regard dans celui de Flora.

— C'est vous. Vous êtes la fille Campbell...

Flora se maudit d'avoir été aussi stupide. Elle aurait dû cacher son amulette, mais comment aurait-elle pu deviner qu'il la reconnaîtrait aussi facilement ?

C'était un Maclean, donc il connaissait la légende ; le chef qui avait enchaîné la pauvre Elizabeth Campbell au rocher était son ancêtre. Toutefois, elle ne s'attendait pas à ce qu'il accorde foi à ces histoires.

Mais comment perdre de vue que si sa mère avait été forcée d'épouser son premier mari, c'était pour mettre fin à cette malédiction ?

— Vous ne croyez tout de même pas à cette vieille légende ? demanda-t-elle avec désinvolture.

— Non.

Le soulagement de Flora fut de courte durée car Lachlan ajouta presque aussitôt :

— Contrairement à beaucoup de gens de la région.

— C'est ridicule ! Le mariage de ma mère avec le père d'Hector aurait dû faire taire ces superstitions.

— Il n'a fait que les renforcer.

Pendant quelques années, les Maclean avaient en effet paru épargnés, mais cela n'avait pas duré, ce qui avait relancé la superstition.

Il était trop tard, à présent, songea Flora. Il avait vu l'amulette. Allait-il changer d'avis en ce qui concernait sa décision de ne pas l'épouser ? Elle ne pouvait l'accepter.

— Cela n'a pas d'importance, dit-elle. L'amulette m'appartient, et je ne m'en départirai pas de mon plein gré.

La croyance voulait que la malédiction cesse le jour où l'amulette serait cédée volontairement à un Maclean, ce qui ne s'était jamais produit.

Une étrange lueur passa dans le regard de Lachlan, pour qui ses paroles représentaient manifestement un défi. Il se pencha vers elle, la troublant de plus belle. Il émanait de lui un parfum enivrant de myrte et de savon. Flora ne voyait plus que sa bouche, à quelques centimètres de la sienne.

Il avait de longs cils fins qui contrastaient avec ses traits taillés à la serpe.

En le voyant tendre la main, elle se crispa. Allait-il la toucher, l'embrasser ? Il se contenta de glisser une mèche de ses cheveux derrière son oreille. À ce léger contact, elle se mit à trembler.

Pourquoi produisait-il sur elle un tel effet ? Il soutint son regard. Entre eux, la tension était palpable. De son pouce, il lui effleura la joue d'une caresse.

— Comment pouvez-vous en avoir la certitude ?

— Je... Je...

Elle n'arrivait plus à réfléchir, et cet arrogant le savait.

— Nous verrons bien, dit-il en écartant la main.

— Ai-je besoin d'être protégée contre vous ? demanda-t-elle, outrée.

— Peut-être, admit-il avec un long regard sensuel.

— Vous m'aviez promis !

— Certes, fit-il, indifférent.

— Vous n'avez pas d'honneur.

— C'est évident, sinon, vous ne seriez pas ici, répliqua-t-il avec un sourire amusé.

— Prisonnière, commenta-t-elle.

— À vous de choisir si vous êtes ma prisonnière ou mon invitée. Ne me provoquez pas, et votre séjour sera plaisant.

Flora détestait qu'on lui dise quoi faire.

— Et que suis-je censée faire, pendant ce « séjour » ?

— Ce que font toutes les femmes pour s'occuper. Faites ce que vous voulez, mais ne cherchez pas à vous enfuir.

L'esprit en ébullition, Flora se détourna pour masquer son sourire. Les idées ne manquaient pas...

Lachlan s'était trompé de victime, et elle allait le lui faire payer.

4

— J'ai un doute, Flora... Vous êtes sûre qu'il ne sera pas fâché?

Je l'espère bien, au contraire, songea Flora en observant tour à tour les deux jeunes filles.

Quelques jours plus tôt, elle avait surpris les sœurs cadettes du laird en train de l'épier, tapies dans l'ombre, avec une curiosité à peine dissimulée. Intriguées, elles avaient fini par sortir de leur cachette pour lui demander ce qu'elle faisait. Sans tarder, elles lui avaient proposé leur aide, devenant ainsi ses complices.

Le laird l'avait bien cherché, après tout! Les pauvres petites s'ennuyaient à mourir, dans ce château perdu, sans amies à qui se confier.

À dix-sept ans, Mary était le portrait craché de son frère, avec ses cheveux châtains et ses yeux bleus. Ses traits étaient un peu trop marqués, peut-être, mais sa gentillesse compensait cette absence de grâce. Du haut de ses quinze ans, Gillian était bien plus audacieuse. Au contraire de ses aînés, elle avait une crinière rousse et des yeux verts, ainsi qu'un teint de porcelaine qui faisaient d'elle une véritable beauté. Son caractère enjoué ajoutait à son charme. Mary, pour sa part, se montrait plus réservée, comme en cet instant.

— Je cherche simplement à m'occuper, comme votre frère me l'a recommandé, répondit Flora. Que faire d'autre ? Il m'a interdit l'accès des cuisines et de la brasserie...

— Il a de bonnes raisons pour cela, lui rappela gentiment Mary.

— Je cherchais seulement à me rendre utile ! protesta Flora.

Gillian n'était pas dupe.

— En salant trop le ragout et en sucrant la bière ? fit l'adolescente d'un air espiègle.

Flora sourit à ce souvenir. Saler la nourriture avait été sa première action. Elle s'était juré de tourmenter son ravisseur, même si elle n'était pas très rassurée. De toute évidence, il était de ceux à qui il valait mieux ne pas se frotter. Le lendemain de leur conversation, elle s'était rendue aux cuisines pour commettre son méfait. Le cœur battant, elle avait regardé Lachlan porter à sa bouche une cuillerée de sa mixture et, en le voyant recracher aussitôt, elle avait souri. Très vite, il avait compris et eu toutes les peines du monde à ravaler les réprimandes qu'il brûlait de lui adresser. Elle se demandait encore pourquoi, mais cela n'avait aucune importance...

— Ce plat semblait tout à fait mangeable, insista Flora. Je n'ai guère l'expérience des cuisines...

Depuis que son cousin Argyll l'avait chassée de celles d'Inveraray pour exactement les mêmes raisons.

— N'oubliez pas que vous n'avez pas non plus le droit de vous mêler de la blanchisserie ni de la couture, lui rappela Mary.

Flora dut se mordre la lèvre pour ne pas s'esclaffer.

— Cette sanction est vraiment injuste ! Les chemises de votre frère sentaient très bon...

— Pour sûr! gloussa Gillian. Aussi bon qu'une jeune fille en fleur!

Rien de plus normal, puisque Flora les avait arrosées d'eau de rose.

— J'ai trouvé que ce parfum soulignait à merveille la finesse du coton et les broderies, expliqua-t-elle.

Elle avait également orné de grosses fleurs roses lesdites chemises.

— Ce qui n'aurait posé aucun problème si vous n'aviez pas cousu ses manches, ajouta Gillian.

— Et raccourci ses culottes! renchérit Mary.

Sans parler des orties sur lesquelles elle avait déposé ses kilts. Sa jubilation en entendant les cris de son ravisseur valait bien la peine qu'elle avait eue ensuite à ôter les feuilles urticantes.

Elle s'en était donné, du mal! Hélas! Lachlan demeurait d'un calme olympien, même quand elle allait très loin pour mettre sa patience à l'épreuve. Il faisait preuve d'un contrôle de lui-même étonnant et semblait presque vouloir lui faire plaisir, ce qui ne faisait que renforcer sa détermination à le tourmenter.

En réalité, il y avait des années qu'elle ne s'était pas autant amusée. Elle s'était beaucoup entraînée à faire des bêtises, dès son enfance. Après avoir compris – très vite – quelle était sa place dans la société, elle s'était rebellée, avec la bénédiction de sa mère, contre l'avenir qui lui était promis. Si bien que, en arrivant à la cour, elle s'était mise à décourager des prétendants aux intentions honorables, et cette tendance était vite devenue une habitude. Elle ne cherchait pas ouvertement le conflit, mais semblait accumuler les bévues. Malheureusement, sa réputation de rebelle ne décourageait pas les jeunes gens, loin de là. Avec sa fortune et ses relations, ils auraient voulu d'elle, même si elle avait été bossue.

Or, Flora était prête à tout pour que Lachlan Maclean ne suive pas le même chemin.

Affolée, Mary secoua la tête.

— Mon frère est très tatillon pour ce qui est de ses armes !

— Dans ce cas, il sera ravi de les voir briller de mille feux, assura Flora.

— Il sera furieux, oui ! D'ailleurs, il a des domestiques pour astiquer ses armes.

— Pour l'heure, il n'a pas cédé à la colère, fit remarquer Flora.

— C'est vrai, admit Mary, perplexe. Il se montre particulièrement compréhensif.

— Peut-être se sent-il coupable…, hasarda Flora.

Gillian pouffa.

— J'en doute ! Lachlan sait parfaitement ce qu'il fait. Quand il prend une décision, il ne change jamais d'avis.

Le ton de sa voix trahissait son admiration pour son aîné.

— Vous ne considérez tout de même pas qu'il a bien fait de m'enlever ?

Gillian rougit, l'air mal à l'aise.

— Non. Enfin, oui…, marmonna-t-elle en se tordant nerveusement les mains. Il avait ses raisons…

Flora préféra ne pas s'attarder sur cette question. Même si elle en avait le pouvoir, elle ne voulait pas semer la discorde entre les deux jeunes filles et leur frère. Elles l'idolâtraient et cette affection était réciproque, même s'il ne savait pas l'exprimer. Tout comme les frères de Flora, Lachlan cherchait à jouer le rôle d'un père. Or, Mary et Gillian avaient soif d'affection, comme elle-même, depuis toujours. Cette prise de conscience lui noua la gorge.

Elle n'avait guère passé de temps en compagnie d'Hector, mais Rory et Alex avaient fait de nombreux séjours au château d'Inveraray. Bien plus âgés qu'elle, ils avaient voulu remplacer ce père qu'elle n'avait pas connu. Ils croyaient bien faire, mais elle aurait préféré des rapports plus complices...

Mary et Gillian auraient fort à faire pour obtenir un peu d'affection de Lachlan, mais Flora trouvait cette attitude bourrue non dénuée de charme. En présence des deux jeunes filles, il présentait une autre facette de sa personnalité : il se montrait attentionné et patient, plein de sollicitude, même.

Elle le découvrait différent de l'image qu'elle s'était faite de lui au départ.

Depuis quelques jours, elle sentait son regard bleu rivé sur elle avec une telle intensité qu'elle en était à la fois troublée et ravie. Repoussant ces pensées, Flora prit le temps de réunir ce dont elle avait besoin dans le cellier et se tourna vers les deux adolescentes.

— Alors ?

— J'y vais, proposa Gillian.

Mary fut plus difficile à convaincre.

— Vous allez vous contenter de huiler ses épées, n'est-ce pas ?

— C'est promis, assura Flora, qui se garda toutefois de préciser de quelle huile elle comptait se servir.

Malgré tout, Mary hésitait encore.

— Vous n'aurez même pas à entrer, insista Flora. Contentez-vous de guetter l'arrivée de Thor.

La jeune fille rougit légèrement.

— Ne l'appelez pas ainsi, dit-elle. Il se nomme Allan.

Flora arqua les sourcils. C'était donc cela ! Mary avait le béguin pour le régisseur du château...

— Je connais son nom, répliqua Flora, mais vous devez admettre qu'il ressemble à Thor, le dieu nordique de la Guerre.

— Flora a raison, Mary, intervint Gillian. Il m'a toujours fait une peur bleue.

— Tu ne le connais pas ! s'insurgea Mary avec passion. En réalité, il est très… gentil.

Flora éclata de rire.

— Ne vous avisez pas de tenir de tels propos devant votre frère ! Il n'apprécierait sans doute pas d'entendre un de ses plus féroces guerriers ainsi qualifié.

— Vous ne lui direz rien, n'est-ce pas ? demanda Mary soudain très pâle.

— Ne vous inquiétez pas… Je plaisantais !

Comme Mary semblait mortifiée, Flora s'en voulut de la tourmenter de la sorte. Elle lui sourit.

— Restez donc ici. Gillian pourra guetter la venue de Th… d'Allan. Nous serons de retour en un rien de temps.

— Non, je préfère venir, répondit Mary.

— À la bonne heure ! Toutes à l'armurerie !

Lachlan brûlait d'envie d'en découdre. Même les heures passées à s'entraîner au combat ne parvenaient pas à apaiser ses ardeurs. Il tournait en rond comme un fauve en cage. Les raisons de son malaise n'étaient pas difficiles à identifier…

Cette petite sorcière était là depuis moins d'une semaine, et elle avait déjà réussi à le mettre sens dessus dessous. C'était une fauteuse de trouble née ! Au départ, il s'était réjoui de l'intérêt subit qu'elle semblait manifester pour le château… Il avait vite déchanté. Il suffisait d'observer son expression pour deviner ce qu'elle manigançait. Cependant, il ne lui donnerait la satisfaction de céder à ses provocations. Au cours des derniers jours, il était parvenu non sans mal à réprimer sa colère. Son instinct avait beau lui hurler de la remettre à sa place, il ne pouvait se permettre de la contrarier s'il voulait l'amadouer.

L'espièglerie de Flora ne représentait toutefois que la moitié du problème : il ne pouvait poser les yeux sur elle sans être submergé d'un désir violent. Or, il n'était pas homme à contenir sa passion. Il aurait pu défouler ses ardeurs en rendant visite à sa maîtresse habituelle, mais cela aurait été irrespectueux envers Flora. De toute façon Seonaid, la jolie veuve dont il avait fait sa maîtresse, avait en dépit de ses talents perdu beaucoup de son attrait à ses yeux.

Désormais, il ne voyait plus que le visage délicat, les grands yeux bleus de Flora. Il désirait ce qu'il ne pouvait avoir, en tout cas dans l'immédiat.

Des années de conflits avaient appris à Lachlan à se méfier, à réfléchir, à jauger une situation avant de se précipiter. Il faisait de son mieux pour s'adapter à la présence de Flora, mais sa patience commençait à s'épuiser.

Il était temps pour lui de passer à l'action.

Ne la trouvant ni dans sa chambre ni dans la grande salle, il gagna la cour. Il faisait beau. Peut-être avait-elle décidé de se promener. En regardant vers l'armurerie, il vit sa sœur Mary en grande conversation avec Allan.

Ces derniers temps, chaque fois qu'il croisait Mary ou Gillian, Flora n'était pas loin. Les jeunes filles étaient en admiration devant sa grâce et son raffinement, qui étaient indéniables, bien qu'elle soit dépourvue de sa garde-robe à la dernière mode. Il eut un soupçon de regret. Ses sœurs avaient souffert, tout comme les autres membres du clan. Lachlan n'avait eu le temps ni les moyens de s'occuper de l'éducation des deux jeunes filles. La dot de Flora, une véritable fortune, lui permettrait d'y remédier. Rien que pour cela, il serait fou de ne pas l'épouser.

Il fronça les sourcils en voyant Mary bavarder avec Allan. Son régisseur était... souriant ! Quant à Mary, elle avait les yeux brillants et les joues rouges. Elle posait sur le jeune homme un regard…

Sacré bon sang ! Lachlan traversa la cour d'un pas vif pour faire cesser immédiatement cette conversation. Il avait d'autres projets pour Mary. À quoi Allan pensait-il donc ? Comment pouvait-il entretenir ainsi les illusions d'une jeune fille impressionnable qui ignorait tout de la vie ? Allan était un guerrier valeureux, un homme de confiance, mais il n'était pas pour Mary.

Celle-ci l'aperçut enfin et se figea, les yeux écarquillés. Lachlan y décela une lueur coupable.

— Que fais-tu là, Mary ? Et où est Gillian ?

Il n'accorda pas un regard à Allan, mais se promit d'avoir avec lui une conversation d'homme à homme.

— Euh… Eh bien…, marmonna Mary.

D'instinct, elle avait fait un pas vers la porte, comme si elle voulait cacher quelque chose.

L'armurerie ! Flora se trouvait dans l'armurerie !

— Je vais la tuer ! maugréa-t-il en ravalant un juron.

Il écarta doucement sa sœur de son chemin et ouvrit la porte. Une odeur abominable lui assaillit aussitôt les narines. Gillian se redressa vivement et se précipita vers son aîné.

— Mon frère, nous voulions te faire une surprise ! affirma-t-elle.

— Je n'en doute pas une seconde, répondit-il en se tournant vers Flora.

Cette petite sorcière semblait sur le point d'éclater de rire. La colère monta soudain en Lachlan et le masque de froideur qu'il affichait depuis des jours se fissura.

Elle avait huilé ses épées à l'aide de cette substance visqueuse que crachent les fulmars, des oiseaux marins, pour se défendre, et dont l'odeur était pestilentielle. Il faisait venir cette huile de

Saint-Kilda, une petite île isolée appartenant à Rory, pour ses lampes.

Lachlan observa les armes luisantes qui gisaient à terre. Elle avait naturellement huilé les lardes en corne et les manches en cuir.

Gillian plissa le nez.

— L'odeur est puissante, il faut le reconnaître, dit-elle, pressentant que quelque chose n'allait pas. Mais Flora affirme que c'est cette huile qu'il faut appliquer. Avons-nous mal fait, mon frère?

Cherchant à maîtriser sa rage, il se tourna vers sa sœur.

— Gillian, ta sœur et toi devez vous préparer pour le souper. Regagnez le donjon. J'aimerais m'entretenir avec Mlle Macleod.

Dès que la porte se fut refermée, il saisit Flora par les bras pour la faire lever de force de son banc et la plaqua contre son torse. Son sang bouillait dans ses veines. Jamais il n'avait été aussi proche de perdre tout contrôle.

— Lâchez-moi! s'insurgea-t-elle en tentant de se dégager.

En Lachlan, le désir se mêla à la colère tandis qu'elle s'agitait contre lui. Devait-il la réprimander ou la porter dans sa chambre pour laisser enfin libre cours à ce désir refoulé depuis trop long-temps? Il se sentait tout à coup incapable de la moindre réflexion. Cette femme était bien la plus entêtée, la plus rebelle qu'il ait jamais croisée. Pourtant, alors qu'il la tenait dans ses bras et voyait ses grands yeux bleus pleins de défi, il prit conscience de sa vulnérabilité. Il pouvait lui faire du mal, s'il ne faisait pas attention...

Il percevait sa peur, sa solitude. Le temps de se calmer, il relâcha son emprise.

— Vous êtes allée trop loin! Vous allez nettoyer ces épées jusqu'à ce qu'il n'y ait plus la moindre trace d'huile sur aucune d'elles.

— Aurais-je fait quelque chose de mal? demanda-t-elle avec un regard innocent, sous ses longs cils soyeux.

Cette manœuvre si féminine ne fut pas sans effet sur Lachlan. La fossette si coquine qu'il vit se creuser dans sa joue faillit le faire succomber.

Il se pencha vers elle et respira le doux parfum de ses cheveux. Aussitôt, il se mit à trembler de tous ses membres et son sexe se tendit. Son corps l'implorait de la faire sienne, de l'embrasser à perdre haleine, d'enfouir les doigts dans sa chevelure avant de la dévorer de baisers jusqu'à ce qu'elle s'abandonne.

— Ne jouez pas avec moi, Flora! Je ne suis pas comme vos petits chiens dociles de courtisans. Si vous me cherchez, vous me trouverez.

Il perçut une lueur de satisfaction dans le regard de Flora, comme si elle avait cherché à le pousser à bout. Si elle se croyait en sécurité, à l'abri d'un mariage forcé avec lui, elle se trompait...

— J'ignore de quoi vous parlez. Je ne cherchais qu'à me rendre utile. Ne m'avez-vous pas conseillé de m'occuper?

— Je sais parfaitement ce que vous mijotez. Ce n'est pas parce que j'ai choisi de tolérer vos bêtises que j'ignore ce qui vous pousse à agir. Mais écoutez-moi bien: si je décide de vous posséder, rien ne saura m'en empêcher.

Soudain tendue, elle retint un instant son souffle.

— Vos menaces ne m'impressionnent guère, répliqua-t-elle enfin. Si vous voulez récupérer votre château, vous ne poserez pas la main sur moi.

— Je ne lance jamais de menaces, ma douce. Des promesses. Uniquement des promesses... Vous m'obéirez, vous verrez.

— Vous êtes un tyran!

— Non, je suis un chef de clan. Et tant que vous séjournerez dans ce donjon, vous respecterez mes règles. Je ne veux plus de bêtises, Flora. Et n'essayez plus d'impliquer mes sœurs dans vos manigances.

— Vos sœurs s'ennuient. Il était temps qu'elles s'amusent un peu. Ce château délabré n'est pas l'endroit idéal pour deux jeunes filles. Gillian devrait suivre des cours et Mary devrait se trouver à la cour. Elles devraient danser, rencontrer des personnes de leur âge, porter de belles robes.

Le ton de reproche de Flora agaça Lachlan. Elle ne savait vraiment pas s'arrêter !

— Je n'ai nul besoin de vos conseils, rétorqua-t-il. Je refuse de voir mes sœurs compromises ou transformées en enfants gâtées. Leur place est ici, auprès de moi.

Il était furieux de devoir se défendre en exprimant des sentiments qu'il se refusait à reconnaître. Ses sœurs méritaient mieux, et il le savait.

Il recula et se passa la main dans les cheveux. Comment s'y prenait-elle donc ? Il était venu la voir avec l'intention de la courtiser, et voilà qu'ils se disputaient. Il n'avait pas l'habitude qu'on lui désobéisse. Or, Flora prenait un malin plaisir à le provoquer, à le défier...

— Est-ce là votre opinion ? demanda-t-elle. Les courtisanes sont compromises ? Qu'en savez-vous ? Je ne vous ai jamais croisé à la cour, il me semble.

— Comme tous les chefs Highlanders, je me rends à Édimbourg une fois par an pour témoigner mon « allégeance ».

Toutefois, il repartait dès que possible.

— Permettez-moi de douter que ce soit en toute sincérité, dit-elle sèchement.

Il se mit à rire. Abasourdie, elle le dévisagea. Soudain, Lachlan ressentit un lien unique entre eux et s'aperçut que Flora le ressentait elle aussi.

Elle détourna les yeux et se mit à tripoter nerveusement ses gants de cuir. Agacée, elle finit par les enlever.

— Vous désiriez quelque chose ? s'enquit-elle. Mon frère vous aurait-il répondu ?

— Nullement. Mais quand vous aurez nettoyé mes armes, vous souperez avec moi.

— Pourquoi ? demanda-t-elle, méfiante.

Lachlan eut toutes les peines du monde à contenir son agacement.

— Je me disais que vous apprécieriez peut-être un peu de compagnie.

— Pas du tout. Prendre mes repas seule dans ma chambre me convient parfaitement.

Il ravala une réplique cinglante. Après ce qu'elle venait de faire, il n'était pas d'humeur à tolérer ses provocations, mais il avait une mission à remplir. Jusqu'à présent, cependant, il n'avait jamais eu à courtiser une femme et il n'avait aucune envie de conter fleurette.

— J'ai prévu quelques attractions.

Flora croisa les bras.

— Je ne souhaite pas souper en votre compagnie. Les circonstances de ma présence chez vous ne prêtent guère aux amabilités.

Face à son air buté, les bonnes intentions de Lachlan s'envolèrent. Il fit un pas vers elle, menaçant, mais elle ne recula pas d'un pouce. Il ne put qu'admirer son courage.

— Ce n'était pas une invitation, dit-il en baissant le ton.

— Vous ne pouvez me contraindre...

— Vous croyez vraiment ?

Face à son expression déterminée, il comprit qu'il venait de commettre une erreur. Flora ne supportait pas l'autorité ni les contraintes ; il adoptait une mauvaise approche. Pour l'heure, il s'en moquait. Il avait l'habitude de tout régenter. S'ils en venaient à s'affronter, il aurait de toute façon le dernier mot.

— Vous n'êtes qu'un goujat ! Un gentleman…

C'en fut trop. Il en avait assez de sa façon de juger les Highlanders. Avant qu'elle puisse prononcer un mot de plus, il la prit dans ses bras. Son corps réagit instantanément à son contact et il savoura la vague de désir qui le submergeait. Elle écarquilla les yeux en sentant son sexe durci plaqué sur son ventre.

À la bonne heure ! Il voulait qu'elle perçoive son désir, qu'elle sache ce qu'elle lui inspirait, à quel point elle était éloignée de toute civilisation.

— Combien de fois devrai-je vous répéter que je ne suis pas un de vos maudits gentlemen de la cour ?

— Je vous en prie…

Pour faire taire toute protestation, ses lèvres s'emparèrent de celles de Flora. Voilà ce qu'il convoitait depuis le départ ! Son soulagement fut si intense qu'il réprima un gémissement. Une chaleur intense monta en lui ; ses lèvres se firent plus possessives, plus exigeantes.

D'abord, il perçut sa stupeur, puis son innocence. Dieu qu'elle était enivrante ! Ses lèvres étaient d'une douceur exquise, sa peau avait un parfum de rose. Il eut soudain envie de la dévorer de baisers et de s'insinuer dans sa bouche, de laisser libre cours à son désir pour lui faire admettre le feu qui brûlait entre eux.

Son sexe était dur comme la pierre. Chaque muscle de son corps était tendu, prêt à l'action. Pourquoi ne pas céder à ce désir ?

Quelque chose le retenait, et pas uniquement la conscience qu'il ne pouvait s'imposer à elle. C'était la première fois qu'il avait à ce point envie qu'une femme réagisse à ses baisers. Il ne pensait plus qu'à la vulnérabilité de cette jeune femme innocente, qu'il tenait dans ses bras.

Il mit de côté ses pulsions. Le baiser par lequel il entendait la dominer se fit plus doux, plus tendre. Il appuya les lèvres sur les siennes comme pour exiger une réponse, mais sans brusquerie. Il posa une main sur sa joue pour caresser sa peau veloutée et lui prit doucement le menton pour lui écarter les lèvres.

Elle s'ouvrit à lui avec une légère plainte.

Un grognement de satisfaction naquit dans la gorge de Lachlan. Elle le désirait aussi ! Il glissa la langue dans sa bouche. Dans un premier temps, elle fut surprise, mais elle enroula vite les bras autour de son cou pour lui rendre son baiser avec une ferveur innocente à laquelle il ne s'attendait pas.

Une tendresse étrange s'empara de lui. Jamais il n'avait eu envie de protéger une femme. Ce simple baiser l'émouvait...

Le cœur de Flora battait à tout rompre. Il était en train de l'embrasser... D'abord, elle faillit résister. C'était ce qu'elle aurait dû faire en pareille circonstance, mais elle en fut incapable. Elle était en train de sombrer dans un océan de sensations inconnues. Plus rien n'avait d'importance, à part la chaleur de ce corps viril contre le sien, la douceur exquise de ces lèvres...

Le baiser de Lachlan était à la fois exigeant et implorant, comme s'il cherchait à susciter en elle une réaction. Elle se laissa enivrer par sa douceur et la saveur un peu épicée de ce baiser et se fondit contre lui pour chercher la protection de ce corps massif.

Comment pouvait-il lui faire une chose pareille ? Tout cela ne rimait à rien ! Cet homme n'était qu'une brute, un Highlander implacable. Or, il l'embrassait avec une tendresse qu'elle n'aurait jamais osé imaginer… Certes, plusieurs hommes lui avaient déjà volé un baiser, mais aucun ne lui avait donné envie de pleurer ainsi d'émotion.

Il représentait tout ce dont elle avait toujours rêvé, alors qu'il était censé être tout le contraire, en tant que Highlander.

Si cela n'avait pas été aussi délicieux, elle l'aurait repoussé. Puis il se fit plus insistant. Dès qu'il insinua la langue dans sa bouche, Flora fut à la fois choquée et troublée par ces caresses voluptueuses, qui déclenchaient en elle comme des étincelles de désir.

Oubliant les questions qui se bousculaient dans sa tête, elle s'abandonna à cette exploration sensuelle, le corps brûlant d'une passion indescriptible. Elle lui rendit son baiser en mêlant sa langue à la sienne pour à son tour goûter sa saveur. Bientôt, cela ne lui suffit plus. Elle voulait être plus proche encore, sentir les contours fermes de son corps, se lover dans sa chaleur.

Il se frotta contre elle pour lui faire sentir l'intensité palpitante de son membre dressé. Il était si massif, si impressionnant, que la peur l'emporta sur l'excitation et la folie de l'instant. La réalité reprit ses droits de plein fouet.

Mon Dieu, songea-t-elle, *cet homme est mon ravisseur !* Saisie d'effroi, elle le repoussa vivement, comme pour éloigner ses propres pulsions.

— Arrêtez !

Ils demeurèrent silencieux, pantelants, à se regarder. Leur attirance réciproque était si palpable que, l'espace d'un instant, Lachlan en parut même étonné.

Flora porta la main à sa bouche ; ses lèvres étaient encore gonflées de plaisir.

Lorsque Lachlan reprit la parole, son expression était de nouveau indéchiffrable.

— Vous souperez avec moi, ce soir.

Qu'il s'agisse d'une requête ou d'un ordre, Flora était trop troublée pour s'en soucier. Son corps tout entier vibrait d'une sensation nouvelle. Elle ne parvint qu'à hocher la tête pour toute réponse.

Lachlan tourna les talons et s'éloigna sans un regard, d'un pas déterminé. Flora demeura pensive. Soudain, elle eut l'impression que tout avait changé...

5

Lorsqu'elle regagna sa chambre, Flora était sur le point de défaillir. Le nettoyage des armes l'avait épuisée, et si elle n'avait pas eu la certitude que son ravisseur viendrait la chercher pour l'entraîner de force vers la salle à manger, elle aurait décliné son invitation à souper.

Pressée de s'immerger dans le baquet rempli d'eau chaude qui l'attendait, elle se dévêtit. Un doux parfum de lavande masquait l'odeur de l'huile de fulmar, pourtant tenace.

Elle avait porté un tablier sur sa robe, mais un peu d'huile l'avait souillée malgré tout. Elle soupira. Elle ne pouvait s'en prendre qu'à elle-même ! Mary accepterait-elle de lui prêter une autre robe ?

Et si elle gardait celle-ci, dans l'espoir de repousser Lachlan par son odeur ?

Tandis qu'elle s'affairait à réparer les dégâts qu'elle avait provoqués, elle avait tenté de chasser ce baiser troublant de son esprit. Hélas ! il revenait sans cesse la hanter. Avait-elle vraiment répondu à son ardeur en se lovant contre lui avec abandon ?

Dieu merci, elle avait su se ressaisir à temps. Pourtant, ce guerrier implacable l'avait traitée avec délicatesse, éveillant en elle des sensations inconnues. Dans ses bras, elle s'était sentie chérie, protégée.

Cet homme n'est pas un barbare. Il avait en lui une certaine noblesse qu'elle ne pouvait nier. Certes, il était dur et autoritaire, mais il pouvait aussi faire preuve de sollicitude.

Quoi qu'il en soit, ce baiser avait été une erreur. Elle devait garder à l'esprit que, en tant que prisonnière, elle n'était qu'une monnaie d'échange, une arme destinée à nuire à son frère. Un baiser, même exquis, n'y changerait rien.

Sa déconvenue avec lord Murray lui avait appris une leçon. Plus jamais elle n'accorderait sa confiance à la légère à un homme. Elle sortit de l'eau en frémissant. Où était donc passée Morag ? Elle avait promis de revenir pour attiser le feu et lui brosser les cheveux… Flora s'approcha de la fenêtre pour profiter des derniers rayons de soleil.

Un petit coup frappé à la porte annonça l'arrivée de la domestique. Flora lui dit d'entrer en se promettant de dérider cette femme austère et l'entendit retenir son souffle… Puis un juron étouffé la fit se retourner vivement. Au lieu de Morag, Lachlan Maclean se tenait sur le seuil et l'observait avec une telle intensité qu'elle en fut déstabilisée.

Pour la première fois de sa vie, Flora se sentit totalement vulnérable. Non parce qu'elle redoutait sa violence, mais à cause de l'intimité de la situation. Aucun homme ne l'avait jamais vue ainsi, nue sous le fin tissu de coton humide qui dissimulait à peine ses seins et révélait ses courbes voluptueuses.

Lachlan était superbe. Ses cheveux encore mouillés encadraient son visage et tombaient dans son cou. Il s'était rasé, mais sa mâchoire volontaire n'en était que plus virile, avec les cicatrices qui attestaient de ses combats. Sa chemise en lin soulignait la puissance de son torse, et son plaid était maintenu par une broche en argent. Flora crut sentir sa bouche sur la sienne et réprima un frisson.

Elle voulut lui dire de s'en aller, mais elle avait la gorge nouée. Il ne pouvait s'agir que d'un rêve...

— Bon sang ! Vous êtes magnifique, dit-il d'une voix rauque.

Ce compliment un peu maladroit lui alla droit au cœur. Son corps tout entier se mit à trembler.

Lachlan crispa la mâchoire et Flora comprit qu'il peinait à réprimer son désir. Il faisait courir sur elle un regard affamé, comme s'il s'apprêtait à la dévorer.

— Sortez ! s'exclama-t-elle enfin d'une voix tremblante. Vous n'avez rien à faire dans ma chambre. Je vous demande de partir. Tout de suite ! ajouta-t-elle, au bord de la panique.

Lachlan en avait la bouche sèche. Incapable du moindre raisonnement, il était pétrifié sur le seuil. Même s'il avait eu envie de partir, ce qui n'était pas le cas, il n'aurait pas pu.

Ce corps qui le faisait rêver lui était révélé dans toute sa splendeur. À peine dissimulés sous le fin tissu humide, il contempla la peau nacrée, les seins généreux, la taille fine, les longues jambes fuselées. Il devinait même les mamelons roses et dressés...

Saisi d'un désir féroce, il ne parvenait pas à détacher son regard d'elle. En sentant son front s'emperler de sueur, il crispa les poings.

D'abord, ce baiser, puis le calvaire de ce spectacle... Sa volonté était décidément mise à rude épreuve, de façon d'autant plus cruelle que Flora était à sa merci. Il n'avait qu'un geste à faire pour lui ôter ce linge et poser les mains sur sa peau soyeuse, enfouir le visage entre ses seins ronds et titiller du bout de la langue ses mamelons dressés.

Il mourait d'envie de tracer un sillon de baisers brûlants le long de son ventre plat, avant de se glisser entre ses cuisses nacrées pour goûter enfin sa saveur unique jusqu'à ce qu'elle s'abandonne à l'extase...

— Je vous en prie, répéta-t-elle. Sortez.

Sans dire un mot, il posa la boîte qu'il avait apportée et fit un pas en avant. Flora recula d'autant et se trouva dos à la fenêtre, acculée.

Pour la première fois, elle semblait le craindre. Entre eux, la tension était devenue presque palpable. La peau et les cheveux encore humides, elle frissonna de froid.

Il lui serait si facile de la réchauffer... D'instinct, Lachlan avança vers elle et tendit la main.

En sentant les doigts puissants de Lachlan descendre le long de son cou, vers sa clavicule, puis la naissance de ses seins, elle retint son souffle. Il traça le contour d'un sein rond. En voyant ses mamelons se dresser, il sentit son sang bouillonner dans ses veines.

Il fit un effort pour se reprendre en s'apercevant qu'elle avait les joues écarlates. Sans doute l'avait-il embarrassée. Elle ne comprenait pas ce qui se passait en elle. Lui avait de l'expérience en la matière, mais elle n'en avait aucune et il devinait que sa propre réaction à son baiser l'avait affolée. Lui-même était encore troublé.

— Je vous en prie..., insista-t-elle d'une voix brisée.

Que devait-il comprendre par cette supplique ? Était-ce un oui ? Un non ?

Bon sang ! Cette femme était la tentation incarnée.

Conscient des limites à respecter, il baissa la main et s'écarta. Il ne voulait surtout pas l'effrayer. Après tout, elle était vierge, et les idées qui lui traversaient la tête avaient de quoi faire rougir la plus experte des catins.

Lachlan avait des appétits, et ne se privait généralement pas de les satisfaire. Leur union serait passionnée et fébrile, il le savait. Il la ferait sienne totalement, ce n'était qu'une question de temps...

Il désigna la boîte qu'il avait apportée.

— C'est pour vous, dit-il. Pour ce soir. Nous n'avons guère l'occasion de céder à ces frivolités, à Drimnin. Mais elle vous appartient, donc il est normal que vous puissiez en disposer.

Oubliant momentanément sa gêne, Flora observa la boîte et son regard s'illumina.

— Ma robe! s'exclama-t-elle, surprise. Comment avez-vous...

Il haussa les épaules.

— J'ai deviné de quoi il s'agissait, et je me suis dit que vous en auriez peut-être besoin.

Elle le dévisagea un instant, comme s'il venait de trahir involontairement quelque secret.

— C'est très aimable à vous. Je vous remercie.

— Morag va monter vous aider. Mais ne tardez pas!

Ce fut au tour de Lachlan de s'empourprer, car il avait soudain l'impression d'être nu, lui aussi. N'osant la regarder davantage, il tourna les talons. La virginité de Flora MacLeod ne tenait qu'à un fil. Il avait désormais une raison supplémentaire de ne pas trop tarder à l'épouser. Tôt ou tard, elle lui appartiendrait, et il préférait que ce soit le plus tôt possible...

Mais où était-elle donc?

Les yeux rivés sur le seuil, Lachlan but une longue gorgée de bière. Depuis la place d'honneur à table, il pouvait à la fois garder un œil sur les festivités et guetter l'arrivée de Flora. La salle était bondée de membres de son clan. Tous les occupants du château qui n'étaient pas retenus à Coll se trouvaient là pour ce banquet. Le dernier remontait à bien avant que son frère ne soit emprisonné. Dans la salle illuminée de chandelles, les joueurs de cornemuse s'en donnaient à cœur joie et la bière coulait à flots. Mais Flora se faisait attendre.

Cela faisait presque une heure qu'il avait quitté sa chambre. Malgré sa mise en garde, elle ne s'était toujours pas montrée. Sans doute s'attardait-elle pour le tourmenter une fois de plus...

Cette femme constituait un véritable défi à plus d'un égard. Loin de la simple enfant gâtée qu'il s'était attendu à trouver, Flora était un personnage complexe : confiante, déterminée et étrangement vulnérable à la fois. Quant à leur baiser, il avait suscité en lui des sentiments sur lesquels il préférait ne pas s'attarder.

Il but encore dans l'espoir de chasser les images excitantes qui hantaient son esprit, mais ses jambes interminables, ses seins ronds et fermes, revenaient sans cesse à la charge. Jamais il n'oublierait le spectacle de son corps drapé d'un simple linge humide...

Il redoutait la nuit à venir. La perspective de ces heures sans trouver le sommeil, dans le noir, avec sa main pour seul soulagement à ses tourments tandis que les images de Flora danseraient devant ses yeux... Il imaginait les soubresauts de ses seins agités au rythme de ses coups de reins, quand elle le chevaucherait avec fougue. Son membre se durcit une fois encore.

Il lui fallait une femme coûte que coûte. Et s'il rendait visite à sa maîtresse, ce soir, finalement ? Seonaid était assise à l'autre extrémité de la salle et lui lançait de temps à autre un regard plein de reproche et de tristesse. Il lui devait au moins des explications sur son attitude distante.

Son excitation était telle qu'il en souffrait.

Dès que Flora se présenta, toutefois, il oublia les autres femmes. Elle était d'une beauté à couper le souffle et d'une telle grâce qu'elle semblait marcher sur un nuage. Ses cheveux dorés captaient la lumière des chandelles, la nimbant d'un halo féerique.

Soudain, le silence se fit dans la salle.

Flora n'était pas à sa place ici, cela sautait aux yeux. Le modeste donjon de Drimnin n'était pas un cadre digne d'une telle magnificence.

Elle portait une robe de brocart au décolleté carré, très ajusté, avec un empiècement de soie ivoire brodé d'or et incrusté de centaines de petites perles. Sa crinoline était assez sage, selon les critères de la cour, tout comme la fraise qui encadrait son visage, et ses boucles blondes étaient coiffées avec goût. Sa toilette était d'autant plus parfaite aux yeux de Lachlan qu'il savait désormais ce qui se cachait dessous.

Hélas ! sa splendeur ne faisait que souligner le gouffre qui les séparait. Le prix de cette robe aurait sans doute permis de nourrir tout le clan pendant des mois.

Pour la première fois, Lachlan eut un moment de doute. Il aurait peut-être plus de mal qu'il le pensait à la convaincre de l'épouser. N'était-elle pas l'une des femmes les plus fortunées et les plus raffinées du royaume, alors que lui n'avait connu que la guerre ? Il n'avait pas eu le temps de suivre des études poussées à Édimbourg et avait toujours évité la cour comme la peste. Comment la persuader d'abandonner ce luxe au profit de la vie rustique des Highlands ?

Il retrouva cependant vite sa détermination. La bataille serait dure, mais il la remporterait. Il n'avait pas le choix. Il utiliserait pour cela tous les moyens à sa disposition et compenserait son manque de richesses et de raffinement par son intelligence et sa ruse.

Elle n'était pas indifférente à son charme, il avait pu le constater : son corps avait réagi d'instinct à son baiser. Cette attirance était un atout en sa faveur. S'il ne parvenait pas à la courtiser, il la séduirait. Il était prêt à tout.

Il se leva pour l'accueillir. Naturellement, le souvenir de leur baiser le frappa de plein fouet. Elle y pensa, elle aussi, car elle rougit. D'un geste, il l'invita à prendre place à son côté.

Gillian fut la première à s'exprimer.

— Vous êtes très belle, Flora.

Lachlan fut frappé par la réaction de sa sœur, qui semblait envier Flora. Furieux, il se dit qu'il ne pourrait jamais offrir un tel luxe à ses cadettes.

— Merci, Gillian, dit-elle en lançant un regard de biais à Lachlan, en quête d'approbation.

— Nous vous attendions, déclara-t-il en la toisant.

Elle rougit de plus belle et il décela une note de déception dans son regard.

— Je suis descendue aussi vite que j'ai pu. Morag n'a guère l'habitude de ce genre de toilette. En général, j'ai deux femmes de chambre qui m'aident à me préparer. Je ne vous fais aucun reproche, mais je vous signale simplement que revêtir une telle robe prend du temps.

— Je vois cela, répondit-il.

Elle fronça légèrement les sourcils.

— Peut-être n'aurais-je pas dû la porter. La robe que vous m'avez fournie à mon arrivée aurait suffi.

De toute évidence, elle se sentait déplacée... Lachlan s'en voulut un peu. Après tout, elle n'y était pour rien s'il n'était pas fortuné.

— Vous êtes bien comme cela, dit-il d'un ton bourru.

Une lueur amusée passa dans le regard de Flora.

— Eh bien ! Vous venez presque de me faire un compliment ! s'exclama-t-elle en feignant l'étonnement. Continuez sur cette voie, et les bardes vont envier vos flatteries.

Lachlan esquissa un rictus. Elle avait de l'esprit, décidément.

— J'en prends bonne note. Je ferai attention à ne pas me laisser emporter.

Elle lui rendit son sourire et il se surprit à apprécier cet échange complice.

— Où est Mary ? s'enquit-elle en balayant la salle du regard.

— Elle ne se sentait pas très bien, répondit-il en retrouvant son sérieux. Elle a préféré souper dans sa chambre.

Flora parut inquiète. Elle posa les mains sur la table, comme pour se lever.

— Serait-elle souffrante ? Je devrais peut-être aller la voir...

Lachlan posa une main sur la sienne dans un geste trop possessif qu'il aurait dû réprimer. Possessif et intime, aussi.

— Elle va bien, assura-t-il. Demain, elle sera de nouveau sur pied.

Du moins l'espérait-il. Il revit les larmes de la jeune fille qui le regardait comme s'il était un ogre, et chassa vite ce souvenir. Mary était jeune, elle s'en remettrait.

Flora regarda la main posée sur la sienne avec une expression étrange. Sentait-elle ce lien unique qui les unissait ?

— Au fait, qui est John ? demanda-t-elle tout à coup.

Lachlan se crispa puis se ressaisit très vite et ôta sa main de la sienne.

— Mon jeune frère.

— Je m'en doutais, dit-elle avec un sourire. En venant, j'ai entendu quelques hommes discuter dans l'escalier. Quand je les ai interrogés, ils ont refusé de me répondre. C'est bizarre, non ? Pourquoi ne lui ai-je pas été présentée ?

— Il n'est pas là, en ce moment, expliqua Lachlan, le cœur battant.

— Ah… Reviendra-t-il bientôt ?

— Oui.

Dès que nous serons mariés, ajouta-t-il intérieurement.

Ramené à la dure réalité, il leva la main pour indiquer le début des agapes et mettre fin à leur conversation. La nourriture était abondante. Lachlan ne pouvait guère se permettre ce genre de folie, car Hector lui avait volé de nombreuses têtes de bétail, mais il tenait à impressionner Flora. Et il lui avait suffi d'un regard sur sa robe pour comprendre que ses chances d'y parvenir étaient minces. Personnellement, il préférait de loin une fête typique des Highlands à un bal masqué à la cour. Flora pourrait-elle partager ses goûts ?

Il la regarda discuter avec animation avec Allan et Gillian. Elle semblait s'amuser, mais comment deviner les pensées d'une femme ?

— Vous êtes contente d'être venue, ce soir ?

Flora lança un regard à l'homme séduisant assis à côté d'elle. Elle avait ressenti sa présence tout au long du banquet. Il suffisait d'un frôlement pour que son cœur se mette à battre la chamade. Si par hasard elle posait les yeux sur sa joue, sa barbe naissante, son estomac se nouait. Lui seul produisait sur elle un tel effet.

Il n'était certes pas d'une beauté classique, mais sa virilité faisait tout son charme. Son attirance pour lui venait du plus profond d'elle-même, d'un recoin sensuel qu'elle ne connaissait pas.

Elle se détourna de son regard pénétrant de peur qu'il lise ses pensées et réfléchit à sa question.

En vérité, elle passait un bon moment. Comment ne pas s'amuser ? Au bout de plusieurs heures, la fête battait son plein. Ce brouhaha de musique et de conversations était rassurant, chaleureux, comparé à la rigidité de la cour.

Elle avait apprécié les airs de cornemuse et les récits féériques du *seannachie*. Le meilleur moment avait été la danse des épées à laquelle s'étaient livrés les guerriers, notamment Thor, si cher à Mary. Le seul bémol était la cuisine médiocre, mais les convives ne semblaient guère s'en soucier, d'autant que la bière coulait à flots.

Quant au maître des lieux, il s'était montré attentif sans être envahissant. Aimable, il lui avait demandé son avis sur divers sujets, sans chercher à la séduire par la flatterie, comme le faisaient d'ordinaire la plupart des hommes. Et il savait l'écouter, ce qui était une qualité rare. Il était intelligent et avait le don de l'inciter à se confier sans trop en révéler sur lui-même.

Dieu merci, il semblait avoir oublié l'incident de l'huile nauséabonde.

Ses rapports avec les membres de son clan en disaient toutefois le plus long sur lui. Tous étaient passés échanger quelques mots avec lui, lui demander conseil sur quelque conflit entre voisins, sur le prix du bétail... Ils lui témoignaient déférence et respect, mais aussi quelque chose proche de l'affection. De toute évidence, il ne leur inspirait pas la peur.

Un homme, en particulier, se détachait. Un jeune guerrier que Flora n'avait jamais vu jusquelà. Il n'avait pas vingt-cinq ans. Les yeux embués de larmes, il avait remercié le laird de lui avoir appris la nouvelle de la naissance de son fils, sa femme étant retenue à Breacachadh. Lachlan s'intéressait à la vie de ses hommes, ce qui était révélateur.

Plusieurs femmes le dévoraient des yeux, notamment une brune qui lui lançait des œillades éhontées. En fait, elle se montrait même possessive. Flora en fut troublée plus que de raison.

Malgré elle, elle se sentait de plus en plus attirée par ce chef bourru qui la regardait comme une femme, et non comme une héritière. Le laird de Coll était un homme dur, mais ses rares sourires étaient lumineux.

En cet instant, il attendait sa réponse, la mine réjouie. Pourtant, elle lui en voulait encore un peu de l'avoir forcée à venir.

— Vous souhaitez savoir si je suis heureuse que vous m'ayez donné l'ordre d'assister à cette soirée ? Ma réponse est non. Mais vos musiciens sont très talentueux, et la danse était magnifique. Oui, je passe un bon moment.

L'expression de Lachlan était impénétrable. Flora commençait à s'y habituer. Peut-être parvenait-elle à le déchiffrer malgré tout, car elle eut l'impression qu'il était satisfait, il tenait à ce qu'elle s'amuse. Mais pourquoi ? Tenterait-il de la courtiser ? Cette perspective ne la contrarierait pas autant qu'elle l'aurait dû.

Elle se pencha vers lui et murmura d'un ton de conspiratrice :

— Vous savez, on n'attrape pas les mouches avec du vinaigre.

Une lueur pétilla dans le regard de Lachlan, qui se posa sur son décolleté. Il avait une vue plongeante sur ses seins. Devinant ses pensées, elle sentit ses mamelons durcir.

— À quoi songiez-vous donc, Flora ? demanda-t-il d'une voix suave chargée de sous-entendus.

— À tout ce qui n'est pas formulé comme un ordre.

Il s'écarta d'elle, les lèvres pincées.

— J'en prends bonne note, mais j'ai l'habitude de donner des ordres. Et qu'on m'obéisse, ajouta-t-il avec un large sourire.

Face à ce sourire, la gorge de Flora se serra.

— Vous devriez sourire plus souvent, dit-elle, exprimant ses pensées à voix haute.

— Pourquoi ?

Elle haussa les épaules en espérant ne pas rougir ; elle ne pouvait lui dire à quel point elle le trouvait séduisant. Ainsi, il semblait plus jeune.

— Parce que vous êtes alors moins... imposant.

L'air perplexe, il croisa les bras. Flora admira ses muscles qui saillaient sous sa chemise. Seigneur ! Il paraissait taillé dans la pierre...

— Je suis un Highlander, un chef. Je suis imposant par nature.

Elle sourit en comprenant qu'il la taquinait, mais une ombre passa sur le visage de Lachlan.

— Je n'ai guère eu l'occasion de me réjouir, ces derniers temps.

Il balaya l'assemblée du regard. Flora comprit à quoi il faisait allusion : l'absence de décoration, les vêtements usés des membres de son clan, le délabrement du château... Malgré tout, les convives semblaient heureux.

— Les inondations et le conflit avec votre frère nous ont coûté cher, reprit-il.

— Parce que Hector s'est emparé de votre château ?

Elle le vit se raidir.

— Oui, avoua-t-il.

Mais il y avait autre chose, elle le sentait. Ce qui l'opposait à Hector dépassait la simple querelle de territoire.

Il crispa les doigts sur sa timbale en argent. La vaisselle était le seul signe de richesse de ce donjon. Elle observa un instant ses grandes mains viriles de guerrier, si différentes de celles de lord Murray, pâles et molles.

Elle songea à la douce caresse de Lachlan sur ses seins, à travers le tissu humide, après son bain.

Une onde de chaleur l'avait envahie pour se propager dans tout son corps; ses jambes avaient failli se dérober.

Et son regard, ensuite... Il la regardait maintenant encore comme s'il parvenait à voir à travers ses vêtements. Ils étaient désormais unis par une certaine intimité, et Lachlan ne cachait pas son désir pour elle. Mais allait-il passer à l'acte? S'il le faisait, elle n'osait imaginer sa propre réaction. Certes, il l'attirait, mais elle ne pouvait se laisser séduire par son ravisseur, même s'il était séduisant et tendre.

— Comment a débuté ce conflit avec Hector? demanda-t-elle.

— Vous connaissez donc si mal votre frère?

Un peu sur la défensive, Flora rougit. Elle avait toujours refusé de se mêler de ces conflits entre Highlanders. Cette fois, elle avait un peu honte de son ignorance.

— Nous n'avons jamais été proches. Il a vingt ans de plus que moi... Ma mère ne me parlait guère de lui. Elle lui en voulait, mais j'ignore pourquoi, au juste. Ils ont fini par se réconcilier.

Flora masqua son émotion en baissant la tête. Quand elle eut surmonté ce moment de nostalgie, elle leva les yeux pour constater que Lachlan l'observait avec attention.

— En tout cas, Hector s'est toujours montré aimable, conclut-elle.

Il parut sur le point de parler, mais se ravisa.

— Que vouliez-vous savoir? s'enquit-il.

— Pourquoi s'est-il emparé de votre château? Pourquoi tant de haine?

— L'animosité entre les clans ne date pas d'hier. À la mort de mon père, je n'avais pas dix ans. Hector en a profité pour essayer de s'emparer des terres qu'il convoitait depuis longtemps. Il est passé à l'attaque le jour des funérailles. Mais mon oncle l'a vaincu. À plate couture, de surcroît, ajouta-t-il d'un air féroce. Nous étions pourtant moins nombreux et mal préparés. Les gens ont attribué la défaite de votre frère à la malédiction.

— Cela n'a aucun sens! Il y avait des Maclean dans les deux camps... Comment expliquent-ils que les Maclean ont remporté la bataille?

— L'évocation de cette malédiction n'a rien de rationnel, répondit Lachlan. On cherche toujours un bouc émissaire. Songez aux inondations qui ont frappé Coll.

— Vous avez connu bien des épreuves, n'est-ce pas?

Ce commentaire étonna Lachlan, qui en fut presque mal à l'aise.

— Je n'ai jamais pensé qu'être chef serait facile. C'est mon devoir. Je ferai tout pour protéger mon clan.

Ces paroles résonnaient comme un avertissement, mais Flora ne s'en offusqua pas et en revint au conflit.

— Après la défaite face à votre oncle, Hector a sans doute voulu se venger...

— Mon oncle est mort assassiné sept ans plus tard.

— Et vous incriminez Hector?

— Oui, mais je ne peux rien prouver, hélas! Quoi qu'il en soit, les hommes qui l'ont tué ont été punis.

Flora n'eut pas besoin de demander de précisions. Lachlan avait dû les exécuter lui-même. Il semblait s'attendre à ce qu'elle lui reproche ce comportement; elle s'en abstint. La justice d'un Highlander ne se discutait pas.

— Il a donc pris votre château? N'est-ce pas un aveu de complicité dans la mort de votre oncle?

— Hector n'a pas besoin d'une raison pour trahir. La vengeance de la mort de mon oncle remonte à des années. Il m'a dépouillé de mes terres et de mon château uniquement pour m'avoir à sa botte, mais ça n'arrivera jamais.

Il s'exprimait avec une haine et une détermination étonnantes. Enfin, il correspondait au portrait que sa mère lui avait dressé des Highlanders. Elle songea aux propos de Gillian sur la détermination de son frère.

Flora était tiraillée. Elle se devait de faire preuve de loyauté envers son frère, et non envers l'homme qui l'avait enlevée. Mais Lachlan semblait être un homme juste… sauf quand il s'agissait d'Hector.

— Pourquoi ? demanda-t-elle.

— J'ai refusé de participer à la guerre contre les MacDonald. Il voulait que je lui obéisse comme à un chef. J'ai refusé.

— Pourtant il a raison, remarqua Flora. Duart est la branche supérieure du clan, vous lui devez allégeance. C'est la loi les Highlands.

— Depuis quand êtes-vous une experte de la loi des Highlands ? rétorqua-t-il sèchement. Vous qui fuyez votre famille et votre terre ! Coll est une baronnie depuis plus de deux siècles. Il n'aura pas un sou et jamais aucun de mes hommes ne livrera bataille pour lui. Je suis le laird de Coll, je suis libre ! Un chef de plein droit. Je ne dois rien à Hector, surtout pas l'allégeance.

— Vous avez donc privilégié la loi féodale. C'est rare, pour un Highlander.

— C'est un système qui prévaut depuis des siècles, en Écosse. Les Maclean de Coll sont indépendants. Mon père était ainsi, et je suis ses traces.

Tout n'était donc qu'une question de fierté. Sa mère lui avait seriné de ne jamais faire confiance à un Highlander. Ce sont des hommes fiers qui règlent leurs problèmes à coups d'épée, disait-elle. Avait-elle raison ? Toutes ces années d'affrontements n'avaient donc pour origine que la fierté ?

— Cette rivalité avec Hector serait réglée si vous acceptiez de le reconnaître comme votre chef ?

— Ce n'est pas si simple.

— Mais le jeu en vaut-il la chandelle ? Hector est l'un des plus puissants chefs des Highlands. Il a au moins quatre cents guerriers sous ses ordres. Vous n'en avez sans doute pas le tiers. Se battre contre lui est de la folie. Comment pouvez-vous espérer le vaincre ?

Il crispa la mâchoire en guise d'avertissement.

— Prenez garde, Flora ! Ne me traitez pas de fou. Vous ne savez pas de quoi vous parlez.

Flora s'emporta.

— Peut-être pas, mais je constate le prix que paie votre clan.

Elle balaya la salle du regard en s'attardant sur le manque de confort plutôt que sur la mine réjouie des convives.

— Regardez autour de vous. Votre clan souffre. Si vous n'étiez pas occupé à vous battre contre Hector, vos sœurs seraient peut-être à la cour.

Lachlan se ferma et adopta une expression glaciale. Les paroles de Flora l'avaient frappé de plein fouet.

Elle se rendit compte trop tard de leur impact, mais elle avait pensé avant tout à son clan si démuni. Si Lachlan Maclean avait un point faible, c'était justement son orgueil.

Elle posa une main sur son bras, dont les muscles étaient tendus.

— Je suis désolée. Je ne voulais pas vous fâcher.

— Alors ne parlez pas de questions que vous ne comprenez pas.

— Je voulais simplement vous aider.

— Vous allez m'aider.

Sa froideur fit mal à Flora ; elle lui rappela les raisons de sa présence dans ce donjon. Elle se redressa fièrement.

— En vous aidant à récupérer votre château ? s'enquit-elle amèrement.

Il hésita, laissant entendre qu'il y avait autre chose.

— Oui, dit-il enfin.

— Mais pourquoi moi ? Pourquoi ne pas avoir fait appel au roi ?

— Je l'ai fait, répondit-il, le regard noir. Par l'entremise de ces crétins du Sud... ses conseillers.

— Hector n'a aucun droit légitime sur Coll, ni ses châteaux ni ses terres.

— Aucun droit légitime, en effet. J'ai reçu mes terres officiellement il y a des années, et j'ai obtenu de la terre et de la pierre symboliques.

— Le roi est intervenu ?

— Oui.

Flora en fut soulagée. Le roi Jacques veillerait à ce que justice soit faite.

— Vous n'aurez peut-être pas besoin de moi, finalement...

— Si, j'ai besoin de vous, ma douce, assura-t-il en soutenant son regard. Ne vous faites aucune illusion.

6

Le lendemain matin, Lachlan traversa la cour d'un pas décidé en direction du petit jardin qui bordait le mur sud. L'air salé sentait déjà le printemps. Malgré son humeur maussade, il ne put que remarquer le ciel limpide et le soleil éclatant. Hélas ! même ce temps radieux ne parvenait pas à apaiser ses tourments. Il fallait qu'il débusque Seonaid avant de commencer son entraînement. Son corps ne pouvait plus attendre.

Il avait passé une nuit sans sommeil. Comment son corps pouvait-il brûler de désir pour une femme qui avait le don de le mettre en fureur ?

Il savait mieux que personne à quel point son clan avait souffert de sa guerre contre Hector. Ce n'était pas à une enfant gâtée qui n'avait jamais manqué de rien de le lui rappeler ! Certes, la fierté et l'honneur avaient un rôle à jouer dans cette rivalité, mais il y allait aussi de la survie du clan. Si Lachlan reconnaissait Hector en tant que chef, celui-ci ferait appel à ses hommes à sa guise. Or, il se battait avec les MacDonald depuis des années.

Lachlan protégeait son clan comme il le pouvait. Plus que quiconque, il souhaitait la fin de son conflit avec Hector. Flora avait la langue trop bien pendue ! C'était rare, pour une femme des High-

lands. Nul n'osait jamais le défier ouvertement...
à part elle.

Ça le rendait fou, mais il y trouvait également
quelque satisfaction. La loyauté de la jeune femme
envers le roi était cependant ridicule.

Quelques mois plus tôt, le roi avait tenté de le
réconcilier avec Hector en les convoquant tous
deux à Édimbourg. Méfiant, Lachlan avait envoyé
son frère John à sa place et était resté pour protéger Breacachadh d'une attaque éventuelle.

La trahison vint du roi lui-même : il avait tout
bonnement fait jeter John en prison. À la suite de
cela, pendant que Lachlan implorait Argyll de faire
libérer son frère, Hector avait profité de son
absence pour s'emparer de Breacachadh.

Hector étant dur et brutal, Lachlan imaginait
sans peine les souffrances qu'endurait son clan
sous sa domination. Il n'avait pas de temps à
perdre.

S'il n'avait pas eu à veiller sur ses sœurs, il serait
volontiers parti à l'assaut de la prison pour libérer
John mais il ne pouvait prendre un tel risque.
Flora était la solution rêvée. Il était prêt à tout
pour la convaincre de l'épouser, même s'il devait
pour cela la duper. Le projet lui avait semblé plus
facile à réaliser quand il ne la connaissait pas et la
prenait pour une enfant gâtée. À présent, avec les
sentiments qu'elle suscitait en lui...

Si elle apprenait la vérité, elle n'accepterait
jamais ce mariage. La vérité sur l'accord qu'il avait
conclu avec Argyll pour obtenir la libération de
John...

Il ne devait pas se laisser distraire par le désir
charnel. Flora lui permettrait de libérer John et de
vaincre Hector.

Comme Morag le lui avait indiqué, Seonaid se
trouvait bien au jardin, en train de cueillir des
herbes. Elle était la guérisseuse du clan. En voyant

les rondeurs de ses fesses tandis qu'elle se penchait, Lachlan n'eut plus aucun doute : il faisait ce qu'il avait à faire.

En l'entendant approcher, elle se redressa pour l'accueillir d'un sourire.

— Milaird, quelle bonne surprise !

Elle s'avança en ondulant les hanches et vint se poster devant lui, effleurant son torse de ses seins.

— Puis-je faire quelque chose pour vous ?

Hélas ! non. Lachlan n'en avait finalement plus la moindre envie.

— Pas aujourd'hui, ma belle.

— Ce soir, peut-être ? insista-t-elle, pleine d'espoir.

— Je ne crois pas.

— Ah…, fit-elle doucement. Je vois.

Son expression indiqua à Lachlan qu'elle avait compris. Il ne voulait pas la blesser, mais il avait toujours été franc.

— Je pensais que tu avais compris.

Elle s'efforça de sourire malgré les larmes qui lui embuaient les yeux.

— Oui, mais j'espérais…

Elle baissa la tête et une mèche de ses cheveux tomba sur son visage. Comme Lachlan la lui glissait derrière l'oreille, elle lut dans ce geste un peu plus qu'il n'avait voulu y mettre et s'en prit à Flora.

— C'est elle, n'est-ce pas ? lança-t-elle avec colère. Elle m'observait, hier soir. Elle vous a dit de vous débarrasser de moi.

Lachlan fronça les sourcils. Il n'appréciait guère la méchanceté qu'il lisait dans son regard, ni la suggestion qu'il puisse se laisser dicter sa conduite par Flora.

— C'est moi qui en ai pris la décision.

— Elle ne saura jamais vous satisfaire. Vous allez la terrifier…, dit-elle en enroulant les bras autour de son cou et en se plaquant contre lui.

Elle glissa la main sur son ventre et la posa sur son membre.

— Je sais ce que vous aimez, murmura-t-elle à son oreille. Comme quand je vous prends dans ma bouche, très profondément.

Il lui suffirait de quelques secondes en effet pour libérer cette énergie débordante qui le tourmentait, songea Lachlan, mais ce n'était pas la bouche de Seonaid qu'il imaginait. Son corps se tendit à l'évocation des lèvres purpurines de Flora autour de son sexe rigide.

Seonaid se méprit une fois de plus et une lueur de triomphe apparut dans son regard.

— Croyez-vous vraiment qu'une dame sophistiquée de la cour puisse vous donner cela ?

Ces paroles le dérangèrent plus qu'il ne voulait l'admettre, car Seonaid venait de lui rappeler à quel point Flora et lui étaient différents. Cependant, la guérisseuse avait franchi les limites.

Lachlan écarta la main de Seonaid et recula.

— Cela ne te regarde en rien.

— Je croyais qu'il y avait quelque chose, entre nous.

Il ne voulait pas se montrer cruel, mais il tenait à ce qu'il n'y ait aucun malentendu.

— Il n'y avait que le sexe, depuis le départ. Je l'ai toujours dit.

— Et elle sera votre épouse.

Lachlan plissa les yeux. Seuls ses gardes, Morag et ses sœurs connaissaient les véritables raisons de la présence de Flora à Drimnin. Moins Flora en saurait, moins elle risquait de découvrir l'implication de son cousin. Quelqu'un aurait-il parlé à Seonaid ou s'était-elle contentée d'émettre une hypothèse ? Quoi qu'il en soit, il n'était pas question que Flora soit mise au courant.

— Tu vas trop loin, Seonaid. Le fait que je me marie ne te regarde en rien.

Elle tiqua face à la brutalité de son ton. Elle avait beau être jalouse, il ne pouvait tolérer un manque de respect.

— Je regrette de t'avoir fait de la peine, petite, mais je te préviens : reste en dehors de tout cela.

J'ai besoin de vous, ma douce. Ne vous faites aucune illusion.

Les échos de leur conversation de la veille résonnaient encore dans la tête de Flora tandis qu'elle déjeunait. En quoi Lachlan pouvait-il avoir besoin d'elle si le roi était impliqué dans l'affaire ? Sans droit de propriété légitime, Hector recevrait l'ordre de rendre le château de Coll à Lachlan. Elle n'y comprenait décidément rien, et Lachlan n'avait cessé d'éluder ses questions.

Elle en savait un peu plus sur l'énigmatique laird de Coll, mais la majeure partie de la situation demeurait inexpliquée. Et cet homme l'intriguait.

Pour l'heure, toutefois, elle avait d'autres préoccupations. Elle avala sa dernière bouchée de bouillie de gruau et partit en quête de Mary, qui n'était pas descendue. Gillian lui avait assuré que sa sœur était fatiguée, mais Flora se demandait si cela n'avait pas un rapport avec l'épisode lié aux épées huilées de la veille. Lachlan était furieux. Avait-il réprimandé sa sœur ?

Elle n'aurait jamais dû l'impliquer dans ses projets. Mary était trop douce pour faire des bêtises et n'était pas de taille à en payer les conséquences ; elle prenait les choses trop à cœur. Flora aurait dû se rendre compte qu'elle ne voudrait pas décevoir son frère.

Avant de quitter la pièce, elle regarda distraitement par la fenêtre et eut l'impression de recevoir un coup de poignard en plein cœur. Elle voulut se détourner, mais elle était presque fascinée par la scène qui se déroulait au-dehors.

Dans le petit jardin, Lachlan Maclean enlaçait la femme qu'elle avait remarquée au cours du banquet de la veille. Celle-ci avait les bras autour de son cou et était lovée contre lui. Flora manquait d'expérience, certes, mais il n'en fallait guère pour voir qu'ils étaient intimes.

— Gillian, demanda-t-elle d'un ton qu'elle voulut désinvolte à la jeune fille qui terminait son repas, qui est cette femme brune qui avait les yeux rivés sur votre frère, hier soir ?

Gillian sursauta et lâcha son couteau qui tomba à terre.

— Quelle femme ?

Elle savait certainement de qui il s'agissait, songea Flora. Les femmes n'étaient pas très nombreuses, à Drimnin, puisque les familles des guerriers étaient retenues à Breacachadh.

— Cette jolie femme aux cheveux noirs... Serait-ce la promise du laird ?

Gillian parut gênée et secoua vigoureusement la tête.

— Mon frère n'est pas fiancé.

Le cœur de Flora s'emballa lorsqu'elle entrevit une autre possibilité, un arrangement très fréquent, dans les Highlands.

— Sa maîtresse, alors ?

Les joues empourprées, Gillian baissa les yeux.

Flora n'aurait pas dû s'en étonner. Lachlan était un homme dans la force de l'âge, d'une grande sensualité. Pourquoi était-elle blessée ? Déçue ? Jalouse, peut-être ? C'était ridicule !

— Flora, ce n'est pas...

— N'en dites pas plus, Gillian, coupa-t-elle en se redressant fièrement, la gorge nouée. Je n'aurais pas dû poser la question. Cela ne me regarde en rien, après tout.

La déception n'en était pas moins cruelle.

— Je vais voir Mary! lança-t-elle par-dessus son épaule en s'éloignant pour ne pas montrer sa peine à la jeune fille.

Dans la pénombre de l'escalier, Flora s'adossa au mur de pierre et ferma les yeux. Elle respira profondément, le cœur serré, les yeux embués de larmes. Elle n'allait tout de même pas éclater en sanglots!

Quelle sotte! Lachlan Macleod n'était rien, pour elle. Il l'avait enlevée, il était l'ennemi de son frère... Or, elle avait cru... Qu'espérait-elle donc? Qu'il la désirait!

Il l'avait embrassée avec une telle tendresse, il l'avait caressée, charmée par sa franchise un peu brusque et son absence de flagornerie. Que cela lui plaise ou non, il était parvenu à s'insinuer derrière la carapace qu'elle avait dressée autour d'elle.

Elle devait être folle! Cet homme avait tous les défauts contre lesquels sa mère l'avait mise en garde. Et pourtant...

Les battements de son cœur se calmèrent. Elle allait trop loin. Après tout, elle n'avait aucun droit sur lui. Elle n'était qu'une invitée malgré elle. Chassant le laird de Coll de son esprit, elle se ressaisit et gravit les marches pour se rendre chez Mary.

La voix étouffée qui lui répondit lorsqu'elle frappa à la porte de la chambre que partageaient les deux jeunes filles lui parvint à peine. Flora entra, mais Mary ne se retourna pas. Elle regardait fixement par la fenêtre. Elle n'avait rien touché de son repas, et ses joues pâles étaient encore striées de larmes.

La pauvre enfant semblait anéantie de chagrin, désespérée, au point que Flora en fut touchée. Elle connaissait cette tristesse, ce sentiment d'être perdu. Était-elle à l'origine de ce chagrin?

Elle s'agenouilla près de la jeune fille.

— Mary, dit-elle doucement, pour ne pas la brusquer. Que se passe-t-il, mon petit ?

La jeune fille posa sur elle ses yeux rougis.

— Je ne suis plus une enfant.

Flora se hâta de corriger sa bévue.

— Bien sûr. Pardonnez-moi. Qu'est-ce qui vous rend si triste ? C'est votre frère ?

Mary opina et Flora se sentit soudain coupable. Tout était sa faute.

— Je suis désolée. Jamais je n'aurais dû vous impliquer. Tout va s'arranger, vous verrez. Je lui expliquerai que je suis la seule responsable.

— Qu'est-ce que vous racontez ? demanda Mary, visiblement surprise.

— Eh bien, les épées…, répondit Flora en rougissant. Je pensais que votre frère était furieux à cause de ma petite plaisanterie. En vérité, je crois qu'il n'est plus fâché.

Mary secoua la tête et laissa libre cours à ses larmes.

— Si seulement c'était à cause des épées ! sanglota-t-elle. Si seulement…

Elle se prit le visage dans les mains. Flora se sentit complètement désemparée. Que faire ? Elle n'avait pas de sœur. Après avoir hésité un instant, elle la prit dans ses bras.

— Racontez-moi en quoi il vous a fait tant de peine, dit-elle lorsque Mary se fut un peu calmée.

Luttant pour ne pas fondre de nouveau en larmes, Mary chercha ses mots.

— C'est Allan…

Flora se maudit. Elle devinait sans peine ce qui s'était passé ; elle n'était pas la seule à avoir remarqué qu'il y avait quelque chose entre Mary et le régisseur.

— Votre frère réprouve vos sentiments pour Allan, c'est cela ?

— C'est encore pire que cela ! gémit Mary. Il a interdit à Allan de me parler, histoire de lui faire comprendre qu'une union entre nous est impossible.

— Pourquoi ? Allan est régisseur, il a un certain statut.

— Mon frère a d'autres projets, en ce qui me concerne...

Lesquels ? Un mariage entre Mary et Allan n'était pas idéal, certes, mais ce n'était pas non plus une mésalliance. D'autant plus que la malheureuse ne devait pas avoir une dot faramineuse.

— Il tiendra certainement compte de vos sentiments. On peut peut-être le convaincre de changer d'avis...

Mary secoua la tête.

— Vous ne connaissez pas mon frère. Il est déterminé. Quand il a pris une décision, il s'y tient. Il ne changera pas.

Flora ne put contenir sa colère. C'était précisément le genre de situation qu'elle avait fuie toute sa vie.

— Irait-il jusqu'à vous imposer un mariage ?

Elle refusait de croire que cet homme qu'elle avait appris à apprécier puisse être aussi cruel. Cependant, c'était un Highlander.

— Ce n'est pas cela. Il fait ce qu'il juge préférable pour le clan. Il n'aura pas à me forcer. Je ne refuserai pas de faire mon devoir. Je regrette seulement...

Sa voix se brisa. Une larme coula sur sa joue.

— Si seulement les circonstances étaient différentes...

Comment Mary pouvait-elle prendre la défense de son frère ? Mais elle était si douce, si docile... Jamais elle n'oserait défier son aîné. Flora, elle, n'allait pas se gêner. En un clin d'œil, elle trouva une solution. Si Mary avait une chance d'être heureuse, elle devait à tout prix la saisir.

— Votre frère John pourrait-il vous aider ?

Elle sentit Mary se crisper.

— Non, dit-elle avec un air presque coupable. Vous êtes si gentille…

— Vous n'y êtes pour rien si votre frère m'a enlevée.

— Il ne faut pas trop lui en vouloir. Lachlan n'a pas le choix.

L'expression de Flora se durcit.

— On a toujours le choix, assura-t-elle en serrant la main de la jeune fille dans la sienne. Ne perdez pas espoir, Mary. Je lui parlerai. Je suis certaine de lui faire entendre raison.

Ses paroles se révélèrent prophétiques, mais ce fut elle qui reçut une bonne leçon.

Après avoir veillé à ce que Mary mange un peu, Flora entreprit de tenir sa promesse. Le laird devait être en train de surveiller l'entraînement de ses hommes. Depuis son arrivée, elle avait évité la cour et ces hommes au torse nu qui se battaient, image même de la brutalité des guerriers.

En approchant, elle entendit le tintement du métal. Puis elle vit Lachlan, superbe comme un lion, radieux, presque solaire. Le maître des lieux faisait lui aussi étalage de ses talents de combattant. Elle contempla la peau hâlée de son torse luisant de sueur, comme sculpté dans le marbre. Il avait les épaules larges, les bras puissants, la taille mince… Des abdominaux impressionnants, lacérés de quelques cicatrices. Celle qu'elle lui avait elle-même infligée attira son regard ; elle n'était pas encore totalement refermée. Elle se sentit coupable.

Ces marques n'altéraient en rien sa splendeur virile. Flora eut envie de le toucher, de glisser les mains sur sa peau chaude. Cette envie était si forte qu'elle en eut peur. Sa mère se trompait : la vie de Highlander n'était pas sans attraits. Sans doute n'avait-elle jamais rencontré un homme tel que Lachlan... Aucun courtisan ne lui arrivait à la cheville.

Son adresse à l'épée et sa façon de se mouvoir étaient si fascinantes que les sens de Flora furent vite en émoi. Elle savait qu'elle s'aventurait en terrain glissant, mais elle ne pouvait plus nier son désir pour lui. Et cette scène ne faisait rien pour apaiser les besoins de son corps. Que ressentirait-elle s'il la prenait dans ses bras puissants pour l'embrasser avec passion ? Se fondrait-elle dans sa chaleur ? Pourrait-elle quitter ensuite la sécurité de cette étreinte ?

Il brandit à deux mains son épée au-dessus de sa tête avec une grâce étonnante. Dès que sa lame heurta celle de son adversaire, ses muscles saillirent. Flora admira la puissance et l'élégance de chaque coup, de chaque esquive.

Puis elle se rendit compte qu'il se passait quelque chose d'étrange, d'une intensité et d'une férocité... presque réelles. Les guerriers avaient peu à peu fait cercle autour des deux hommes. Tous étaient tellement absorbés par le combat qu'ils ne remarquèrent même pas sa présence. À part les bruits de la lutte, on n'entendait plus rien. Le sol tremblait presque à chaque impact et la tension était palpable dans l'air marin.

Pour la première fois, Flora regarda l'adversaire de Lachlan. Il était aussi musclé mais légèrement plus trapu. Quant à ses cheveux... elle ne connaissait qu'un seul homme qui soit aussi blond. Allan, le régisseur dont Mary était éprise.

Un frisson la parcourut : c'était un véritable affrontement !

En voyant l'arme d'Allan s'abattre implacablement sur Lachlan, Flora fit un mouvement en avant, comme pour le protéger. Le laird para le coup sans difficulté, mais il remarqua sa présence et lui jeta un regard féroce. De toute évidence, il ne voulait pas la voir là. Mais comment s'en serait-elle allée alors que le drame couvait ?

Les deux hommes échangèrent encore quelques coups, puis Flora eut l'impression qu'elle ne pourrait en supporter davantage. Le cœur serré d'angoisse, elle pria pour que cela cesse. Hélas ! ils étaient de force comparable. Le combat pouvait durer une éternité, jusqu'à ce que l'un d'eux s'écroule d'épuisement.

Allan parut trouver un regain d'énergie et redoubla d'agressivité, acculant presque le laird contre le mur. Flora étouffa un cri d'effroi. Sa blessure l'affaiblissait peut-être…

Seigneur ! Allan semblait décidé à porter l'estocade. Lachlan para le coup puissant, mais Allan avait de l'élan et une détermination sans égale. Il frôla de peu le crâne de son maître.

— Rends-toi, bon sang ! fit Allan, la mâchoire crispée.

Flora n'entendit pas la réponse de Lachlan mais, à en juger par l'expression ulcérée d'Allan, elle devina qu'elle n'était pas plaisante.

Le laird commençait à ployer sous les assauts de son adversaire. Ses bras tremblaient sous l'effort. Flora décida d'agir et fit un pas en avant. D'un mouvement leste, Lachlan bondit sur le côté et repoussa violemment Allan qui, déséquilibré, tomba à genoux. Lachlan en profita pour poser sa lame sur la gorge de son régisseur. Flora retint son souffle.

— Rends-toi ! gronda-t-il. Elle n'est pas pour toi…

Allan refusait de céder, elle le lisait dans son regard. Ce n'était pas du défi, mais de la détermination. Il aimait Mary.

Sans réfléchir, Flora se précipita pour s'interposer entre les deux hommes et posa la main sur le torse du laird. Il avait la peau brûlante. Il émanait de lui une telle virilité... Elle devait être folle. Que faisait-elle donc ? Comment espérait-elle maîtriser une telle puissance ?

Il avait ôté sa lame de la gorge de son régisseur pour regarder la jeune femme droit dans les yeux.

— Qu'est-ce que vous faites là, bon sang ? s'exclama-t-il.

— Je vous en prie..., implora-t-elle. J'aimerais vous parler.

— Pas maintenant, Flora ! répliqua-t-il.

Elle s'approcha un peu plus de lui et esquissa une caresse sur sa peau nue.

— Je vous en prie... Ne faites pas cela... Vous êtes déjà allés trop loin.

Une sorte de courant passa entre eux et le cœur de Flora s'emballa. C'était si... intense.

Lentement, Lachlan baissa son arme.

Le feu de la bataille s'était éteint, grâce à Flora. Les guerriers se dispersèrent en silence, tandis que Lachlan essayait de comprendre ce qui venait de se passer. Après un entretien à propos de Mary, Allan et lui en étaient venus aux mains. Il n'osait imaginer ce qui aurait pu arriver si Flora n'était pas intervenue.

Avant de s'éloigner, Allan lui avait adressé un ultime regard. Il semblait tout aussi abasourdi par la tournure des événements. Les choses avaient dégénéré si rapidement... Comment avait-il pu être aussi aveugle aux sentiments de sa jeune sœur et de son régisseur ? Hélas ! il se devait d'agir dans l'intérêt du clan, au risque de prendre des décisions à contrecœur.

Il baissa les yeux sur la petite main encore posée sur son torse. Comment décrire ce qu'il avait ressenti à ce simple contact ? Elle avait su atteindre une partie de lui-même dont il ignorait l'existence. Elle l'avait fait sortir de la pénombre pour l'exposer en pleine lumière. D'une simple caresse...

Elle suivit son regard, un peu gênée, et ôta vivement sa main. Lachlan eut l'impression qu'un lien se rompait entre eux. Cette femme produisait sur lui un effet unique.

Il ramassa sa chemise et son plaid pour couvrir sa nudité.

— Venez, dit-il.

Elle parut hésiter.

— Où allons-nous ?

— Au bord de l'eau. Vous me direz de quoi vous vouliez m'entretenir.

S'attendant à un refus, il fut étonné de la voir accepter la main qu'il lui tendait. Ignorant un frisson, il la mena sans mot dire sur un chemin.

Lorsqu'ils atteignirent la grève, elle s'assit sur un rocher tandis que Lachlan se déchaussait et se précipitait dans l'eau du détroit pour savourer sa fraîcheur.

Il se serait volontiers attardé pour détendre ses muscles endoloris, mais Flora l'attendait. Revigoré, il émergea. Les yeux bleus de la jeune femme ne l'avaient pas quitté un instant. Il sentit son membre durcir. Comment se contenter d'un regard ? Il voulait ses mains, ses lèvres purpurines, qui avaient de quoi rendre n'importe quel homme fou de désir.

L'excitation de la bataille fit place à une excitation d'une autre nature. Même dans cette robe ordinaire, elle était magnifique. Ses cheveux dorés cascadaient sur ses épaules et le soleil avait fait rosir ses joues. Le souvenir de son corps presque nu troubla Lachlan plus que de raison.

Ignorant tout de ses pensées lubriques, Flora désigna une île, de l'autre côté du détroit.

— Est-ce l'île de Mull ?

Il opina en enfilant sa chemise.

— La partie nord, expliqua-t-il.

— Et Coll ?

— Elle se trouve au-delà, vers l'ouest.

Elle réfléchit un instant.

— Donc Hector est tout proche ?

— En effet.

Il devina sa question tacite. Pourquoi Hector tardait-il tant à se manifester ? Il essora ses cheveux de ses doigts et détourna la conversation.

— De quoi vouliez-vous me parler ?

Elle se tordit nerveusement les mains et posa sur lui un regard hésitant. Le bleu de ses prunelles rappela à Lachlan celui de la mer dans laquelle il venait de plonger. Un regard fascinant.

— Mary ne va pas bien, dit-elle.

— Quel est le problème ? demanda-t-il en s'ébrouant.

— Elle a le cœur brisé, répondit-elle d'un air de défi.

Lachlan se crispa.

— Elle s'en remettra.

Il n'avait pas voulu s'exprimer d'un ton dur, mais il lui en voulait d'intervenir dans ses affaires.

— Vous ne parlez pas sérieusement !

Elle était si assurée…

— Je vous garantis que je pense toujours ce que je dis.

— Dans ce cas, vous ne savez pas ce que vous faites.

— Détrompez-vous. Je sais très bien ce que je fais.

Le mariage de Mary était essentiel pour la survie du clan. Il était déjà en pourparlers avec Ian MacDonald, fils du chef de Glengarry et frère de la femme de Rory MacLeod, Isabel. Ian était un homme bien. Il s'occuperait bien de Mary. De plus, le clan aurait un allié important contre Hector.

Flora pinça les lèvres.

— C'est tout ce que vous trouvez à dire ? s'indigna-t-elle.

— Je n'ai pas coutume de me justifier, répliqua-t-il avec un regard dur.

Elle ignora cette mise en garde.

— Vous ne voyez donc pas qu'elle est amoureuse de lui ?

L'amour ! Depuis quand l'amour avait-il un rôle à jouer dans le mariage ? Il en serait pour Mary comme il en serait pour lui-même. C'était ainsi.

— Elle se croit amoureuse. Mais elle est très jeune. Ce ne sont que des rêves de jeune fille romantique.

Il allait se retourner pour couper court à cette conversation quand Flora le saisit par le bras. Ses doigts fins s'enfoncèrent dans le lin de sa chemise et le firent frissonner. Elle était si convaincante qu'il eut presque envie de lui faire plaisir. Malheureusement, c'était impossible.

— Vous vous trompez, dit-elle simplement. Mary tient vraiment à lui. Il suffit de voir son regard.

C'était justement ce qui l'avait incité à mettre fin à cette histoire.

— Parlez-lui non pas en tant que chef, mais en tant que frère reprit-elle.

— Je suis les deux, mais c'est au chef de prendre les décisions relatives au clan.

— Mais elle a besoin de son frère ! Je sais que vous aimez vos sœurs, mais vous vous comportez davantage comme un père… Je connais cela, poursuivit-elle avec un sourire triste. Prenez le temps de les connaître, avant qu'il ne soit trop tard. Sinon, vous allez le regretter.

Elle avait tort, songea Lachlan. Il était très proche de ses sœurs. Plus autant que naguère, peut-être, mais il n'y était pour rien.

— Je n'ai rien à regretter.

— Pas encore. Mais ne lui imposez pas un mariage malheureux, l'implora-t-elle. J'ai vu les dégâts que cela pouvait provoquer.

— Ma sœur n'est pas votre mère, Flora.

— Vous croyez ? Ma mère a fait son devoir, et regardez ce que cela lui a rapporté : quatre maris cruels et une vie de malheur !

Sa voix était teintée de tristesse et d'amertume. Elle le relâcha et se détourna comme pour masquer ses émotions. Ce fut peine perdue. Sa souffrance d'avoir perdu sa mère était manifeste. Sur cette plage battue par les vents, avec ce donjon qui les dominait, elle semblait si seule... Sa beauté contrastait avec la dureté du paysage des Highlands. Elle était comme une rose blanche au milieu d'un champ de bruyère. Il en eut le cœur serré ; elle n'était pas à sa place, ici.

Cette existence cruelle allait-elle la détruire elle aussi ? Non, se dit-il, cherchant à se convaincre.

— Parlez-moi d'elle...

Flora ramassa un galet et le lança dans l'eau. Il ricocha deux fois. Ses sœurs auraient pu faire la même chose. Cette jeune femme connaissait la mer. Grâce à ses séjours à Dunvegan, peut-être ?

— Elle était douce, gentille, aimante..., répondit-elle enfin en se tournant vers lui. Je n'avais qu'elle...

Elle s'interrompit un instant et regarda de nouveau vers le large.

— Quand j'étais petite, je passais des heures à essayer de la faire rire. Je me déguisais, je dansais, je faisais des grimaces...

Lachlan s'émerveilla de son teint de porcelaine. Sans se soucier de son regard appuyé, elle poursuivit :

— Quand elle souriait, c'était la plus belle femme du monde. Et quand elle riait, je devinais la jeune fille insouciante qu'elle avait été, avant d'être enfermée. Elle était comme un oiseau en cage qui ne sait plus chanter. Elle s'est retrouvée dans un univers inconnu.

— Les Highlands ?

Flora opina.

— Oui, et plus que cela. Ses maris étaient âgés et durs et passaient leur vie sur les champs de bataille. Ils ignoraient comment s'y prendre avec une jeune femme raffinée. Son père et ses frères n'en ont pas tenu compte, mais elle leur a fait une confiance aveugle. Elle a cru qu'elle devait faire son devoir ; elle se trompait. Jamais elle n'a pu prendre la moindre décision. Elle ne supportait pas cette domination permanente, qui a fini par la briser.

Lachlan comprenait que Janet Campbell ait souhaité une autre vie pour sa fille, mais tous les maris n'étaient pas violents.

— Le père d'Hector était un chef respecté, mais une brute, comme son fils, remarqua-t-il.

— Vous en savez sans doute plus que moi à son sujet, dit-elle. Je ne me souviens pas très bien de lui. Il était froid, distant. Voulez-vous vraiment imposer un tel sort à votre sœur ?

— Bien sûr que non ! Et cela n'arrivera pas. Tous les mariages arrangés ne se terminent pas ainsi. Mes parents ont été heureux. De plus, Mary a grandi dans les Highlands, contrairement à votre mère, et je lui ai choisi un homme honorable. Toutefois, je ne lui forcerai pas la main. Si elle refuse de l'épouser, j'en trouverai un autre.

— Mais c'est Allan qu'elle aime! s'exclama-t-elle avec fougue. Si j'aimais un homme, rien ne me ferait en épouser un autre.

Ces paroles glacèrent le sang de Lachlan. Il ne supportait pas l'idée qu'elle soit amoureuse d'un autre, même s'il n'avait pas à s'en inquiéter. Rien ne l'empêcherait de l'épouser.

— Ma décision est prise, dit-il en soutenant son regard.

— Et toutes vos décisions sont bonnes?

— Elles le sont, rétorqua-t-il.

Il n'appréciait pas son ton hautain et ne pouvait admettre que l'on remette en cause ses décisions, quelles qu'elles soient. Flora allait devoir le comprendre. Elle semblait savoir ce qu'était le devoir, et combien il était difficile de faire le bon choix, parfois. Sa tentative de mariage à la sauvette pour prendre son destin en main en attestait.

Elle fit un pas vers lui, le vent faisant voleter ses cheveux autour de son visage.

— Rien ne saurait vous infléchir? demanda-t-elle.

Lachlan eut l'impression que tout s'écroulait autour de lui. Cette question innocente lui rappela son désir pour elle. Son parfum subtil lui parvint et l'enveloppa. Il demeura pétrifié. Son instinct lui criait de la prendre dans ses bras et de prendre ce qu'elle avait à lui offrir. Entre eux, la tension était palpable.

Comme il serait bon de la faire sienne…

Seigneur, la tentation était grande! Il brûlait de l'embrasser à perdre haleine. Les poings crispés, il la vit entrouvrir les lèvres, si près de lui… Il vibrait de passion, au point qu'il goûtait presque sa saveur.

Il savait ce qu'elle était en train de faire, même si elle n'en avait pas conscience: elle déployait ses charmes pour l'amadouer. Elle avait déjà réussi à s'interposer entre lui et Allan. Cette fois, cependant, elle n'obtiendrait pas gain de cause. Jamais une femme ne lui dicterait sa conduite. Mieux valait qu'elle l'apprenne au plus vite.

— Que proposez-vous ? demanda-t-il en s'avançant vers elle à son tour.

Elle pâlit et voulut reculer, mais elle perdit l'équilibre sur les rochers. Sans hésiter, Lachlan la rattrapa et l'enlaça. Il sentit son cœur s'emballer. Elle était comme un oiseau pris au piège. Son piège.

— Vous... Vous vous méprenez, bredouilla-t-elle.

Il caressa son cou en s'attardant sur son pouls.

— Vous croyez ? répondit-il en soutenant son regard. Je ne pense pas.

Il n'avait que trop attendu. Cette étreinte vint à bout de ses dernières résolutions. Il enfouit les doigts dans ses cheveux soyeux et s'empara de ses lèvres avec un grognement presque féroce. Aussitôt, son parfum, sa saveur propagèrent en lui une onde de chaleur. Son sexe durcit et se mit à palpiter. Cela faisait si longtemps...

Cette fois, il laissa libre cours à sa passion. Sa bouche se fit plus pressante, plus possessive. Affamé, il la serra plus fort et caressa sa nuque avec fièvre.

Elle se fondit contre lui et s'abandonna en émettant des plaintes de plaisir qui le rendirent fou.

Il s'insinua dans sa bouche pour l'explorer totalement. Sa langue était brûlante, ardente. Un peu brutale, peut-être, mais ce baiser était à la hauteur de ce à quoi il s'attendait. Mille sentiments se mêlaient dans son esprit : possessivité, tendresse, désir... Rien n'aurait su le rassasier. Ses lèvres se mirent à tracer un sillon brûlant le long de son cou. Flora se lova contre lui, puis caressa ses épaules, ses bras, son dos. Elle explora son torse, puis s'agrippa à lui. Sa passion montait au même rythme que la sienne.

Elle l'embrassait avec une innocence enivrante, mais il en voulait davantage. Sans quitter ses lèvres, il posa une main sur un sein et le pétrit doucement, maudissant ses vêtements et sous-vêtements. Il voulait caresser sa peau nacrée à loisir. Lorsqu'il passa le pouce sur son mamelon dressé, elle gémit et se cambra pour mieux s'offrir à ses caresses.

Ses plaintes de plaisir le rendaient fou. Il la prit par les hanches et la souleva contre son membre en érection. Elle se frotta sensuellement sur lui.

Il voulait la pénétrer sur-le-champ, la faire trembler de plaisir jusqu'à ce qu'elle crie son nom dans l'extase. Jamais il n'avait rien désiré avec une telle intensité.

Il en tremblait d'émoi. Lorsqu'elle le caressait de la sorte, elle avait tout pouvoir sur lui. D'un baiser, elle avait le pouvoir de le mettre à genoux.

Bon sang! Il s'écarta en grognant, le corps vibrant, et chercha à se ressaisir. Il se sentait soudain très vulnérable.

— Que voulez-vous de moi? demanda-t-il d'une voix rauque.

Il regretta aussitôt sa question.

— Je…

Flora retint son souffle. Peu à peu, elle prenait conscience de ce qui venait de se passer, de cette passion qui s'était déchaînée entre eux et à laquelle elle avait succombé si facilement.

— Je ne sais pas, bredouilla-t-elle, les yeux écarquillés.

Il avait trouvé la faille qu'il cherchait! songea Lachlan. Elle le désirait… Il avait donc gagné! Alors qu'il aurait dû s'en réjouir, sa victoire lui laissait un goût amer, car il avait l'impression d'avoir perdu la bataille.

Sans crier gare, elle tourna les talons et s'éloigna en direction du donjon. Il avait eu le temps de lire l'effroi sur son visage. Leur désir, bien que réciproque, leur faisait peur.

Lui qui cherchait à lui donner une leçon... Il avait été pris à son propre jeu. Il l'avait dans la peau, désormais, et ça ne lui plaisait pas. Quoi qu'il en soit, cette passion ne changerait rien.

Il la regarda se frayer un chemin parmi les rochers d'un pas déterminé.

— Flora !

Elle s'arrêta, sans se retourner.

— La prochaine fois que vous me ferez une telle proposition, je ne la refuserai pas !

Elle frémit, puis prit ses jambes à son cou.

7

— Aïe! Vous m'avez marché sur le pied! Quel maladroit!

Flora réprima un sourire. L'indignation de Gillian était amusante, tout comme la stupeur de son cavalier. Pauvre Murdoch! Flora avait eu bien du mal à le faire venir, et voilà que Gillian risquait de réduire ses efforts à néant en le décourageant.

Le pauvre garçon parvenait à peine à regarder la jeune fille dans les yeux sans rougir, mais il prenait un malin plaisir à la tourmenter. Sans parler de sa façon de lui faire sentir qu'il avait deux ans de plus qu'elle.

— Je vous avais prévenue, milady, dit-il. La danse de salon, ce n'est pas pour un guerrier. Un homme ne danse pas comme s'il avait un balai enfoncé dans le...

Il se tut en la voyant froncer les sourcils.

Pour avoir assisté à la danse des épées la semaine précédente, Flora devait admettre que Murdoch n'avait pas tort. Toutefois, si les jeunes filles devaient se rendre à la cour, elles devaient avoir quelques bases et Mary avait besoin de se changer les idées. En voyant sa sœur aux prises avec Murdoch, elle avait du mal à ne pas s'esclaffer.

Flora s'était juré de ne plus se mêler des affaires de Drimnin, mais la tentation était trop forte. Elle ne pouvait rester les bras ballants alors que tant de choses n'allaient pas autour d'elle. Outre la danse, elle avait commencé à donner des cours de littérature et de latin aux deux sœurs. Le donjon n'ayant pas de bibliothèque, elle avait donc investi le petit salon adjacent à la grande salle. Ses amies de la cour seraient amusées de voir la rebelle transformée en préceptrice. En tout cas, Flora ne s'était jamais sentie aussi utile.

Son attention ne se limitait pas à Mary et Gillian. Elle s'était entretenue avec Morag à propos de quelques changements à apporter dans l'aménagement du donjon et de la préparation des repas.

— Un guerrier! Pfff... railla Gillian avec dédain.

Murdoch fit un pas vers elle, l'air menaçant. Il était très jeune et promettait de devenir un Highlander redoutable, mais il était encore trop orgueilleux, et Gillian venait de le vexer.

— Mais non, Murdoch, vous vous en sortez très bien, intervint Flora pour arrondir les angles. Gillian était mal placée, n'est-ce pas, Gillian? ajouta-t-elle avec un regard entendu.

De toute évidence, Gillian n'était pas d'accord, mais elle n'avait pas envie de perdre son partenaire, car les candidats étaient rares. Murdoch n'était venu qu'après en avoir reçu l'ordre d'Alasdair, qui refusait de se pavaner comme un de ces paons de la cour, selon son expression.

Murdoch était du même avis, mais les jeunes filles n'en avaient pas terminé avec lui. Elles avaient passé en revue les danses les plus appréciées à la cour, et en étaient au quadrille. Pour cela, ils devaient être au moins quatre danseurs.

— Oui, je regrette, Murdoch. Tout est ma faute, concéda Gillian d'un ton doucereux, les yeux pétillants de malice.

Sans doute attendait-elle son heure pour s'en prendre de nouveau au malheureux.

— Je ne vois pas pourquoi vous vous donnez tant de peine, milady, dit Murdoch. Cette fille ne mettra jamais les pieds à la cour, après tout. Et il faudra plus qu'une danse pour faire oublier sa langue bien pendue, même s'il n'y a que des gens du Sud, là-bas...

Flora retint un sourire. Ce garçon n'avait pas besoin de sa compassion. Il était tout à fait capable de se défendre seul.

Le visage de Gillian s'empourpra de colère, mais Flora lui lança un regard d'avertissement.

— En tant que sœurs du laird, Mary et Gillian devraient tôt ou tard se rendre à la cour, dit-elle. Je veux qu'elles soient prêtes quand l'occasion se présentera. Essayons encore, voulez-vous ?

Elle fit signe à Duncan, le joueur de cornemuse, qui faisait de son mieux pour masquer son hilarité.

— Mary ?

La jeune fille était allée se poster à la fenêtre. Son désespoir préoccupait Flora. Lachlan se trompait. Mary ne se remettrait pas de ce chagrin d'amour. Si seulement elle parvenait à en persuader son frère...

— Venez, dit-elle. Ne baissez pas les bras, surtout.

Mary croisa son regard et opina.

— Cette fois, vous serez la partenaire de Gillian.

Elle leur indiqua les pas en songeant aux risques qu'elle prenait. Elle commençait à s'attacher aux deux jeunes filles, à cet affreux donjon et, elle ne pouvait le nier, au maître des lieux.

Elle était toujours aussi troublée. Que voulait-il, au juste ? Il suscitait en elle une foule d'émotions qu'elle préférait ne pas analyser. Et ce baiser demeurait gravé dans sa mémoire. Ses lèvres, sa langue... Ses mains puissantes sur son corps. Il avait caressé ses seins. Dans ses bras, elle s'était abandonnée comme jamais.

Comment avait-elle pu se laisser aller de la sorte ? Elle n'y comprenait rien. Chaque fois qu'elle le voyait, elle ressentait des picotements irrépressibles qui lui donnaient envie de se blottir contre lui. Jamais elle ne s'était sentie aussi protégée et… satisfaite. Étant donné les circonstances de sa présence à Drimnin, c'était étrange.

Si son attirance pour lui était indéniable, elle demeurait sa prisonnière. Ne devrait-elle pas chercher à s'échapper ? Sur la plage, elle avait remarqué un petit bateau amarré non loin. De nuit, elle pourrait probablement le rejoindre en toute discrétion. Quelque chose la retenait cependant, outre le danger évident et le fait qu'elle n'avait jamais aimé les bateaux. Quant à voler un cheval, ce n'était pas envisageable car les écuries étaient sous bonne garde.

Elle avait beau se persuader qu'elle attendait Hector, plus le temps passait, plus elle savait qu'elle se mentait. Elle avait vu juste : jamais Hector ne l'échangerait contre le château de Breacachadh. Ils se connaissaient à peine ! Elle ne pouvait toutefois s'empêcher d'en être un peu blessée.

Le laird devait se rendre compte que son plan n'avait pas fonctionné. Depuis une semaine, il la courtisait, et elle devait admettre n'être pas insensible à son charme, même s'il n'usait pas de la galanterie à laquelle elle était habituée. Et qu'elle trouvait un peu ennuyeuse, à vrai dire… Lachlan n'était pas seulement brusque : c'était un Highlander pur et dur.

Mais il était différent des autres. Elle admirait son autorité naturelle, son sens du devoir. Il avait toujours dû lutter pour protéger les siens, qui le vénéraient.

Elle voulait lui faire confiance, mais comment était-ce possible si elle était prisonnière ? L'homme qui l'avait enlevée et qui empêchait sa sœur d'épouser l'homme qu'elle aimait ne pouvait être le même que celui qui l'avait embrassée avec tant de passion et de tendresse…

Parfois, elle se disait qu'elle pourrait être heureuse, en ce lieu. Mary et Gillian étaient adorables et le laird, malgré sa brusquerie, ne manquait pas d'attraits. Peut-être même ferait-il un bon mari…

Un mari. Pouvait-elle vraiment l'envisager ? Épouser un Highlander, renoncer à tout pour vivre dans ces conditions difficiles ? Drimnin ne disposait d'aucun confort, mais elle s'y sentait bien, même sans dorures ni soieries. La cour lui manquerait, mais elle n'en était pas bannie ; elle pourrait s'y rendre en visite. De plus, avec sa dot, elle pourrait contribuer à la restauration du donjon. Sa vie de luxe lui manquerait, mais la perspective d'une existence dans les Highlands lui semblait moins terrible, si elle vivait avec Lachlan Maclean.

Pourquoi l'avait-il amenée ici ? se demanda-t-elle une fois de plus. Il avait juré de ne pas la forcer au mariage, et elle le croyait.

Après une nouvelle tentative au quadrille, Gillian se laissa tomber sur une chaise. Murdoch n'était pas un mauvais danseur, finalement. À condition de ne pas être le cavalier de Gillian.

— Je ne vois pas pourquoi nous nous fatiguons, dit-elle. Murdoch a raison, Lachlan ne nous enverra jamais à la cour.

— Il ne pourra refuser si vous êtes mes invitées, répondit Flora. Quand je retournerai à Édimbourg, vous viendrez me voir et vous séjournerez chez mon cousin. Je m'occuperai de tout.

Pour une fois, sa fortune lui rendrait service.

— Vous êtes si généreuse… fit Mary, la mine soucieuse, presque coupable. Mais cela ne changera rien. Lachlan déteste la cour. Pour lui, c'est un lieu d'intrigues et de trahisons. Et de corruption, aussi.

Flora réfléchit un instant. Il y avait du vrai dans ces propos, mais la cour était également le centre du pouvoir, un lieu plein de vie et d'énergie, avec tout le confort moderne et les avantages de la haute société.

— Votre frère a raison en partie, admit-elle, mais il en dresse un portrait très sombre. Il y a aussi les bals, les fêtes…, ajouta-t-elle en se tournant vers Gillian. Et un tas de jeunes gens avec qui danser…

Soudain intéressée, Gillian bondit presque de son siège.

— Dans ce cas, je veux bien continuer ! s'exclama-t-elle.

— Répétons les pas, voulez-vous ? répondit Flora en riant.

Murdoch grommela et Flora s'amusa de son expression boudeuse. D'un geste, elle l'encouragea à se mettre en place.

— Venez, tout va bien se passer, vous verrez. Nous allons tenter de reproduire le pas qui a fait la renommée de la reine Elisabeth et Robert Dudley, le comte de Leicester.

Le jeune homme marmonna un commentaire peu flatteur sur les Anglais, mais Flora fit mine de ne pas l'entendre.

Lachlan se trouvait face à une mutinerie qu'il devait réprimer au plus vite. Pourquoi s'étonnait-il encore des frasques de Flora ?

Il gravit en soupirant les marches de l'escalier en colimaçon qui semblait bien étroit pour sa carcasse impressionnante. Même ses ennemis jurés lui posaient moins de difficultés que cette femme !

Une partie de lui se réjouissait toutefois. Elle s'occupait bien de ses sœurs et semblait presque se plaire au donjon. Sans s'en rendre compte, elle jouait le rôle de châtelaine, une fonction qui revenait à son épouse. Elle avait apporté quelques changements subtils, raccroché d'anciennes tentures, sans parler de la qualité des repas...

Mais cette fois, elle était allée trop loin.

Il gagna le petit salon attenant à la grande salle. C'était là qu'il réunissait ses gardes quand il tenait conseil.

Il écouta un instant le son des cornemuses. Au moment où il allait franchir le seuil, il s'arrêta net en entendant des rires. Mary et Gillian tapaient dans leurs mains au rythme de la musique tandis que Flora et Murdoch virevoltaient. Ils étaient souriants et si heureux qu'il hésita à entrer. Mary n'avait pas esquissé un sourire depuis une semaine. Son soulagement fut tel qu'il se rendit compte à quel point le bonheur de sa sœur lui importait. Flora avait peut-être raison, après tout...

Quoi qu'il en soit, il n'était pas homme à revenir sur une décision, même si Flora avait déjà imprimé sa marque de bien des manières, depuis son arrivée...

Il posa les yeux sur l'objet de ses tourments. Dieu qu'elle était belle, une fois de plus ! Le souvenir de leur baiser resurgit, ravivant son désir.

Il aurait dû la faire sienne, sur la plage, mais une émotion intense l'avait déstabilisé. Son désir allait bien au-delà d'une pulsion physique, ce qui l'empêchait d'aller plus loin.

Les dernières nouvelles de Breacachadh qui lui étaient parvenues clandestinement étaient alarmantes. Comme il s'y attendait, Hector était en train de démanteler ses terres et il maltraitait son clan. Lors de la réunion qui s'était tenue le matin même dans ce petit salon, les gardes avaient souhaité passer à l'action. Malheureusement, s'il attaquait Hector maintenant, il était certain de perdre.

Il avait besoin de soutien, de celui d'Argyll, notamment. De plus, il ne voulait pas mettre son frère John en danger. Cette attente le rendait fou.

Il fallait qu'il épouse Flora... tout de suite. Il n'avait plus le temps de laisser la situation évoluer naturellement et ne voyait qu'un moyen d'accélérer les choses.

Flora avait les joues roses et les yeux rieurs. Jamais il ne l'avait vue aussi radieuse. Elle était redevenue la Flora qui brisait les cœurs, à la cour.

Néanmoins, elle était loin d'être la courtisane frivole à laquelle il s'était attendu. Malgré sa bonne éducation et ses manières raffinées, elle était aussi passionnée que lui. Mais leur attirance réciproque suffirait-elle à lui faire renoncer au luxe ? N'aurait-elle pas l'impression d'être un pion, comme sa mère ? Comment allait-elle réagir en apprenant les raisons de sa présence ?

Si seulement il existait une autre solution !

— Vous me soulevez quand je saute ! ordonnat-elle à Murdoch.

— Je vais essayer, répondit le jeune homme. Mais je ne sais pas où poser mes mains...

Il devint écarlate, mais il la prit par la taille et la souleva avec aisance le moment venu.

Lachlan se figea. Il connaissait ce quadrille. En trois enjambées, il traversa la pièce.

La musique s'arrêta et tous les regards se tournèrent vers lui.

— Mon frère ! dit Gillian, surprise et ravie à la fois.

— Tu risques de la lâcher, si tu la tiens ainsi, dit-il à Murdoch, la mine grave.

— Je sais, répondit Murdoch, penaud. C'est déjà arrivé trois fois.

Gillian pouffa, mais Lachlan garda les yeux rivés sur Flora.

— Je peux ?

Les yeux écarquillés, elle opina.

— Musique, Duncan! lança Lachlan.

Cela faisait une éternité qu'il n'était pas allé à la cour, de sorte qu'il mit un certain temps à retrouver ses pas. Mais au bout de quelques minutes, il se détendit et se prit même à apprécier cette danse qui lui permettait de toucher Flora. Il sentait la chaleur qui émanait d'elle et son parfum subtil l'enveloppa. Sous les encouragements des spectateurs, ils se livrèrent à une gaillarde endiablée.

Ils ne formaient plus qu'un, ainsi unis par un lien invisible. Le souffle court, le cœur battant, Flora était aussi troublée que lui. Ils se rapprochèrent l'un de l'autre. Dès que la main de Lachlan se posa sur sa taille, elle frémit. Leurs corps se touchaient presque. Il mourait d'envie de l'embrasser. Enfin, vint le moment où il devait la soulever de terre, ce qu'il fit à la perfection. En redescendant, elle glissa le long de son torse et leurs regards se rivèrent l'un à l'autre.

Lachlan ne se rendit pas compte tout de suite que la musique s'était tue, que ses sœurs l'acclamaient. Il avait oublié qu'ils n'étaient pas seuls… Haletant, il relâcha Flora.

— C'était magnifique! s'exclama Gillian. Vous ne nous avez jamais dit que vous savez danser!

— Les Highlands n'offrent guère d'occasions de danser, répondit-il.

— En effet, confirma Flora. C'est justement pourquoi…

Devinant la suite, il l'interrompit.

— Je dois m'entretenir avec Mlle MacLeod, annonça-t-il. En particulier.

— Mais…

Flora oublia ses protestations en voyant les autres se retirer aussitôt.

Dès qu'ils furent seuls, elle se tourna vers Lachlan, les mains sur les hanches.

— Nous n'avions pas terminé ! Savez-vous combien il m'est difficile de trouver des cavaliers ?

— Je l'imagine volontiers, répliqua-t-il sèchement.

Elle soupira et le dévisagea d'un air curieux.

— Vous avez donc fréquenté la cour…

— J'y suis resté assez longtemps pour apprendre quelques danses, dit-il d'un ton désinvolte.

— Que me cachez-vous d'autre ? insista-t-elle.

Lachlan se crispa. Elle s'approchait dangereusement de la vérité ; mieux valait détourner la conversation.

— Aucune tenue pompeuse en soie brodée de fils d'or, je vous l'assure !

— Je ne vous imagine pas dans une autre tenue que le kilt, admit-elle. Toutefois, vous seriez superbe dans n'importe quelle…

Elle s'interrompit et s'empourpra.

Lachlan fut flatté, non pas par ce compliment, mais par les sentiments qu'il sous-entendait. Elle commençait à s'adoucir, ce qui le ravit plus que de raison.

Gênée, Flora se retourna et fit mine de remettre les chaises en place pour se donner une contenance.

— Laissez, dit-il en la prenant par le bras. Mes hommes s'en chargeront.

— Vous aviez quelque chose à me dire ? demanda-t-elle, un peu tendue.

Et comment ! Mais il l'avait presque oublié.

— J'ai eu vent de remarques lancées contre mes hommes, répondit-il en la relâchant. Ils sont fatigués et furieux, ce qui risque de poser problème.

— J'ignore de quoi vous parlez, répliqua-t-elle en cherchant à s'éloigner.

Lachlan l'empoigna une nouvelle fois.

— Vous le savez très bien, au contraire, dit-il en l'attirant vers lui.

Il la prit par le menton pour la contraindre à la regarder dans les yeux.

— Vous niez avoir donné des instructions sur des questions privées, comme la façon de dormir d'un homme et de sa femme ?

— Je n'en ai pas souvenir, assura-t-elle en haussant les épaules.

Il ne croyait pas à ses airs innocents. Tout cela lui ressemblait trop. Ses hommes s'étaient plaints de ses interventions pendant toute la matinée, et il voulait des explications.

Il l'attira plus près encore. Elle était moins sûre d'elle qu'elle voulait le faire croire. Il était tout proche de ses lèvres. S'il se penchait un peu…

— Vous avez encouragé les femmes à interdire leur lit à leur mari ?

— Je n'ai rien fait de tel ! prétendit-elle en rougissant.

Pourquoi cette petite sorcière s'évertuait-elle à la provoquer ?

— Je vais vous rafraîchir la mémoire. Vous rappelez-vous avoir évoqué les habitudes des hommes, pour leur bain ?

Elle leva fièrement la tête. Entre eux, la tension était palpable. Il brûlait de l'enlacer pour la soumettre à sa volonté. Il en avait assez, et sa patience était à bout.

Il était grand temps de mettre fin à ce petit jeu du chat et de la souris.

Pourquoi persistait-elle à se mettre en danger ? se demanda Flora. Elle se rendait compte qu'elle poussait Lachlan dans ses derniers retranchements, et qu'il était furieux. Cela n'avait pas d'importance ; il lui plaisait ainsi. Elle détestait le voir attentif, poli, patient, voire distant. Enfin un signe d'émotion! Où était passé l'homme qui l'avait embrassée avec passion?

Cette maîtrise qu'elle admirait était également un obstacle entre eux. Sa colère avait quelque chose d'exaltant.

Elle feignit l'ennui.

— J'ai peut-être dit qu'un homme qui empestait méritait de dormir dans la porcherie...

Son attitude mit Lachlan hors de lui.

— Comment vos propos ont-ils été interprétés, selon vous?

— Précisément comme je les entendais. Je ne vois pas pourquoi un homme ne se laverait pas avant de se présenter à sa femme. Vous-même, vous sentez bon. Je ne vous chasserais pas de...

Mortifiée par ce qu'elle avait failli dire, elle porta la main à sa bouche. En vérité, il était si proche d'elle qu'elle ne pensait plus qu'à son parfum et brûlait de se blottir dans ses bras.

— Vous ne me chasseriez pas d'où, Flora? demanda-t-il d'une voix grave, le regard sombre.

Il la regardait comme s'il allait la violer, mais elle n'avait pas peur. Elle fut parcourue d'un frisson d'impatience et déglutit, la gorge nouée.

— Ce n'était qu'une image...

Il l'enlaça par la taille, comme lorsqu'ils avaient dansé. Cette danse... Elle se mit à trembler. Il dansait mieux que n'importe quel courtisan, ce qui était incroyable, au vu de sa carrure. Il était fort et pourtant gracieux. Quand il l'avait soulevée de terre, elle avait eu l'impression d'être une plume. Quant au contact de ses mains sur son corps... elle avait été parcourue de frissons.

Jamais elle n'avait ainsi désiré un homme de tout son être. Cette découverte la frappa de plein fouet. Elle l'aimait! Voilà pourquoi elle n'avait pas cherché à s'évader...

— D'où cela, Flora?

Sa voix rauque la troubla de plus belle. Si seulement il l'embrassait !

— De mon lit, murmura-t-elle.

Avec un gémissement de désir, il l'embrassa soudain. Ou plutôt, il la dévora de sa bouche avide et exigeante, comme s'il ne devait plus jamais la relâcher.

Flora voulut y croire. Cette passion qui existait entre eux était réelle. Dans ses bras, elle se liquéfiait littéralement, au point de tout accepter.

C'était si bon qu'elle en souffrait presque. Ses bras, ce baiser… Son corps ferme plaqué contre le sien… Les sens en émoi, elle savoura ce baiser profond. Elle enroula les bras autour de son cou et se lova contre lui. Un gémissement de désir naquit dans sa gorge. Elle entrouvrit les lèvres pour accueillir sa langue en elle.

Il s'insinua avec une plainte rauque. Elle s'abandonna avec une passion égale à la sienne et l'embrassa comme Lachlan le lui avait appris, à un rythme sensuel. Le désir montait en elle comme une vague qui enfle. Il la pencha en arrière et la saisit par les hanches pour mieux la presser contre lui.

Flora se noyait dans un océan de sensualité. Contre son ventre, elle sentait palpiter le sexe durci de Lachlan. Elle frémit, non de peur, mais de désir. Elle avait beau être vierge, elle n'était pas ignorante des rapports entre hommes et femmes, grâce à ses amies de la cour.

Il se fit plus pressant. D'instinct, elle écarta légèrement les cuisses pour mieux sentir la puissance de son corps.

Il se figea soudain, le souffle court.

— Si vous recommencez, murmura-t-il contre ses lèvres, votre innocence sera le dernier de mes soucis…

— Pardon…, fit-elle, gênée.

Lachlan posa un doigt sur sa bouche pour la faire taire.

— Votre instinct ne se trompe pas, ma douce. Mais j'ai bien trop envie de vous… Je veux vous donner du plaisir.

C'était déjà le cas. Un plaisir indicible.

Elle se détendit et ferma les yeux tandis qu'il l'embrassait dans le cou. Il prit ses seins dans ses paumes et les pétrit doucement tandis que sa bouche errait sur sa peau délicate. Elle ignorait ce qu'il faisait, mais cela n'avait aucune importance. Il dégrafa vite les boutons de sa robe pour libérer ses seins et elle rougit sous l'intensité brûlante de son regard.

— Vous êtes si belle…, souffla-t-il d'une voix rauque, sentant sa gêne. Vous n'avez pas à avoir honte. Vos seins sont parfaits. Je suis impatient de goûter votre saveur.

Elle frémit de plus belle tandis qu'il passait les pouces sur ses mamelons dressés et sentit ses jambes sur le point de se dérober.

Elle dut agripper ses larges épaules pour ne pas s'écrouler. Chaque muscle de son corps était dur comme du marbre. Elle eut envie de lui arracher sa chemise en lin pour caresser sa peau chaude, ce torse si merveilleusement sculpté.

Dès qu'il se mit à caresser ses seins avec fièvre, elle oublia tout. Il titilla ses mamelons, faisant naître une onde de chaleur entre ses cuisses.

Lachlan enfouit le visage entre ses seins frémissants. Le picotement de sa barbe naissante était exquis. Ses lèvres et sa langue s'emparèrent tour à tour de ses mamelons.

Elle ne put réprimer un gémissement.

— Vous aimez ? demanda-t-il.

Pour toute réponse, elle se cambra vers lui.

— Seigneur ! Vous êtes si sensuelle, si passionnée…

Du bout de la langue, il se mit à dessiner des cercles sur la pointe d'un sein. Un cri de plaisir s'échappa de la gorge de Flora qui fut submergée d'une onde brûlante. Elle était en feu et en voulait davantage. Ses mains errèrent dans le dos de Lachlan, en quête d'une délivrance.

Lachlan glissa une main le long de sa jambe sans cesser de titiller ses seins. Il était temps d'aller plus loin.

En sentant la main puissante remonter le long de sa jambe, Flora eut l'impression de s'embraser et se mit à trembler. Lorsqu'il effleura les replis sensibles de sa féminité, elle fut un peu gênée de sa propre réaction à ce contact intime et tenta de fermer les cuisses. Il l'en empêcha avec douceur en posant un doigt sur son bouton de rose.

— N'aie pas peur, murmura-t-il. Je te promets que ce sera agréable.

Il entreprit de la caresser doucement. Que faisait-il donc ? La sensation était divine. Jamais elle n'aurait rien imaginé de tel. Elle se laissa aller tandis que le plaisir montait.

Sentant son abandon, Lachlan s'empara de ses lèvres tout en insinuant un doigt en elle. Jamais Flora ne s'était sentie aussi libre, aussi audacieuse. Il intensifia son mouvement de va-et-vient et elle se mit à onduler des hanches en rythme, de plus en plus frénétiquement. Elle avait envie de plonger dans l'inconnu, mais quelque chose la retenait.

Un coup frappé à la porte brisa la magie de l'instant. Flora eut l'impression qu'un froid glacial venait de s'abattre sur la pièce. Lachlan jura et s'écarta d'elle en s'efforçant de maîtriser ses émotions. Elle avait l'impression de voir un fauve que rien ne saurait dompter.

Qu'avait-elle failli faire ? La vérité la frappa de plein fouet. Elle avait failli se donner à lui. Son ravisseur. Un homme qui entendait se servir d'elle.

Pourtant, rien ne lui avait jamais paru aussi naturel…

Désireuse de s'éloigner de lui, elle se dirigea vers la porte tout en rajustant sa robe de ses mains tremblantes. Par chance, elle se boutonnait devant. Mais que faire de ses lèvres gonflées et de ses cheveux en désordre ?

Lachlan invita froidement l'intrus à entrer… ou peut-être son sauveur, songea Flora. La porte s'ouvrit sur un jeune garde du laird. Il les observa tour à tour avec prudence, devinant sans doute ce qu'il venait d'interrompre.

Après un silence pesant, il s'éclaircit la voix.

— Milaird, je regrette de vous déranger, mais c'est important.

En un clin d'œil, Lachlan retrouva son sérieux et son autorité. Il parut oublier sa présence et Flora en eut le cœur serré.

— Que se passe-t-il ? demanda-t-il sèchement.

— Un message, milaird, dit le jeune homme avec un regard gêné vers Flora. De Duart.

8

Flora en eut le souffle coupé. La réponse qu'elle attendait était arrivée ! Soudain, elle prit peur. Non pas qu'Hector refuse de l'échanger contre le château, mais qu'il accepte... Lachlan la laisserait-il partir ?

Le cœur battant, elle attendit.

Toute à son émotion, elle faillit ne pas remarquer l'air surpris de Lachlan. Il rompit vivement de sceau et prit connaissance du message. Son regard se durcit. De toute évidence, il était furieux.

— Ce sera tout, dit-il en congédiant le garde qui ne demanda pas son reste.

Flora se tourna vers le laird, les poings crispés, s'attendant au pire.

— Que dit-il ?

— Nous en parlerons plus tard.

— Hector refuse, c'est cela ?

Il la foudroya du regard, au point qu'elle fit un pas en arrière. Jamais elle ne lui avait vu une expression d'une telle férocité.

Il s'agissait presque de... ressentiment.

— J'ai dit plus tard. Retournez dans votre chambre !

Son regard glacial effleura ses seins puis remonta vers son visage.

— À moins que vous ne souhaitiez reprendre là où nous avons été interrompus...

Flora tressaillit. Cette brusquerie après les moments d'intimité qu'ils avaient partagés était cruelle. Pourquoi se montrait-il si agressif ? Elle le savait implacable, mais pas méchant. Sa gorge se serra. Avait-elle fait quelque chose de mal ?

Bien que bouleversée, elle refusa de se laisser impressionner.

— Pourquoi me traitez-vous de la sorte ? Je mérite de le savoir. Dites-moi ce que contient ce message.

Ses yeux bleus la clouèrent sur place. Quelques instants plus tôt, elle se pâmait dans ses bras, et voilà qu'il était inaccessible. Un mur venait de se dresser entre eux. S'était-elle imaginé ces baisers, ces caresses ?

— Je vous en prie…, implora-t-elle.

Il la dévisagea longuement, comme s'il allait exploser de colère, puis, comme par enchantement, il se calma.

— Bon sang…

Elle s'approcha de lui et posa la main sur son torse.

— Que disait-il ?

— Je l'ignore, fit-il d'une voix creuse.

Flora fronça les sourcils. Elle l'avait pourtant vu décacheter le message !

— Mais pourquoi…

Soudain, la vérité la frappa. Il ne savait pas lire ! Elle faillit soupirer de soulagement. Il ne lui en voulait donc pas, il avait simplement essayé de lui cacher ce détail. Redoutait-il qu'elle se moque de lui ? Elle l'aurait sans doute fait, à une époque, mais elle avait appris à le connaître. Et à l'apprécier.

Il avait dû passer sa jeunesse à se battre au lieu d'étudier, comme la plupart des fils de chefs de clan, y compris ses frères. Flora ne le méprisait pas pour autant. Elle devait admettre que ce manque de culture avait de quoi rebuter bien des femmes.

Sa mère, par exemple, avait toujours critiqué ses maris pour leur absence d'instruction. Cependant, Lachlan était intelligent.

— Vous n'avez pas fréquenté le collège de Tounis ?

Il soutint son regard comme pour se préparer à son mépris.

— Non, je n'en ai eu ni l'occasion ni les moyens. Je sais lire la langue Erse, mais pas le Scots. Votre frère le sait parfaitement.

Flora hocha la tête. Ce détail en disait long sur Hector.

— Puis-je voir ce message ?

Visiblement réticent, Lachlan le lui remit. Flora déroula le parchemin avec précaution et le parcourut, masquant à grand-peine son soulagement.

— Voulez-vous que je vous le lise ?

Il opina.

— « Relâche ma sœur, sinon tu en subiras les conséquences. Ceci est un avertissement. Il n'y en aura pas d'autre. » C'est étrange, commenta-t-elle. Il n'exprime aucune exigence.

— Cela équivaut à un refus, dit Lachlan, impassible.

Flora s'efforça de ne rien trahir de sa douleur.

— C'est bien ce que je redoutais. Vous me croyez, maintenant ? Hector ne renoncera pas facilement à ce château. Pas pour moi, en tout cas.

Cette fois, il n'affirma pas le contraire.

— Vous allez me libérer ? reprit-elle. Vous n'avez plus aucune raison de me retenir.

Il l'observa d'un air déterminé sans répondre.

Une sourde appréhension monta en elle. Il n'avait qu'une seule raison de la garder, ce qui confirmait ses pires soupçons.

— Vous avez changé d'avis, constata-t-elle d'un ton morne. Vous allez me forcer à vous épouser.

— À quelques minutes près, je n'aurais pas eu besoin de vous contraindre à quoi que ce soit.

Flora se sentit pâlir. Telle était donc l'intention de Lachlan ? La séduire pour qu'elle l'épouse ?

— Mon Dieu ! Comment avez-vous pu !

— Je vous désire, répondit-il sans détour.

— Ce que vous voulez, c'est ce que je peux vous apporter, répondit-elle amèrement sans chercher à cacher son désespoir.

Sa fortune, ses relations haut placées, la fin d'une malédiction... Tout cela était très tentant. Il voyait en elle non pas une femme désirable, mais un beau parti. Comme les autres.

Il soutint son regard et ne nia pas.

— Quand admettrez-vous que vous n'avez aucun pouvoir sur tout cela ?

Elle tiqua. Comment pouvait-il être si cruel ? Dire qu'elle commençait à lui faire confiance ! Elle pensait même pouvoir... l'épouser. Des larmes brûlantes lui montèrent aux yeux.

— Si ! fit-elle, la gorge nouée. Je décide de ma vie !

— Vous êtes ce que vous êtes, Flora, et vous ne pouvez rien y changer.

Il ne comprenait pas ! Comment avait-elle pu se tromper à ce point ?

— Je vous en prie, ne me faites pas cela. Laissez-moi partir !

Elle posa une main sur son bras musclé, mais il ne réagit pas. C'était peine perdue.

— Je ne peux pas, dit-il froidement.

— Pourquoi ?

Il détourna les yeux. De toute évidence, il n'était pas aussi indifférent qu'il voulait en donner l'impression.

— Je vous en prie ! supplia-t-elle en ravalant ses larmes. Ne me gardez pas ici. Je veux rentrer à la maison.

— Où cela, Flora ?

Elle étouffa un sanglot. Il avait vu juste. Elle n'avait pas de maison, elle n'avait personne. Certainement pas cet inconnu sans cœur.

— N'importe où sauf ici, répondit-elle.

— Il vous est donc si pénible de vivre ici, avec moi ? demanda-t-il plus doucement.

Non, songea-t-elle. C'était justement le problème. Elle s'était bercée d'illusions en croyant qu'il était différent des autres, que sa mère se trompait. Et elle avait failli se donner à lui... Il fallait qu'elle s'en aille avant de vendre son âme pour quelques instants passés dans ses bras.

— Laissez-moi aller voir Hector.

— Votre frère ne vous protégera pas.

— Et vous ?

— Oui. Au prix de ma vie, s'il le faut.

Flora faillit le croire, une fois de plus.

— Méfiez-vous d'Hector, Flora. Ne lui faites pas confiance.

Elle réprima un rire amer.

— C'est mon frère et, au contraire de vous, il ne cherche pas à obtenir quelque chose de moi.

Furieuse contre lui et contre elle-même, elle se sentit soudain vidée de toute énergie.

— Il y a quelques minutes, vous me désiriez autant que je vous désirais, dit-il en caressant ses lèvres de son pouce. Comment avez-vous pu changer d'avis aussi vite ?

Maudissant les élans de son corps, Flora se mit à trembler. Le cœur battant, elle s'écarta. Il savait très bien quel effet il produisait sur elle.

— Vous réussirez peut-être à me séduire, mais jamais je n'accepterai de vous épouser !

À contrecœur, Lachlan la laissa s'éloigner, bien qu'il brûlât d'envie de lui prouver à quel point elle se trompait.

Elle lui appartenait déjà, mais elle l'ignorait encore. Dès le premier contact, leur destin avait été scellé. Ni lui ni elle ne pouvaient rien contre le désir qui brûlait entre eux. Flora se mentait, voilà tout.

Jamais il n'avait rien convoité avec autant de force. Malheureusement pour lui, il était tombé dans son propre piège. Il n'était plus question de la courtiser, alors qu'il était fou de désir. Le simple souvenir de leur étreinte l'embrasait…

Maudit soit Hector !

En entendant la porte s'ouvrir, il eut un regain d'espoir. Peut-être Flora revenait-elle… Hélas ! ce n'était que sa sœur.

— Que s'est-il passé ? demanda Gillian. J'ai vu Flora sortir en courant, au bord des larmes.

— Ce n'est rien, Gillian. Retourne dans ta chambre.

— Cela a un rapport avec le messager qui est passé tout à l'heure ?

Il fronça les sourcils. Gillian n'avait pas coutume de discuter les ordres. De toute évidence, Flora avait une influence sur elle, et cela ne lui plaisait pas. Elle posa une main sur son bras dans un élan d'affection dont elle n'était pas coutumière. Depuis l'enfance de ses sœurs, il ne leur avait guère témoigné de tendresse.

— Je vous en prie, mon frère. Je ne suis plus une enfant. Je veux simplement vous aider.

Lachlan la dévisagea longuement. À presque seize ans, elle serait bientôt une femme, en effet. Cette pensée le rendit mélancolique. Ses sœurs avaient grandi sans qu'il s'en rende compte. Il n'avait pas vu le temps passer, tant il était préoccupé par ses responsabilités. Parfois, il regrettait que sa vie n'ait pas pris un autre cours. Il songea soudain à son frère emprisonné… Mais il le libérerait, un jour ou l'autre.

— S'il vous plaît ! insista Gillian.

Il ne discutait jamais de ses affaires avec ses sœurs, qu'il jugeait trop innocentes. Il pensait les protéger en les tenant à l'écart de ses difficultés.

— C'était un message de Duart, dit-il enfin.

— Le frère de Flora ? Je ne pensais pas que vous comptiez vraiment lui écrire pour lui proposer un échange.

— Je n'en avais aucune intention, en effet.

Il n'avait pas écrit à Hector. C'était une ruse pour gagner du temps et courtiser Flora afin de la persuader de l'épouser.

— Comment diable a-t-il appris si vite qu'elle se trouvait ici ?

Lachlan se posait la même question. Pourvu qu'Hector n'alerte pas Rory ! songea-t-il. Si celui-ci apprenait ce qu'il avait fait à Flora avant qu'il n'ait obtenu l'acceptation de la jeune femme, il le paierait cher.

— Je l'ignore, répondit-il. Mais j'ai l'intention de le savoir.

Il ne pouvait avoir été trahi par l'un des siens, mais qui d'autre était au courant ?

— Que dit le message ?

Il faillit s'emporter. Les manigances d'Hector étaient mesquines, et elles avaient fait mouche. Il tendit le parchemin à Gillian qui le déroula et le lui rendit aussitôt.

— C'est du Scots.

— Justement.

Elle réfléchit un instant, puis afficha un air dégoûté.

— Je vois, dit-elle.

— Par chance, la seule personne capable de déchiffrer ce texte se trouvait à mon côté, reprit-il amèrement.

En général, il ne réagissait pas aux provocations d'Hector, mais la présence de Flora lui donnait un complexe d'infériorité.

— Vous avez permis à Flora de le lire ?

— Je n'avais pas le choix...

— Alors, que dit-il ?

— Des menaces, rien de plus. Il cherche simplement à me faire honte devant sa sœur. Il ne perd pas une occasion de me rappeler que je ne suis qu'un barbare. Il serait ravi de voir que son plan a fonctionné.

Hector allait le payer, et cher. Lachlan attendait avec impatience le jour de la vengeance. Il l'attendait depuis l'âge de neuf ans.

— Flora n'est pas ainsi, remarqua Gillian.

Il était de son avis. Mais pour quelle autre raison s'était-elle enfuie en courant si ce n'était parce qu'elle avait découvert qu'il manquait d'instruction ? Après ce qui s'était passé entre eux...

— Flora a grandi dans le Sud, répondit-il. Elle a pris leur mentalité.

Gillian secoua la tête.

— Elle n'est pas ainsi, répéta-t-elle. Jamais elle ne vous mépriserait pour quelque chose dont vous n'êtes pas responsable. N'oubliez pas qu'elle nous a donné des leçons de Scots et de latin, à Mary et moi. Je ne me suis jamais sentie méprisée. Elle ne changera pas d'avis sur vous pour si peu.

Lachlan secoua la tête. Flora n'avait guère mis de temps à gagner la loyauté de ses sœurs. Gillian n'avait pas tort, il devait l'admettre. Et s'il s'était mépris sur le motif de son départ précipité ?

Dans ce cas, sa colère avait peut-être eu des conséquences graves.

— Je ne comprends toujours pas pourquoi elle était si bouleversée, reprit Gillian.

— Elle voulait s'en aller, et je lui ai répondu que c'était impossible.

Gillian l'observa avec curiosité.

— Vous tenez à elle...

— Non, affirma-t-il, la mâchoire crispée.

— En quoi serait-ce un problème?

La situation n'en était que plus douloureuse. Il aurait du mal à faire ce qu'il devait faire. Au fil des jours, il avait réalisé à quel point Flora redoutait de subir le même sort que sa mère. Elle refusait toute domination de la part d'un homme... tel que lui, notamment.

Désormais, elle connaissait ses projets de mariage. Bien que cela rende la tâche plus délicate, il était soulagé d'avoir un secret de moins à cacher. Toutefois, il gardait son objectif. Il ne pouvait renoncer à Flora.

— Rien n'a changé, dit-il. Si ce n'est que la situation est encore plus grave.

En proie à ses émotions contradictoires, Gillian opina. Lachlan parvint à masquer son propre désarroi.

— Vous ne lui ferez pas de mal, n'est-ce pas? demanda-t-elle d'une toute petite voix.

— Non, répondit-il en revoyant le regard embué de larmes de Flora. Tant que je pourrai l'éviter...

— Qu'allez-vous faire?

— Le nécessaire.

Il n'avait guère le choix. Face à la gravité de leur situation, ils demeurèrent un moment silencieux.

Comment une seule femme pouvait-elle tenir tant de vies entre ses mains?

Hector Maclean grognait à chaque coup de reins, mais il ne trouvait guère de plaisir dans cet acte bestial. Le corps voluptueux sur lequel il s'acharnait ne parvenait pas à l'exciter, tant il était préoccupé par le dernier outrage de son ennemi juré.

Il n'était pas patient de nature, et cela faisait presque vingt-cinq ans qu'il attendait d'anéantir Lachlan Maclean. Cet affront serait cependant le dernier. Enlever sa sœur! Il poursuivit ses coups de boutoir. Coll allait le lui payer de sa vie!

Bon sang! Il ne parvenait même pas à maintenir une érection…

— Bouge! ordonna-t-il à sa partenaire.

La pauvre petite bonne obéit et, à quatre pattes, se mit à onduler de son mieux, mais il percevait son manque de désir. Au moins, dans cette position, il ne voyait pas son visage.

Il tendit les mains vers ses seins généreux et lui pinça les mamelons, puis il la lâcha pour saisir son verre. Même le whisky avait un goût amer. Croyant qu'il en avait terminé, la domestique tenta de se dégager en rampant, mais il lui assena une grande claque sur les fesses et l'attrapa par les hanches. Il la prit plus violemment, ignorant ses plaintes de douleur.

Le désir s'empara enfin de lui. Il n'avait pas coutume de se montrer aussi brutal, mais il avait besoin de se défouler. Il donna une autre tape à la malheureuse, laissant la trace rouge de ses doigts sur sa peau, avant de se déchaîner de plus belle, au rythme des cris étouffés de la jeune femme. La pression monta, monta, puis il se déversa en elle dans un dernier spasme.

Dès qu'il se fut retiré, elle s'écroula sur le lit et se recroquevilla sur elle-même en gémissant. Agacé, il la chassa du lit et lui jeta une pièce de monnaie. Elle n'en méritait pas plus, car il demeurait insatisfait. Les membres du clan de Coll n'étaient qu'une bande d'incapables, dans tous les domaines.

Ils lui reprochaient leur condition, alors qu'ils auraient dû s'en prendre à leur chef, le vrai responsable de la situation.

Comme la jeune femme ramassait sa robe, il la lui arracha pour s'essuyer, avant de la lui rendre. La malheureuse partit sans demander son reste, la tête basse. Au moins, elle savait rester à sa place, songea Hector.

Il ne pouvait en dire autant de Coll. Son ressentiment revint à la charge. Le refus de Coll de le reconnaître en tant que chef le rongeait comme un acide. Seule sa mort pouvait le satisfaire, désormais.

Il lui fallait un plan, un moyen de récupérer sa sœur et de détruire Coll par la même occasion. Pauvre petite Flora… Il avait de bons souvenirs d'elle et déplorait son enlèvement, mais elle l'avait un peu cherché…

Si Lachlan Maclean avait osé la toucher, il ne vivrait pas assez longtemps pour le regretter…

9

Flora avait toutes les peines du monde à contrôler la panique qui menaçait de la submerger. En cette nuit, le danger semblait partout, car elle était consciente des risques qu'elle prenait.

Le vent balayait les rochers, soulevant des nuages d'écume. L'air marin lui parvenait par vagues de brume épaisses. C'était une arme à double tranchant. Si ce brouillard couvrait sa fuite, il allait aussi rendre sa navigation plus difficile, voire périlleuse.

J'y arriverai, songea-t-elle. L'île de Mull était assez proche. Elle distinguait les flancs des collines tapissés de bruyère, et le frêle esquif était assez léger pour qu'elle le manœuvre toute seule.

De toute façon, elle n'avait pas le choix. Il fallait qu'elle s'en aille. Après ce qui s'était passé dans le petit salon du laird, cet après-midi-là, elle ne pouvait s'attarder une journée de plus. La déception lui nouait encore la gorge. Lachlan avait voulu se servir d'elle, comme tous les autres… Elle en avait le cœur brisé.

Quelle idiote elle avait été ! Aucun homme ne semblait s'intéresser à elle pour autre chose que sa fortune et ses relations…

Sur le chemin, elle trébucha tout à coup sur une pierre et crut qu'elle allait tomber du haut de la falaise. Heureusement elle parvint à retrouver l'équilibre.

Un chien se mit à aboyer. Puis un autre…

Elle se figea et tendit l'oreille, le cœur battant à tout rompre. Les gardes seraient-ils alertés par ce vacarme ? Elle maudit ses délicates pantoufles en satin qui ne se prêtaient guère à une randonnée dans les rochers, mais elle n'avait rien trouvé de plus approprié. Une fois de plus, ses pantoufles la mettaient en péril.

Au bout d'une minute, n'entendant pas d'éclats de voix, elle soupira.

Il était bien plus de minuit, mais le château ne dormait jamais. Les gardes veillaient, en cas d'attaque. Par bonheur, nul n'avait soupçonné qu'elle chercherait à s'évader. Tapie dans l'ombre, il lui avait suffi d'attendre le moment propice pour franchir la grille à l'insu de tous.

Avec mille précautions, elle poursuivit sa descente vers la petite crique où le bateau était amarré. Elle revécut chaque détail de la journée qui venait de s'écouler et chassa ce souvenir douloureux. Elle connaissait désormais la vérité, à quoi bon ressasser ? Enfin elle foula le sable de la crique. Le brouillard s'était levé suffisamment pour qu'elle décèle une forme sombre à l'endroit où elle avait remarqué le bateau et elle soupira de soulagement.

Si seulement une autre solution avait pu s'offrir à elle ! Hélas ! la mer était son seul espoir. Jamais elle n'aurait pu partir à cheval et encore moins à pied.

Une nouvelle bouffée de panique l'envahit lorsqu'elle se rappela le jour où elle avait failli se noyer, à l'âge de sept ans.

Pour la première fois, tous ses frères et sœurs étaient réunis à Inveraray, à l'occasion du mariage de son cousin, le comte d'Argyll. Pour les impressionner, elle avait suivi ses frères vers le loch, lorsqu'ils étaient allés se baigner. Rory lui avait demandé si elle savait nager, et elle avait menti.

Elle avait donc trempé les pieds dans l'eau froide tandis que les autres nageaient déjà. Ensuite, elle avait fait quelques pas vers le large, et ç'avait été le trou noir.

Jamais elle n'oublierait cette sensation d'étouffement. Tout s'était arrêté. Elle s'était débattue, puis avait sombré. Mais elle avait eu de la chance. Son frère Alex avait assisté à la scène. Ses quatre frères étaient arrivés juste à temps pour la sauver. Rory l'avait retrouvée tout au fond de l'eau.

Flora se souvenait parfaitement des larmes de sa mère et de la colère de ses frères. Jamais ils n'avaient été aussi soudés. Ils lui avaient reproché d'avoir menti, mais elle voulait tellement les accompagner…

La fois suivante, elle avait dû rester au château.

Elle observa le frêle esquif et réprima son appréhension. *J'y arriverai*, se répéta-t-elle.

En général, sa peur panique de l'eau ne lui posait guère de problème, car elle avait peu vécu sur la côte. Les Highlanders, eux, avaient le culte de la mer. Elle allait toutefois devoir se faire violence, car elle ne pouvait compter sur la protection de Lachlan, contrairement à ce qu'elle avait cru. Elle ne pouvait compter que sur elle-même.

Elle dénoua les amarres de ses mains tremblantes, et s'assura de la présence des rames. Enfin, elle poussa l'embarcation pour l'éloigner de la rive. Dès qu'elle mit un pied dans l'eau, elle fut prise d'un vertige, mais elle se ressaisit. Quand elle eut de l'eau jusqu'aux genoux, elle se hissa à bord. La barque tangua, puis finit par se stabiliser. Après avoir pris une profonde inspiration, elle s'installa plus confortablement, les doigts crispés sur le bois. Lorsque ce fut fait, elle s'empara des rames et se mit à ramer avec une assurance grandissante.

La traversée s'annonçait longue et pénible. La mer avait beau sembler calme, le courant était étonnamment fort. Au bout de quelques minutes, elle s'arrêta et regarda en arrière ; elle n'avait guère progressé. Cette nuit promettait d'être éprouvante, mais elle y arriverait, malgré ses mains gelées, ses pieds trempés.

Au moment où elle se remettait à ramer, elle entendit une voix portée par le vent. Son instinct l'incita à se retourner. Le donjon était à peine visible dans le brouillard, mais elle fut submergée d'une grande tristesse. Comme ils allaient lui manquer : Mary, Gillian, Murdoch, Alasdair, et même la vieille Morag si austère ! Elle n'avait pas pu leur dire au revoir, bien sûr, mais, dès que possible, elle ferait quérir les deux jeunes filles, que Lachlan le veuille ou non.

Elle espérait ne plus jamais le croiser. Il avait suscité chez elle des émotions inconnues qui lui faisaient mal. Une larme coula sur sa joue. Elle avait trop tardé. Elle aurait dû partir bien plus tôt, avant de s'attacher. Alors elle n'aurait peut-être pas le cœur brisé…

Après un ultime regard, elle se remit à ramer, plus décidée que jamais.

Une pensée hantait Lachlan : s'était-il mépris sur la réaction de Flora ? Pas étonnant qu'elle ne se soit pas présentée au souper. Il avait songé à aller la chercher, mais il avait finalement préféré la laisser tranquille. Pour l'heure.

Sachant qu'il ne pourrait dormir, il était resté au coin du feu à observer les flammes, jusqu'à en avoir mal aux yeux.

Bon sang ! songea-t-il en reposant brusquement sa chope sur la table. Même l'alcool ne parvenait pas à chasser son tourment. Il fit les cent pas dans la salle pendant quelques minutes puis il sortit et gravit les marches jusqu'à la chambre de Flora. Il frappa à la porte sans obtenir de réponse. La croyant endormie, il frappa encore, plus fort, cette fois. Comme elle ne répondait toujours pas, un certain malaise s'insinua en lui. Lentement, il ouvrit la porte.

Il remarqua d'abord le froid qui régnait. Puis le vide. Le feu était éteint, et il n'eut pas à regarder en direction du lit pour deviner qu'elle s'était enfuie.

Après les événements de l'après-midi, il aurait dû s'y attendre! De l'autre côté du couloir, la porte s'ouvrit. Alasdair apparut.

— Un problème, milaird?

Lachlan fit un effort pour maîtriser sa rage, à moins qu'il s'agisse de sa terreur... Les poings serrés, il dut se retenir pour ne pas le frapper.

— Elle n'est plus là! Quand as-tu vérifié sa présence pour la dernière fois?

Le garde blêmit.

— Il y a une heure, environ... Avant de me coucher, comme vous me l'aviez ordonné.

Si Flora s'était enfuie, c'était par sa seule faute, réalisa Lachlan. Il avait relâché sa vigilance et lui avait fait confiance. Il aurait dû la laisser sous garde permanente.

— Elle n'a pas pu aller bien loin, milaird.

Lachlan redescendit les marches en courant. Il n'avait qu'une idée en tête: retrouver Flora. En bon stratège, il se mit à analyser toutes les hypothèses, sachant qu'il n'avait pas le droit à l'erreur.

— Rassemble tous les hommes que tu pourras! cria-t-il à Alasdair. Et fouillez les écuries.

Il savait qu'elle n'avait pu emprunter que deux issues: le ponton, qui était bien gardé, et la grille. Elle avait dû passer par là, mais il enverrait tout de même quelqu'un inspecter le ponton.

Il sortit dans la cour éclairée de quelques torches. Tout semblait normal, ce qui était de mauvais augure. Elle ne pouvait tout de même pas être partie à l'insu de tous! Son arrivée alerta aussitôt les gardes postés le long du mur d'enceinte.

— Milaird…, fit le portier.

— La grille est verrouillée?

— Oui, milaird, répondit l'homme. Je l'ai verrouillée juste après la dernière relève de la garde, comme d'habitude.

— Mlle MacLeod a disparu, expliqua-t-il tandis que les autres se groupaient autour de lui. Je veux que tous les hommes disponibles se lancent à sa recherche.

Il semblait étonnamment calme, détaché, concentré, comme toujours, sous la pression. Pourtant, jamais il n'avait été si proche de lâcher prise.

— Avez-vous entendu quelque chose?

— Non, milaird, répondirent-ils en chœur.

Sauf un homme, qui s'avança.

— Les chiens ont aboyé peu après mon arrivée, milaird.

Lachlan comprit aussitôt.

— C'était il y a combien de temps?

— Une demi-heure, un peu moins, peut-être.

Elle n'avait donc pas beaucoup d'avance. Ils pouvaient encore la rattraper. À moins que le brouillard ou les falaises n'aient eu le dessus… Lachlan repoussa cette idée. Il lui était impossible d'envisager une issue fatale.

— De quelle direction aboyaient les chiens?

— Je n'en suis pas certain, milaird. Du nord, je crois.

C'était cohérent, si elle était partie par la grille donnant sur les terres, car la grille maritime ne menait que vers l'ouest. Dans le donjon, plusieurs torches s'allumèrent. Alasdair avait réuni d'autres hommes.

— Il ne manque aucun cheval, milaird ! annonça-t-il. Elle est partie à pied.

Il alla faire préparer le destrier de son maître.

Pendant ce temps, Lachlan organisa les recherches. Il ordonna que l'on vérifie la présence des *birlinns*, et chargea des hommes de fouiller les rochers. Le plus gros de la troupe l'accompagnerait sur la lande.

En l'espace de quelques minutes, la cour fut en effervescence. Mary et Gillian étaient descendues, drapées dans une couverture, le visage inquiet. Lachlan ne prit pas le temps de les rassurer. Il n'y avait pas une seconde à perdre.

Il monta en selle.

— Fouillez tous les recoins du donjon ! recommanda-t-il bien qu'il ait la certitude que Flora s'était enfuie.

— C'est promis, répondit Mary.

— Retrouvez-la ! implora Gillian.

— J'en ai la ferme intention, assura Lachlan.

La grille s'ouvrit et le groupe s'éloigna au galop dans la nuit. Puis les cavaliers se dispersèrent.

Ceux qui étaient à pied furent chargés d'une battue des champs alentour. La lande sauvage n'était pas sans dangers, en pleine nuit.

Tous les sens en éveil, Lachlan chevaucha pendant plusieurs minutes en essayant de se rappeler un détail.

Elle ne pouvait être consciente des risques qu'elle prenait ! Elle n'avait franchi cette grille qu'une seule fois, lorsqu'il l'avait emmenée se promener sur la plage.

La scène lui revint avec précision. Ses longs cheveux blonds qui voletaient au vent, le sable blanc, l'île de Mull, au loin…

Son cœur s'emballa tout à coup. Bon sang ! Le vieil esquif ! Il appartenait à un pêcheur qui avait naguère une cabane sur la plage. Il était mort quelques années plus tôt, et le bateau n'avait plus jamais servi. Le bois avait dû sécher et se fendre. Une vraie passoire…

Pourquoi n'y avait-il pas songé plus tôt? C'était pourtant logique! Il tira sur ses rênes et fit volter son destrier tandis qu'une émotion étrange s'emparait de lui. Une peur si intense qu'elle était proche de la panique. Jamais il n'avait filé aussi vite.

Lorsque Flora prit conscience de ce qui se passait, il était trop tard. Elle fit néanmoins demi-tour; elle devait renoncer à la fuite pour sauver sa vie. D'abord, elle avait attribué la présence d'eau au fond de l'embarcation à sa façon de ramer. Puis elle s'était aperçue qu'elle montait de plus en plus vite. Son bateau prenait l'eau!

Elle essaya de ramer, en espérant que le courant contre lequel elle avait lutté avec acharnement lui viendrait en aide, cette fois. Malheureusement, l'embarcation alourdie avançait à peine. La côte lui parut très lointaine, si lointaine qu'elle n'était pas sûre qu'elle aurait pu l'atteindre même si elle avait su nager. En désespoir de cause, elle se mit à écoper frénétiquement à l'aide de ses mains. L'eau était glacée, mais elle jouait sa vie, au point qu'elle en oublia presque sa peur.

Ses efforts semblaient vains: le bateau commençait à sombrer lentement. Or, elle refusait de baisser les bras tant qu'il lui resterait un souffle de vie.

Elle ne voulait pas mourir.

Elle jeta un coup d'œil vers la côte. Son imagination lui jouait-elle des tours? Son cœur s'emballa. Elle ne se trompait pas. Le donjon luisait bel et bien dans la nuit! Quelqu'un avait peut-être remarqué son absence… Et s'ils la recherchaient? Elle eut un regain d'espoir. Lachlan la retrouverait, c'était une certitude. Il ferait tout ce qui était humainement possible pour la sauver. Il fallait qu'elle s'accroche à cette idée jusqu'à ce qu'il la rejoigne.

Elle eut envie de se lever et d'agiter les bras, mais elle ne pouvait cesser d'écoper.

— Au secours ! cria-t-elle jusqu'à se casser la voix.

Elle redoubla d'efforts, en dépit de leur futilité. La lueur orangée d'une torche apparut sur la plage. Un cavalier ! L'euphorie la gagna.

Ils m'ont trouvée ! songea-t-elle. Des larmes de joie ruisselèrent sur ses joues, puis elle se mit à hurler :

— Par ici ! Je suis là !

Le cavalier ne parut pas l'entendre. Elle maudit le brouillard, l'obscurité.

Quelques minutes plus tard, la lueur disparut, emportant avec elle ses derniers espoirs, ne laissant dans son sillage que la détresse.

Cette déception faillit la tuer. Son corps lui disait d'abandonner la partie. Elle avait froid et était tout endolorie par les efforts qu'elle avait déployés.

Elle eut envie de hurler de rage face à cette injustice, mais il n'y avait personne pour l'entendre.

Seul son caractère obstiné lui permit de continuer à écoper.

Lachlan intercepta plusieurs de ses hommes à proximité du château et leur ordonna de mettre les embarcations à l'eau, en direction de l'île de Mull. Ses autres hommes sillonnaient la campagne, et le temps était compté.

Jamais il n'avait eu autant envie de se tromper.

La barque ne mettrait guère de temps à se remplir d'eau, il le savait.

Dès qu'il eut atteint le sommet de la falaise, il mit pied à terre et descendit à pied vers la plage. Ses pires craintes se confirmèrent lorsqu'il découvrit que la barque avait disparu. Le cœur serré, il scruta l'horizon. Rien. Où était-elle passée, bon sang ? Il maudit le brouillard.

Enfin, il perçut un mouvement à quelques dizaines de mètres de la plage. Comme des filaments argentés... Ses cheveux ! Son cœur s'emballa : le bateau était presque immergé.

Pourquoi s'accrochait-elle encore à la barque ? Pourquoi n'était-elle pas partie à la nage ? Il comprit alors qu'elle ne savait sans doute pas nager. Dans ce cas, pourquoi s'échapper en bateau ? Etait-elle donc à ce point désespérée ? Manifestement, elle préférait la noyade à un mariage avec lui...

— Flora ! cria-t-il en se précipitant à l'eau.

Il crut la voir tourner la tête. Sans réfléchir, il plongea et se mit à nager vers elle comme si sa propre vie en dépendait. Il était excellent nageur, mais le courant était traître. La distance lui parut infinie.

— Lachlan..., entendit-il lorsqu'il fut à mi-chemin.

Il crut avoir imaginé cette voix douce.

— Lachlan ! implora-t-elle.

Il perçut de l'espoir, de la confiance. Il ne pouvait la décevoir.

— Vite ! Je ne sais pas...

Il l'entendit suffoquer, puis sa tête disparut sous l'eau.

— Flora !

Il eut l'impression qu'on lui arrachait le cœur. Une rage indicible explosa en lui tant il redoutait de ne pas arriver à temps.

— Tenez bon !

Elle ne pouvait l'entendre, mais qu'importe. Bientôt, il plongea là où il l'avait vue sombrer.

165

Il n'y voyait rien et, vers le fond, il tâtonna désespérément.

Les poumons en feu, il savait qu'il ne tiendrait plus très longtemps. *Pense à elle*, se dit-il. *Elle est en train de se noyer.* Soudain, il sentit quelque chose contre son bras... Ses cheveux! Il la saisit par la taille et remonta à la surface.

En émergeant enfin, il respira profondément, mais Flora était inerte dans ses bras.

— Flora? appela-t-il, affolé.

L'urgence de la situation vint à bout de ses ultimes réserves. Refusant de la perdre, il lui appuya fortement sur le ventre. Aussitôt, elle se mit à tousser et cracha de l'eau. Il la fit pivoter vers lui et l'implora :

— Flora! Vous m'entendez?

Elle entrouvrit légèrement les paupières. Elle était vivante!

Il posa les lèvres sur son front qui était glacé. En la serrant contre lui, il perçut un léger souffle de vie sur son cou. Il ne put cependant pas savourer cette sensation très longtemps, car tout danger n'était pas écarté.

Il la fit flotter sur le dos jusqu'à la rive. Dès qu'il eut pied, il la souleva dans ses bras pour l'arracher à la mer qui avait voulu l'emporter.

Il la déposa avec précaution sur la plage et s'agenouilla près d'elle.

— Flora... Réveillez-vous!

Elle demeurait immobile.

— Flora, insista-t-il en la secouant légèrement. Réveillez-vous, je vous en prie...

Enfin, elle ouvrit les yeux. Le soulagement de Lachlan fut si grand qu'il faillit pleurer. Il se contenta de l'embrasser. Il savait que ce n'était pas le moment, qu'il devait la ramener au donjon, mais il voulait se rassurer.

Il l'embrassa comme s'il pouvait la réchauffer par sa seule passion, avec désespoir, presque. Elle avait suscité en lui de telles émotions qu'il s'était mis à nu. Son baiser dit à Flora ce que les mots ne pouvaient exprimer.

Lorsqu'elle croisa enfin son regard, il y lut de l'étonnement.

— Lachlan, je...

Elle referma les yeux et sombra dans l'inconscience.

L'espace d'un instant, il la crut morte. Fou d'angoisse, il posa une main sur son cœur. Il battait ! Le souffle court, il réprima un juron et la reprit dans ses bras. Il était à bout de forces, mais il devait la ramener au chaud.

Tant qu'ils n'auraient pas regagné le donjon, il ne pouvait rien faire de plus pour elle. Il sentait son souffle contre sa peau, mais sa vie ne tenait qu'à un fil. Puisant ses dernières forces, il gravit péniblement la pente.

Comme elle devait avoir froid ! Sa peau était livide et ses lèvres exsangues. Quant à ses cernes... ce devait être le clair de lune.

Elle survivrait ! Le contraire était inconcevable. Rien ne pourrait l'arracher à lui ; elle lui appartenait depuis le premier regard. Et pas à cause de son marché avec Argyll pour obtenir la liberté de John et assurer l'avenir de son clan. C'était plus simple que cela.

Gillian avait raison ; son cœur ne pouvait lui mentir. Il tenait à elle. Pour la première fois de sa vie, il éprouvait des sentiments pour une femme. Lui qui croyait n'aimer que sa famille et son clan !

Enfin, il retrouva son destrier. Dès qu'ils furent en selle, il se mit en route vers le donjon.

Sans s'attarder sur les détails, il ordonna à ses hommes d'annoncer son arrivée et celle de Flora. Le cœur de la jeune femme battait très faiblement.

Enfin, il franchit la grille avec son précieux fardeau. Aussitôt, Mary et Gillian accoururent. Certains hommes voulurent l'aider à faire descendre Flora de selle, mais il refusa.

— Dieu merci, vous l'avez retrouvée ! s'exclama Gillian. Que s'est-il passé ? Elle est… morte ?

Sa voix se brisa en un sanglot.

— Non ! répondit Lachlan. Elle respire encore, mais il faut la réchauffer.

Il gravit les marches. Dieu merci, il faisait bon dans le donjon.

— Où l'emmenez-vous ? s'enquit Mary en lui emboîtant le pas.

— Dans mon lit, dit-il d'un air féroce.

10

Lachlan n'avait que faire des convenances. Il savait simplement que sa chambre était la pièce la mieux chauffée. Un bon feu crépitait dans la cheminée, et il savait ce qu'il avait à faire.

Mary écarquilla les yeux, mais ne discuta pas, malgré son inquiétude manifeste. En l'emmenant dans sa chambre, il proclamait que Flora était sienne. Peu lui importait ce qu'on en pensait sous son toit. De toute façon, quand il s'agissait de Flora, rien n'était simple.

Pour l'heure, il fallait la réchauffer, la sécher. Devant la porte de la chambre, il se tourna vers sa sœur.

— Apporte-moi des couvertures, des vêtements secs, de quoi lui tenir chaud…

— Lachlan, pourquoi a-t-elle fait cela ? demanda Mary. Était-elle malheureuse, ici ?

Le cœur de Lachlan se serra. Il avait l'impression que sa sœur se sentait coupable.

— Je n'en sais rien, répondit-il.

— Je croyais qu'elle nous aimait bien…

— C'est le cas. Son départ n'a rien à voir avec toi ou Gillian, je peux te l'assurer. Elle est partie à cause de moi.

Mary le dévisagea un instant, puis partit accomplir la mission qu'il lui avait confiée.

Tous les habitants du château semblaient l'avoir suivi dans l'escalier, y compris Gillian et Morag. Dès qu'il franchit le seuil, il sentit le réconfort du feu de cheminée.

Il était si soucieux de réchauffer Flora qu'il n'avait pas remarqué qu'il grelottait. Il la déposa doucement sur le lit et l'examina enfin à la lumière d'une torche.

S'il ne venait pas de sentir son pouls, il aurait juré qu'elle était morte, tant elle était livide. Ses lèvres étaient bleutées et ses cheveux dorés semblaient gelés. Elle paraissait si fragile... Et elle avait mis sa vie en péril à cause de lui...

Il posa la main sur sa joue froide. S'il n'agissait pas très vite, elle allait succomber. Il dégrafa vivement sa robe. Morag ajouta une bûche dans la cheminée, mais cela ne suffirait pas. Comment la réchauffer ?

Morag s'avança pour l'aider. Lachlan la repoussa ; il préférait s'occuper de Flora lui-même.

— Puis-je me rendre utile ? proposa Gillian.

Elle se tenait sur le seuil, hésitante, au côté d'Alasdair et d'Allan. Lachlan secoua la tête et ravala son émotion croissante.

— Pas pour l'instant, répondit-il.

— Venez, dit Morag aux deux jeunes filles. Le laird va faire le nécessaire.

— Mais qu'est-ce...

Gillian s'interrompit tandis que la domestique l'entraînait hors de la chambre et refermait la porte. Malgré son tempérament audacieux, Gillian était encore innocente.

Lachlan entreprit de dévêtir Flora de ses doigts engourdis par le froid, tout en respectant sa pudeur. Pourtant, il n'avait pas le choix. Tant pis. Au mieux, elle serait gênée, au pire, furieuse.

En découvrant l'amulette qu'elle portait au cou, il marqua une pause. Dommage qu'elle ne se soit pas perdue au fond de la mer, emportant avec elle la malédiction ! Sachant que Flora y tenait beaucoup, il la lui ôta délicatement et continua, le souffle court, en s'efforçant de ne pas s'extasier sur toute cette beauté qu'il dévoilait S'il respectait l'honneur de la jeune femme, il n'en était pas aveugle pour autant. Il avait toujours souhaité l'effeuiller de la sorte, mais pas dans de telles circonstances. C'était une question de vie ou de mort, cette fois.

La prochaine fois qu'il la déshabillerait, il prendrait le temps d'en savourer chaque seconde. Lorsque ce fut fait, il l'enveloppa dans plusieurs couvertures. Puis il se dévêtit à son tour et, sans réfléchir, se glissa sous les couvertures pour la prendre dans ses bras. Elle était glacée. Plein de tendresse, il se lova contre elle pour la réchauffer. Il avait failli la perdre... En cet instant, il aurait tout donné pour la voir habillée, debout, le regard plein de défi.

Si seulement elle esquissait un mouvement ! Hélas ! elle demeurait inerte entre ses bras. Lachlan se réchauffa rapidement à son contact. Revigoré, il se jura de la ramener à la vie. Elle ne manquait pas de volonté. N'avait-elle pas réussi à tenir un long moment dans une vieille barque en train de sombrer ?

C'était la première fois qu'une étreinte chaste l'émouvait à ce point. Ainsi plaqué contre son dos, il ressentait chaque parcelle de son corps : ses cheveux humides, ses épaules délicates, ses hanches minces, jusqu'à ses pieds glacés. Il ne pouvait plus prétendre qu'elle n'était pour lui qu'un moyen d'atteindre Hector. Depuis qu'elle avait disparu, il n'avait pas pensé une fois à lui. Seule comptait la sécurité de Flora.

Car il voulait l'épouser pour elle-même, en réalité. Ses sentiments ne faciliteraient pas la bonne marche de son plan de sauvegarde de son clan, et ils lui créaient un cas de conscience.

Il la serra plus fort et demeura ainsi pendant des heures, la gorge nouée par l'émotion. Peu à peu, Flora se mit à respirer plus régulièrement. Peu avant l'aube, elle esquissa enfin un mouvement pour se tourner vers lui dans son sommeil et posa une main sur son torse. Ce geste confiant le toucha au plus profond de lui-même. Il se jura d'être digne de cette confiance.

Pourtant, il ne pouvait pour l'instant lui avouer toute la vérité, car la vie de son frère John était menacée. Deux mois plus tôt, il avait demandé à Argyll de l'aider. Dans la grande salle d'Inveraray, il avait été impressionné par la prestance de l'un des personnages les plus influents d'Écosse, Archibald Campbell, comte d'Argyll, qui semblait trôner près de la cheminée.

— Sa Majesté a donc emprisonné votre frère, avait-il déclaré en toisant Lachlan de son regard sombre.

— Je croyais que l'impôt que je vous verse me garantissait votre protection.

— Inutile de me rappeler les termes de notre accord, avait-il rétorqué froidement. Que suggérez-vous? Que je prenne d'assaut le palais pour libérer votre frère?

— Vous avez de l'influence sur le roi et son entourage. Le roi s'est montré injuste. Hector m'a spolié. Il n'a aucun droit sur Coll.

— Duart affirme le contraire, car vous refusez de le reconnaître en tant que chef.

— Il n'est pas mon chef! Et il n'est pas votre ami, à ma connaissance.

Hector s'était marié sans le consentement du comte. Celui-ci avait paru étonné par l'audace de Lachlan. Un homme avait alors apporté un message. Agacé, Lachlan attendit patiemment qu'il en prenne connaissance. Apparemment furieux, le comte s'était levé pour jeter le message au feu.

— Cette petite me tuera !

— Comment, milord ?

Argyll s'était tourné soudain vers lui comme s'il avait oublié sa présence. Après l'avoir dévisagé longuement, il s'était rassis, plus détendu. Lachlan avait décelé une lueur implacable dans son regard.

— Je crois pouvoir vous aider...

Lachlan avait réprimé un soupir de soulagement, car il n'avait pas envisagé la possibilité d'un refus du comte.

— Cependant... Il faudra que vous me rendiez un service en échange, avait dit Argyll avant de prendre un verre de vin et d'en boire une longue gorgée.

— Quel genre de service ? s'était enquis Lachlan.

— Ma jeune cousine, Flora MacLeod, a semblet-il décidé de s'enfuir en compagnie de lord Murray.

Lachlan avait arqué les sourcils. Murray était jeune, mais c'était aussi un rival politique féroce d'Argyll, dont il comprenait à présent la colère. Il gardait un vague souvenir de Flora, la sœur cadette de Rory MacLeod, une riche héritière.

— Vous souhaitez que je l'en empêche ?

Argyll avait eu un sourire sardonique.

— Pour ainsi dire, oui. Je veux que vous l'épousiez.

Lachlan s'était figé. Il s'attendait à tout sauf à une telle requête. Dans un premier temps, il avait eu envie de refuser. Puis il s'était dit qu'une telle alliance n'était pas à négliger, même s'il n'avait pas l'intention de convoler dans l'immédiat. Par ce mariage, il s'allierait non seulement avec Argyll, mais aussi avec Rory MacLeod.

— Pourquoi ? avait-il demandé. Cette jeune fille souffrirait-elle de quelque disgrâce ?

Le comte s'était mis à rire, ce qui ne lui était pas coutumier.

— Oh non ! Elle est même ravissante. Et très riche. Sa dot est considérable.

Le cœur de Lachlan avait presque cessé de battre. Son clan avait grand besoin de se renflouer un peu…

— Pourquoi moi ? s'était-il enquis, un peu méfiant car Argyll aurait pu choisir n'importe quel freluquet de la cour.

— Parce que vous avez peut-être une chance. Vous êtes homme à impressionner une jeune femme.

— Je ne comprends pas, avait avoué Lachlan, perplexe.

En quoi l'opinion de sa cousine avait-elle de l'importance aux yeux d'Argyll ? Elle devait faire son devoir, voilà tout.

— Vous n'avez donc pas toute autorité sur le choix de son époux ?

Argyll avait haussé les épaules.

— En théorie, ce droit appartient à son frère, mais il ne la marierait pas contre ma volonté. Cependant, MacLeod refuse de la contraindre. Vous êtes son ami. Il ne vous rejettera pas. Persuadez-la donc de vous épouser de son plein gré. Je vous préviens : la tâche promet d'être difficile. Cette fille ne pose que des problèmes ! Sa mère l'a beaucoup gâtée et lui a mis de drôles d'idées en tête, notamment à propos du devoir.

Des problèmes ? Lachlan avait en effet souvenir de certaines conversations avec Rory. Il ne souhaitait en rien épouser une enfant gâtée, mais cette alliance était une aubaine inespérée. Sa décision était prise.

— La convaincre sera facile.

— Vous ne l'avez pas encore rencontrée ! Elle est contrariante, pour le moins, et ce n'est pas peu dire !

Lachlan n'avait aucune inquiétude sur ce point.

— C'est tout ? avait-il demandé sans masquer sa méfiance.

Le comte avait souri, nullement offensé.

— Ça et votre coopération.

Argyll voulait donc qu'il se remette dans le droit chemin, aux yeux du roi. C'était beaucoup demander, après ce que le souverain avait fait à son frère, mais Lachlan était pragmatique : mieux valait se trouver dans le camp d'Argyll.

— Je ne suis pas en conflit avec le roi, mais avec Hector. Et c'est le roi qui m'a trahi. J'ai besoin de votre soutien non seulement pour faire libérer mon frère, mais aussi pour récupérer mon domaine. Si le roi intervient en ma faveur, je n'aurai plus de raison d'être en conflit avec lui.

— Vous négociez, alors que la vie de votre frère est en jeu ? s'était étonné le comte.

— Tout comme vous le faites avec votre jeune cousine qui s'enfuit avec lord Murray.

À vrai dire, Lachlan aurait épousé n'importe qui pour sauver son frère, mais il refusait de négocier en situation de faiblesse. Argyll l'avait dévisagé longuement avant de hocher la tête.

— D'accord. Mais n'oubliez pas : ne vous imposez pas à ma cousine. Elle me met hors de moi, mais je refuse qu'il lui soit fait le moindre mal.

C'est ainsi que Lachlan avait vendu son âme au diable.

Épouser la cousine d'Argyll semblait un prix modeste à payer pour la libération de John et pour récupérer son château.

D'instinct, il serra Flora plus fort contre lui. Un murmure de contentement s'échappa de ses lèvres et elle ouvrit les yeux. Le cœur battant, Lachlan plongea dans son regard bleu, à la fois doux et confiant. Il y entrevit un avenir qu'il n'aurait jamais osé imaginer. Et un lien si fort, entre eux, qu'il ne l'aurait jamais cru possible.

Quand elle lui sourit, il eut envie de la tenir dans ses bras pour l'éternité. Ce serait le bonheur. Il vit alors une certaine confusion troubler son expression.

— Je dois rêver, murmura-t-elle d'une voix rauque.

Elle referma les yeux et sombra de nouveau dans l'inconscience, blottie contre lui, la joue sur son cœur.

Le désir s'empara de Lachlan, qui resta immobile et tendu. Lorsqu'elle était encore glacée et inconsciente, il n'avait pas eu de mal à dissocier ce corps dénudé de tout désir charnel. Maintenant, sa peau nacrée l'envoûtait. Il glissa une main dans son dos, jusqu'à la courbe parfaite de sa fesse. Si seulement il pouvait la faire sienne en cet instant !

Dans son sommeil, Flora se frotta contre lui, les mamelons dressés. Aussitôt, il durcit de plus belle et la caressa encore. Il avait envie d'explorer chaque parcelle de sa peau veloutée et de l'embrasser jusqu'à ce qu'elle s'abandonne. Mais, en homme d'honneur, jamais il ne profiterait de sa faiblesse, malgré la tentation. Flora s'était enfuie parce qu'elle avait peur. Pourtant, leurs corps étaient faits l'un pour l'autre…

Avec un grognement de regret, il s'arracha à ses bras. S'il était présent à son réveil, elle risquait de mal réagir. Il avait réussi à lui éviter de mourir de froid. Sa mission était accomplie. Il s'habilla donc et, le cœur lourd, contempla une dernière fois la jeune femme endormie. Il ne put résister à l'envie de déposer un baiser sur ses lèvres.

— Reposez-vous, ma douce, murmura-t-il.

Flora se réveilla dans la lumière pâle de l'aube, enveloppée d'une chaleur bienfaisante, et ouvrit les yeux. Elle se sentait bien, en sécurité, protégée.

Sur l'oreiller, elle huma un parfum familier de myrte... En s'étirant, elle éprouva des courbatures dans ses bras et ses épaules. Il lui fallut un moment pour se rendre compte qu'elle ne se trouvait pas dans sa chambre.

Le lit était plus grand. Il y avait un fauteuil devant la cheminée, un mobilier austère. Au pied du lit, elle vit une grande malle et la fenêtre était encore plus étroite que la sienne. Pourquoi avait-elle si soif ? Et les lèvres sèches, la peau irritée ?

Soudain, tout lui revint et elle comprit. Elle avait failli se noyer et se trouvait dans le lit de Lachlan, complètement nue. Pour couronner le tout, elle entendit la porte s'entrouvrir.

— Je vois que vous êtes réveillée, dit une voix de femme. Je vous apporte du bouillon.

Flora eut envie de se cacher sous les couvertures. Que dire à la maîtresse de l'homme dans le lit duquel on venait de se réveiller ?

— Merci, répondit-elle simplement.

— Le laird m'a priée de vous soigner.

— Vous êtes guérisseuse ?

— Disons que je connais bien les plantes.

Entre autres talents, songea Flora un peu méchamment.

La femme entreprit de l'examiner. Elle posa une main sur son front et prit son pouls.

— Comment vous appelez-vous ? demanda Flora, curieuse.

— Vous savez qui je suis ?

Flora opina.

— Je m'appelle Seonaid.

Elle voulut soulever les couvertures, mais Flora refusa, les joues en feu.

— Je vais bien, assura-t-elle.

La guérisseuse arqua les sourcils.

— Ne soyez pas pudibonde, gronda-t-elle. Vous n'êtes en rien différente des autres. Vous êtes libre de refuser, mais vous avez failli vous noyer et ensuite mourir de froid.

Flora rougit de plus belle.

— Vous ne comprenez pas, murmura-t-elle. Je suis nue.

Seonaid secoua la tête d'un air affligé.

— Vous alliez mourir de froid, répéta-t-elle. Il vous fallait la chaleur d'un autre corps pour survivre. C'était la seule solution.

— Je ne comprends pas…, avoua-t-elle, troublée.

Soudain, elle écarquilla les yeux, plus gênée que jamais. Elle n'avait donc pas rêvé… Comment avait-il pu abuser d'elle de la sorte ?

Seonaid devina ses pensées.

— Il vous a sauvé la vie, dit-elle. Vous devriez lui en être reconnaissante au lieu de vous soucier des convenances.

Son ton dur et la justesse de ses propos eurent le dessus.

— Je suis désolée. Vous devez me prendre pour une ingrate, mais je ne me souviens pas de ce qui s'est passé…

Seonaid scruta son visage, puis se dit qu'elle ne mentait pas.

— Le laird répondra à vos questions dès que vous irez mieux.

Flora déglutit. Le laird… Comment réagirait-elle en le revoyant ? Jamais elle n'oserait croiser son regard ! Des bribes de souvenirs lui revinrent comme en rêve. Ses bras puissants autour d'elle, sa joue posée sur son torse rassurant…

Elle permit à la guérisseuse de l'examiner. Celle-ci la déclara en excellente santé, au vu de ses épreuves, et lui tendit une chemise en lin qu'elle enfila.

— Je vais vous faire monter une décoction. Ensuite, reposez-vous.

— Merci, dit Flora en toute sincérité, étonnée par la gentillesse de cette femme dont elle était la rivale, après tout.

Au moment de sortir, Seonaid hésita.

— Vous n'avez pas à avoir honte, déclara-t-elle. Le laird n'a fait que vous réchauffer de son corps.

Elle semblait s'en réjouir, d'ailleurs.

— Je sais.

Flora ne doutait pas de l'honorabilité de Lachlan, en dépit de son désir pour elle.

— Vous allez l'épouser, maintenant ? demanda la guérisseuse.

Flora eut un mouvement de recul.

— Non ! Je n'ai aucune intention de me marier !

Elle eut aussitôt l'impression que Seonaid la prenait pour une idiote. Quelle femme sensée refuserait d'épouser Lachlan MacLeod ?

— Même après ce qui vient de se passer ?

— C'était une question de vie ou de mort. Cela ne change rien, affirma Flora, déterminée.

— Mais il vous désire…

— Ce n'est pas réciproque, répliqua Flora en rougissant.

La guérisseuse n'en crut pas un mot.

— Et même si je voulais de lui, je ne l'épouserais pas.

— Ce n'est pas aussi simple, fit Seonaid d'un air mystérieux.

Flora n'en doutait pas. Le comportement de Lachlan était des plus étranges. Dès le départ, elle avait senti un certain calcul de sa part, et une urgence, aussi.

— Que voulez-vous dire ?

— Jamais le laird n'a courtisé une femme avec une telle assiduité. Vous êtes belle, mais les belles femmes ne manquent pas. Je me demandais s'il avait d'autres motivations, voilà tout.

— Pourquoi me dites-vous cela ?

— Il vous désire, mais il n'attendra pas éternellement. C'est un homme très viril qui a des besoins… Et quand il en aura assez de poursuivre ce qu'il ne peut obtenir, je serai là pour lui.

Ces paroles résonnèrent longtemps dans l'esprit de Flora. Cette mise en garde lui déchirait le cœur.

11

La décoction de Seonaid se révéla aussi efficace que sa mise en garde. Au bout d'une journée, Flora put se lever et regagner sa chambre, sous la surveillance attentive de Morag. Elle prit d'abord un bain pour enlever de sa peau les dernières traces de sel.

Dans la matinée, fraîche et pimpante, elle se sentit renaître. Enfin, presque...

D'abord, elle avait de vagues souvenirs de ce que Lachlan lui avait fait : elle avait dormi, nue, dans le lit d'un homme, dans ses bras. Comment l'oublier ?

Mais surtout, il lui avait sauvé la vie ; elle lui était redevable. Elle regarda par la fenêtre. De là, il semblait facile de partir. La mer était calme et l'île de Mull paraissait si proche... Comment la situation avait-elle pu aussi mal tourner ?

Ni Lachlan ni ses sœurs n'étaient venus la voir, ce qui la dérangeait plus qu'elle ne voulait l'admettre. Elle avait beau être prisonnière et donc en droit de chercher à s'échapper, elle s'en voulait un peu de cette tentative d'évasion. C'était irrationnel, mais elle n'y pouvait rien.

Elle se détourna de la fenêtre en soupirant. Cette mésaventure ne faisait qu'intensifier ses tourments. L'enlèvement, la séduction, la passion, le refus de la libérer, puis son sauvetage... elle ne savait plus que penser. Cet homme exerçait sur elle un étrange pouvoir.

Quoi qu'il en soit, elle lui devait des remerciements, même s'il lui en coûtait de l'affronter. En ouvrant la porte, elle s'attendit à trouver Alasdair à son poste. Le couloir était désert. Bizarre… Lachlan aurait dû renforcer sa surveillance, non ? Perplexe, elle se dirigea vers l'escalier. Dès les premières marches, elle fut prise d'un vertige et dut s'appuyer un instant contre le mur pour ne pas tomber. Dès qu'elle se fut ressaisie, elle poursuivit prudemment sa descente.

Ce n'est qu'en arrivant dans la grande salle qu'elle prit conscience du silence inhabituel qui régnait. Elle croisa plusieurs domestiques qui évitèrent son regard et comprit rapidement pourquoi. Dans la cour, tous les hommes étaient réunis autour de leur maître qui, de toute évidence, leur reprochait son évasion. Elle percevait quelques bribes de paroles : devoir, failli, attaque éventuelle, confinement…

Flora se sentit soudain coupable. Pas étonnant que les domestiques l'évitent, désormais.

Elle frémit. Ses actes avaient des conséquences plus graves qu'elle ne l'avait imaginé. Lachlan était impressionnant dans son rôle de chef, avec sa voix tonitruante. Pour les siens, il était à la fois un chef, un père, un juge, un roi, presque. Face à tant de pouvoir, Flora se sentit vulnérable. Le laird avait tous les droits. Il aurait pu la maltraiter, la violer, l'épouser de force… sans que personne ne bronche. Heureusement pour elle, Lachlan ne manquait ni de force, ni d'honneur, ni de noblesse.

Il dut remarquer sa présence sur le seuil, car il riva les yeux sur elle dès que ses hommes se furent dispersés. Un frisson la parcourut et les souvenirs de la veille ressurgirent. Elle se rappela tous les détails.

Elle le revit sur la plage, puis nageant vers elle, malgré le courant. Elle entendit sa voix, ses paroles rassurantes. Alors que les eaux l'engloutissaient, il lui avait donné la force de lutter. L'intensité de son baiser quand il l'avait sauvée d'une mort certaine, la sensation de ses bras puissants, sécurisants... Plus tard, elle s'était réveillée avec lui, dans sa chaleur si réconfortante. Elle avait senti ses mains sur sa peau nue, plaqué ses seins contre son torse.

Les paroles de Seonaid résonnèrent dans sa tête. « Le laird est un homme très viril. » Elle l'avait en effet constaté, blottie contre lui, dans son lit. Il la désirait. Pourtant, elle devinait aux propos de sa maîtresse qu'il ne lui avait pas rendu visite et en fut étrangement soulagée. Mais combien de temps patienterait-il ?

Lachlan traversa la cour en direction de l'escalier. Ne sachant à quoi s'attendre, Flora recula de quelques pas. Allait-il la châtier ? Sa gorge se noua d'appréhension.

— Retournez...

Il s'interrompit et reprit d'un ton plus doux.

— Vous devriez rester couchée...

Flora s'étonna de cet effort de courtoisie.

— Je me sens bien mieux, assura-t-elle.

Il fit mine de ne pas l'entendre et la prit par le bras pour l'entraîner à l'intérieur. Ses efforts avaient été de courte durée.

Devant la grande salle, elle s'arrêta et voulut se dégager de son emprise.

— Je vous le répète, je me sens bien !

Lachlan paraissait soucieux. Elle eut envie de le rassurer d'une caresse. Si seulement il pouvait se montrer aussi tendre que l'autre soir !

— Vous avez failli vous noyer et ensuite mourir de froid. Vous êtes restée inconsciente pendant des heures. Il faut vous reposer.

Il s'inquiétait pour elle… Cette prise de conscience fit à Flora l'effet d'un baume.

— S'il vous plaît, insista-t-elle en posant la main sur son bras. J'aimerais vous parler.

Il la regarda dans les yeux comme pour vérifier qu'elle ne lui mentait pas, puis opina et l'emmena dans le petit salon adjacent à la grande salle. Là où elle avait failli succomber…

Elle chassa vite ce souvenir.

— J'ai entendu une partie de vos propos, tout à l'heure…

Elle se mordit la lèvre et hésita un peu avant de poursuivre.

— Ces hommes doivent-ils vraiment être confinés? Ils n'ont été distraits que quelques instants, et ils ne s'attendaient pas à ce que je m'en aille.

Lachlan ferma la porte, la mine dure.

— Vous trouvez cela barbare, Flora?

Sa mise en garde ne lui échappa pas, mais il se méprenait. Elle ne l'accusait en rien.

— Bien sûr que non! s'exclama-t-elle. Mais je…

— Vous croyez que j'ai plaisir à punir mes hommes? Je les connais depuis toujours. La règle est que nul ne doit franchir les grilles sans être vu. Ils ont failli à leur devoir. La garde est essentielle, dans un château, et tout manquement nous expose à une attaque. Deux journées de cachot leur serviront de leçon; c'est toujours mieux que des coups de fouet.

— Bien sûr.

— Ce qui vous contrarie, ce n'est pas la punition en elle-même, c'est le fait que vous en soyez à l'origine, n'est-ce pas?

Il avait raison, elle se sentait coupable de cette débâcle.

— Serai-je punie, moi aussi?

Elle perçut une lueur étonnée dans son regard, puis une émotion qui la toucha.

— Je crois que vous avez été suffisamment punie, dit-il, les yeux rivés sur la cheminée.

— Merci, répondit-elle en s'approchant de lui.

Hésitant, il la regarda.

— Merci, répéta-t-elle. Vous m'avez sauvé la vie. Et merci de ce que vous avez fait pour me réchauffer, ajouta-t-elle en rougissant.

Il esquissa un sourire canaille.

— Croyez-moi, ce fut un plaisir. Cependant, je m'étonne de vos remerciements.

Comme elle, il pensait à leurs corps nus et enlacés.

— Je ne me souviens de rien, mentit-elle, mais je ne suis pas prude au point de préférer la mort à la préservation de mon intimité.

L'espace d'un instant, Lachlan parut sur le point de lui rafraîchir la mémoire. Le cœur de Flora se mit à battre la chamade. Sous le regard intense qu'il avait posé sur son décolleté, elle sentit ses mamelons se dresser de désir. Il suffirait d'une caresse pour qu'elle s'abandonne. Entre eux, la passion était palpable. Il hésita, puis décida de ne pas insister.

— Pourquoi vous êtes-vous enfuie, Flora ? Vous aviez donc tellement envie de…

Me quitter, songea-t-il.

— Vous refusiez de me libérer !

— Je ne le pouvais pas.

Le désir de Lachlan était si manifeste qu'elle en eut le souffle court.

— Pourquoi ? demanda-t-elle, n'osant espérer.

Il garda le silence pendant un long moment.

— Vous savez très bien que je vous désire, dit-il enfin.

— J'ignore pourquoi.

— Parce que je tiens à vous.

Il posa une main sur sa joue.

— Et vous le savez très bien, reprit-il en lui caressant le menton de son pouce.

Bien sûr qu'elle le savait, mais elle voulait savoir pourquoi il avait décidé de l'épouser.

— Je ne voulais pas prendre le risque de vous perdre.

Elle se pencha vers lui jusqu'à le frôler et huma son parfum viril.

— Vous ne me perdrez pas. Mais jamais je ne viendrai à vous en tant que prisonnière.

Lachlan comprit enfin. Elle ne le rejetait pas. Ce qu'elle fuyait, c'était sa prison. En l'enlevant, il l'avait privée non seulement de sa liberté, mais aussi de sa maîtrise sur son destin.

Il fallait qu'il lui rende sa liberté.

Il avait conscience de prendre un risque. Restait à espérer que la situation ne vire pas à la catastrophe pour tout le monde. Il posa les mains sur les épaules de Flora puis la lâcha et recula d'un pas pour réfléchir. En sa présence, il lui était impossible de garder la tête froide. Il n'avait qu'une envie, la prendre dans ses bras et l'embrasser à perdre haleine.

Il avait compris ce qu'il devait faire en réalisant à quel point elle souhaitait s'en aller, quitte à se noyer. Priant pour ne pas se fourvoyer, il prit une profonde inspiration.

— Très bien, vous êtes libre de partir.

Abasourdie, elle porta une main à sa bouche.

— Vraiment ? demanda-t-elle, incrédule. Je ne suis plus prisonnière ?

— Je vais donner des instructions pour qu'on ne vous empêche plus de sortir.

Ce fut au tour de Lachlan d'être stupéfait quand elle se jeta à son cou et se lova contre lui de façon irrésistible.

— Merci ! Si vous saviez comme c'est important, à mes yeux !

— Je crois le savoir, répondit-il avec un sourire.

Il l'enlaça, savourant le contact de ces courbes qui le hantaient. Il se rappelait chaque détail de son corps nu et son membre gonfla de désir pour elle.

— J'aimerais que vous restiez, reprit-il. En tant que mon invitée.

Visiblement hésitante, elle chercha son regard. Comment pouvait-il espérer qu'une femme ait envie de rester chez son ravisseur ? Elle allait refuser, c'était certain.

En voyant naître sur ses lèvres un sourire un peu timide, Lachlan en eut le souffle coupé. Elle semblait heureuse !

— J'aimerais rester, dit-elle.

Le soulagement de Lachlan intensifia son désir. Incapable de résister plus longtemps, il s'empara de ses lèvres pour l'embrasser avec fougue. Un baiser possessif, respectueux. Son parfum fleuri était enivrant, et elle avait les lèvres si douces… La peau si veloutée…

Il insinua la langue dans sa bouche offerte et laissa libre cours à sa passion. Cette sensation commençait à lui être familière. Il se fit plus pressant dans son exploration intime. Ses caresses se prolongèrent, au point que Flora vacilla entre ses bras.

Avec un juron, il s'écarta vivement.

— Vous n'allez pas bien, dit-il. Vous devriez être alitée.

Sans lui laisser le temps de protester, il la souleva de terre et la porta dans l'escalier. Loin de résister, Flora posa la tête sur son épaule et soupira d'aise. Il en fut tout retourné.

Lorsqu'il la déposa sur le lit, il fut tenté de se glisser sous les couvertures avec elle, pour ainsi dire certain qu'elle n'y verrait aucun inconvénient. Il se reprit. Pas maintenant. Mais dès qu'elle serait guérie, elle serait sienne, décida-t-il en l'embrassant chastement sur le front.

— Reposez-vous. Morag passera vous voir tout à l'heure.

Elle hocha la tête, un peu inquiète.

— Lachlan… Mary et Gillian m'en veulent-elles ?

— Non. Mais elles sont un peu déçues que vous ne leur ayez pas dit au revoir.

— J'espérais les faire venir chez moi.

Jamais il ne les aurait laissées partir, songea Lachlan, mais il se réjouissait de l'affection de Flora pour ses sœurs.

— Avez-vous réfléchi à la situation de Mary ? poursuivit-elle.

Il fronça les sourcils.

— Je n'ai pas changé d'avis. Pourquoi ?

— Vous dites tenir à moi, répondit-elle avec passion. Je pensais que vous aviez compris…

— Cela ne change rien.

Ni pour Mary ni pour lui-même, se dit-il amèrement. Le devoir avant tout. Flora ne voyait pas les choses sous cet angle, mais elle n'était pas très liée à sa famille.

— Je vous en prie ! Réfléchissez, en signe de bonne volonté…

Il se tendit.

— Ne me demandez pas de choisir entre vous et mon devoir de chef.

C'était une mise en garde. Pour lui-même ou pour elle, Lachlan l'ignorait.

— Ce n'est pas le cas. Je vous demande simplement de réfléchir. Cela ne remet pas en question votre devoir, que je sache.

Il se frotta pensivement le menton. Il voulait bien le faire, si elle lui donnait quelque chose en échange.

— Très bien, je vais réfléchir, concéda-t-il. Mais à une condition.

12

Quelques jours plus tard, Flora regrettait d'avoir accepté la proposition de son ex-ravisseur, devenu son hôte. Si elle avait refusé, comme elle l'aurait dû, elle ne se serait pas trouvée dans cette situation délicate.

Enfin elle regrettait… presque.

Attribuer son choix à la surprise de l'instant aurait été malhonnête. Certes, la requête de Lachlan l'avait surprise, mais elle avait pris le temps de réfléchir.

En vérité, le vieux donjon délabré qui disparaissait peu à peu, au loin, était le seul endroit où elle avait envie d'être. Elle s'y était attachée. Cela faisait longtemps qu'elle ne s'était pas sentie aussi bien quelque part ; elle découvrait ce qu'était une famille.

Elle aurait pu retourner chez son cousin, à Édimbourg ou aller chez Hector ou Rory, mais ils risquaient de lui imposer un mariage dont elle ne voulait pas. Elle observa l'homme qui chevauchait à son côté, l'air satisfait. Lachlan voulait l'épouser, mais jamais il ne se serait imposé à elle. Se marier avec lui était le seul moyen d'échapper à l'autorité de ses frères.

À vrai dire, elle avait accepté de rester parce qu'elle aurait été incapable de le quitter. Jusqu'à ce qu'il lui mette ce marché en main. Maudit soit-il !

« À une condition », avait-il dit. Elle aurait dû s'en douter...

Lachlan observa Flora à la dérobée. Ses cheveux blonds avaient l'éclat du diamant, sous le ciel limpide. Jamais il ne s'était senti aussi léger.

C'était une journée idéale pour se baigner.

Malheureusement, Flora ne partageait pas son enthousiasme.

— Allons, ne faites pas cette tête ! Vous m'avez fait une promesse. Ne m'avez-vous pas dit que l'on n'attrapait pas les mouches avec du vinaigre ?

— Vous n'y êtes pas ! C'est du chantage...

Il haussa les épaules sans manifester le moindre scrupule.

— Vous n'auriez jamais accepté, sans cela. De plus, ce ne sera pas si pénible, vous verrez. L'eau n'est pas profonde et je ne vous lâcherai pas. Quand j'étais plus jeune, je nageais souvent dans ce loch. Il est bien abrité et ombragé. Personne ne vous verra.

— Vous me verrez, vous ! objecta-t-elle.

Et il brûlait d'impatience. L'imaginer nue sous sa chemise mouillée lui faisait bouillir les sangs. Lui apprendre à nager aurait certainement des avantages.

— Je suis inoffensif, affirma-t-il en feignant l'innocence.

Flora ne daigna même pas lui répondre. Au bout de quelques instants de silence, il aborda un sujet qui le taraudait :

— Comment se fait-il que vous ne sachiez pas nager ?

Elle lui jeta un rapide coup d'œil, prit une profonde inspiration et lui raconta sa mésaventure à Inveraray, quand elle était enfant.

Par deux fois, elle avait failli mourir noyée...

Lachlan comprenait cette enfant solitaire si désireuse de se faire accepter par n'importe quel moyen.

— Depuis, vous avez peur de l'eau ?

— Oui, et ce n'est pas facile, dans les Highlands, répondit-elle.

Surtout dans les îles, songea-t-il. Cela expliquait peut-être sa réticence à séjourner à Dunvegan, sur Skye ou chez Duart, sur Mull.

Il fronça les sourcils au souvenir d'un détail.

— Vous ne sembliez pas affolée, lors de notre trajet vers Drimnin, pourtant…

Cette remarque troubla Flora. Le rouge qui lui monta aux joues n'avait rien à voir avec le soleil.

— Sans doute parce que je ne pensais qu'à l'enlèvement dont je venais d'être victime.

— Vous n'avez jamais été en danger, vous savez.

— Comment aurais-je pu le savoir ? demanda-t-elle en esquissant un sourire. D'ailleurs, qu'est-ce qui me dit que je ne risque plus rien ?

La perspective d'apprendre à nager ne la rassurait guère, Lachlan en était conscient. S'il avait connu ce détail de son passé, il ne lui aurait peut-être pas soutiré cette promesse. Il n'avait cependant aucun regret. Après tout, la fin justifiait les moyens.

— Croyez-moi, Flora, il ne vous arrivera rien.

En la voyant réprimer un frisson, il eut envie de la prendre dans ses bras pour la rassurer.

— Vous ne comprenez pas… J'ai fait de nombreux efforts, mais c'est plus fort que moi. Dans l'eau, je perds mes moyens.

— Votre réaction est compréhensible, au vu des circonstances. Cela dit, il faut vous débarrasser de cette peur qui vous hante. Vous êtes courageuse, Flora, et je ne vais pas vous mentir : apprendre à nager ne vous rendra pas invincible. J'ai perdu bien des hommes en mer. Mais vous aurez au moins la possibilité de vous battre. De plus, c'est une activité très agréable, croyez-le ou non.

Elle ne semblait guère convaincue.

Un bosquet se profila devant eux. Cela faisait longtemps que Lachlan n'était plus venu. L'image de son père lui revint à la mémoire. Il revit son enfance insouciante, l'époque heureuse où il venait se baigner dans ce loch avec ses parents. C'était l'endroit idéal.

Le paysage était tel que dans ses souvenirs, avec ses rochers déchiquetés ceignant un bassin circulaire féerique aux eaux bleu-vert.

— Quel cadre magnifique ! s'extasia Flora. Comment se nomme ce loch ?

— L'étang des fées.

Il s'attendait presque à ce qu'elle se moque de ces superstitions populaires.

— Il semble presque irréel, répondit-elle.

Cette réaction ravit Lachlan. Il était important, à ses yeux, qu'elle apprécie ce paysage. Peut-être allait-elle abandonner ses idées reçues sur les Highlanders… Elle pourrait être heureuse, avec lui. En tout cas, il comptait bien tout faire pour qu'elle le soit.

Il l'aida à mettre pied à terre et s'occupa des chevaux, le temps qu'elle prenne ses marques. De sa sacoche, il sortit du pain, du fromage et un flacon de vin. Puis il étala une couverture sur le sol et invita Flora à s'asseoir. Un peu méfiante, elle obéit. Ils déjeunèrent en silence, écoutant le chant des oiseaux, le bruissement des feuilles, le clapotis de l'eau sur les rochers. Allongé sur le côté, appuyé sur un avant-bras, Lachlan contemplait Flora, ses cheveux qui ondulaient sous la brise, son teint clair, sa façon de porter le flacon à ses lèvres.

Le moment était venu.

— Vous êtes prête ? demanda-t-il en se levant.

— Je n'ai pas terminé…, bredouilla-t-elle.

— À quoi bon repousser l'échéance ? insista-t-il. Venez ! Vous n'avez rien à craindre. Que pourrait-il vous arriver de fâcheux par une si belle journée ?

Flora envisageait de nombreuses possibilités. Au lieu de les énoncer, elle respira profondément et prit la main qu'il lui tendait. Elle lui faisait confiance. Suffisamment pour braver sa peur.

— Changez-vous derrière ce rocher, lui dit-il avec un geste.

Les doigts tremblants, elle prit tout son temps pour se dévêtir. La tenue que lui avait prêtée Mary se dénouant sur les côtés, elle n'eut donc pas à endurer la douce torture des mains de Lachlan sur sa peau. Ce n'était pas l'eau qu'elle appréhendait, en cet instant. C'était lui.

Il y avait entre eux une forme d'intimité, de familiarité, qui lui plaisait. En lui rendant sa liberté, il avait tout changé. Il était devenu son prétendant au lieu d'être son geôlier.

Comme il semblait s'impatienter, elle se hâta de quitter l'abri de son rocher, de peur qu'il vienne la chercher.

Heureusement, sa tenue était décente. Enfin…

— Murdoch l'a empruntée à l'un de vos hommes, expliqua-t-elle en baissant les yeux sur la chemise de lin qu'elle portait.

Lachlan la regarda longuement, s'attardant sur sa poitrine, ses hanches, ses mollets, ses pieds délicats, et masqua son désir grandissant sous un rire.

— Cette chemise vous sied à merveille !

Flora rougit et, à son tour, contempla le spectacle de son torse dénudé. Il n'avait gardé que sa culotte. Une douce chaleur l'envahit. Jamais elle ne se lasserait de ce torse musclé si viril.

Gênée, elle tourna les yeux vers le loch.

— L'eau doit être froide, dit-elle en se frottant les bras. Nous devrions peut-être attendre que le soleil la réchauffe un peu.

— C'est une journée superbe. L'eau doit être excellente, répondit-il. Venez. Donnez-moi la main.

Sa voix était étonnamment douce et persuasive. Elle obtempéra et ils se dirigèrent vers le bord de l'eau. Plus ils en approchaient, plus elle avait envie de s'enfuir, mais il l'encouragea à poursuivre son chemin.

Enfin, il entra dans l'eau et se tourna vers elle.

— Respirez ! Un pas après l'autre...

La gorge nouée, au bord de la panique, Flora secoua la tête.

— Je... Je n'y arriverai pas...

— Comment ? Vous vous avouez vaincue ? Vous qui êtes capable de vous enfuir d'un palais, puis d'un château... Que diraient vos amies de la cour ?

Elle lui en voulut de titiller son orgueil.

— Vos manigances ne fonctionneront pas.

Lachlan feignit si mal l'innocence qu'elle faillit en rire. Puis elle observa la surface de l'eau.

— Ne baissez pas les yeux, dit-il. Regardez-moi.

Elle plongea dans le bleu limpide de son regard et le trouva si beau qu'elle en eut le cœur serré.

La distraction se révéla efficace et il finit par l'attirer dans l'eau, malgré sa répulsion. Dès le premier contact, elle frémit et tout son corps se couvrit de chair de poule. Sentant sa détresse, Lachlan l'attira dans ses bras pour la rassurer.

— Vous vous en sortez à merveille, ma douce.

Elle n'en avait pourtant pas l'impression...

— Je vais vous immerger davantage. Vous êtes prête ?

— Ce n'est pas profond, j'espère !

— Vous aurez toujours pied. Mais je ne peux pas vous apprendre à nager si vous restez debout.

Elle hocha la tête. Blottie contre lui, elle se laissa immerger jusqu'aux épaules tandis qu'il la tenait par la taille. Elle dut repousser le souvenir du moment où elle avait sombré, l'autre soir. Cette sensation d'étouffement...

Au bord de la panique, elle s'agita.

— Allons, je vous tiens... Vous ne risquez rien, assura Lachlan.

Des larmes montèrent aux yeux de Flora. Il ne comprenait pas ! Il était solide comme un roc et n'avait peur de rien. Quelle humiliation ! Elle ne voulait pas qu'il la voie dans cet état.

Elle enfouit le visage dans son cou et s'accrocha à ses larges épaules, tremblant de tous ses membres. Il se contenta de la serrer contre lui en lui caressant le dos. Puis il glissa vers ses hanches, ses fesses... Ses caresses étaient enivrantes, expertes. Bientôt, elle se détendit et oublia sa peur pour savourer son contact.

Ils étaient si proches que leurs lèvres se frôlaient. Ses seins étaient plaqués contre son torse, et le tissu mouillé ne la protégeait guère...

Son corps était désormais exposé au regard de braise de Lachlan.

— Vous vous sentez mieux ? lui murmura-t-il à l'oreille.

Son souffle tiède la fit frémir et elle eut envie de se fondre en lui. Elle avait chaud, tout à coup... C'était ce qu'il cherchait, le vaurien ! réalisa-t-elle. Toutefois, il gardait une mine impassible.

— Oui, répondit-elle. Un peu mieux. Votre méthode n'est pas très conventionnelle, mais très efficace. Et dangereuse...

En se déplaçant, elle sentit contre ses reins l'intensité vibrante de son désir.

— Ensuite ? reprit-elle, désireuse de mettre fin à cette situation délicate.

Dans ses yeux, elle décela une lueur passionnée.

— Ensuite, vous allez agir toute seule. Vous allez plonger le menton dans l'eau, puis la bouche. Vous respirerez par le nez. Regardez.

En voyant sa démonstration, Flora eut envie de refuser. Pourtant, elle savait qu'elle n'apprendrait jamais si elle ne se lançait pas. Il lui murmura quelques encouragements.

— C'est inutile… Je n'y arriverai pas !

Il chercha son regard.

— Votre peur ne disparaîtra pas en un jour. Ne soyez pas trop exigeante envers vous-même ; vous avez déjà fait de gros progrès.

— Je ne vous déçois donc pas ?

Elle se mordit la lèvre.

— Je sais que vous êtes occupé, et je ne suis pas une bonne élève.

Il esquissa un sourire sensuel prometteur de plaisirs encore inconnus.

— Bien au contraire. Je serai ravi de vous donner d'autres leçons. Je n'imagine pas d'élève plus…

Il posa une main sur sa hanche.

— Vous passez un bon moment ? demanda-t-elle, les joues roses.

— Un très bon moment, admit-il. Voulez-vous faire une autre tentative ?

Ses lèvres s'approchèrent, au point que Flora sentit son souffle tiède sur sa joue. Son cœur s'emballa et elle frémit de désir. S'il l'embrassait, elle serait capable de tout.

— Qu'avez-vous en tête ? demanda-t-elle.

— Une autre forme de diversion.

Il leva la main vers ses seins pour les caresser doucement. Elle ne pensait plus à rien qu'à ses mains sur son corps, à sa bouche sur la sienne pour lui procurer mille sensations…

— Concentrez-vous sur ma bouche.

Flora ne demandait pas mieux. Elle en goûtait presque la saveur, tant elle en avait envie. Dans un frisson, elle opina.

Alors Lachlan l'embrassa et, lentement, l'immergea puis la releva. Il interrompit ensuite leur baiser.

— J'ai réussi ! s'exclama-t-elle, le visage radieux.

— Bien joué ! répondit-il avec un sourire. Bientôt, vous nagerez comme un poisson.

Elle enroula les bras autour de son cou et plongea dans son regard bleu intense.

— Comment vous remercier ?

Lachlan l'enlaça plus étroitement. Plaqué contre elle, le sexe gonflé de désir, il se mit à lui caresser les seins, la plongeant dans une douce torpeur. Du pouce, il titilla un mamelon durci pour déclencher un tourbillon de sensations.

— D'un baiser, souffla-t-il. Remerciez-moi d'un baiser.

Un baiser ne suffirait pas, songea Flora. Elle brûlait de le toucher. Elle voulait être sienne, et avait conscience des risques. Sa virginité n'avait jamais été un bien précieux, à ses yeux. Ce n'était qu'un avantage de plus sur le marché du mariage. Pour tout dire, elle avait envie de s'en débarrasser, mais jusqu'à présent, elle n'avait rencontré aucun homme qui en soit digne.

En piquant sa curiosité, Lachlan était déjà venu à bout de son innocence. L'autre jour, dans le petit salon attenant à la grande salle, elle s'était retrouvée au bord du précipice. Depuis, un simple contact suffisait à l'embraser. Elle voulait maintenant satisfaire cette faim. Ensuite, elle y verrait plus clair.

Flora ne s'était jamais particulièrement souciée des conséquences de ses actes, et rien ne l'empêcherait de se donner à Lachlan. Elle voulait ne faire plus qu'un avec lui. D'instinct, elle savait qu'il lui cachait quelque chose. Quand ils seraient amants, il se confierait peut-être à elle...

Se hissant sur la pointe des pieds, elle l'embrassa, en glissant la langue à la commissure de ses lèvres. Puis elle posa la joue sur sa barbe naissante en se lovant contre lui et ondula doucement pour effleurer son torse de ses seins dressés. Comment exprimer plus clairement son désir pour lui?

Lachlan resta impassible, mais elle sentait les battements frénétiques de son cœur.

— Cela suffira? demanda-t-elle en s'écartant de lui pour scruter son regard.

— Oui, souffla-t-il d'une voix rauque. C'est parfait.

Or, Flora en voulait davantage. Elle s'enhardit à caresser son ventre plat, puis l'extrémité de son membre durci, sous le tissu trempé.

— Vous êtes sûr?

— Flora...

Ignorant sa mise en garde, elle prit son sexe dans sa main. Il ne put réprimer un juron et tout son corps se raidit. Flora eut une impression de pouvoir sur lui et entreprit de le caresser. Il semblait déployer des efforts surhumains pour contenir sa passion. Elle referma alors les doigts et descendit sur toute la longueur de sa verge.

Enfin il l'attira vers lui et l'embrassa avec fougue. Sa langue pénétra sa bouche sans retenue, avec une bestialité qui annonçait bien des plaisirs.

Ils étaient tous deux ivres de désir. Flora était irrépressiblement attirée vers cet homme sensuel et puissant. Impatiente de découvrir ce qu'il pouvait lui offrir, elle caressa son dos et crut un instant que ses jambes allaient se dérober sous elle.

Il déboutonna sa chemise et se pencha pour prendre la pointe d'un sein entre ses lèvres. Elle frémit et se mit à trembler. Le contact de sa barbe naissante sur sa peau délicate la rendait folle. Du bout de la langue, il la titilla de plus belle. Elle étouffa un cri de plaisir et se cambra pour mieux sentir son sexe dressé contre son ventre puis elle le serra entre ses cuisses.

Lachlan émit un grognement guttural. Flora en voulait davantage encore. Elle voulait sentir le poids de ce corps sur le sien, le sentir en elle.

Elle voulait tout ce qu'il avait à lui offrir.

Le sang battait aux tempes de Lachlan tant il brûlait du désir d'exploser en elle. Jamais il n'avait été aussi proche de perdre tout contrôle. Elle avait une façon si innocente de le caresser… Et si parfaite aussi. Il lutta pour ne pas céder tout de suite à l'extase, mais ne put retenir quelques gouttes de semence.

Si seulement il pouvait lui ôter cette chemise et la dévorer de baisers fébriles ! Son enthousiasme, son désir affiché le rendaient fou. Elle s'offrait à lui… Comment ne pas céder à la tentation ?

Son sens de l'honneur prit cependant le dessus. S'il ne pouvait lui avouer le rôle qu'avait joué son cousin Argyll dans ce mariage, il ne pouvait la séduire tant qu'elle n'aurait pas accepté de l'épouser. Pourvu que cet accord vienne rapidement ! Son corps ne pourrait résister éternellement à l'appel de ses sens.

Il l'écarta légèrement de lui.

— Il faut arrêter, maintenant, dit-il, les dents serrées. Je ne prendrai pas votre innocence. Pas en dehors du mariage.

Flora avait les lèvres gonflées de baisers, le regard brûlant.

— Je n'ai pas envie d'arrêter.

Lachlan n'en crut pas ses oreilles : elle voulait bien l'épouser !

— Vous rendez-vous compte de ce que vous dites ? demanda-t-il en plongeant son regard dans le sien. Vous viendriez à moi de votre plein gré ? Sans affirmer plus tard que je vous ai persuadée d'accepter ?

Il voulait l'entendre de sa bouche, car il souhaitait ce mariage plus que tout au monde.

— Je suis consciente des conséquences, assura-t-elle en posant la main sur son torse. Je vous désire…

Lachlan se mit à trembler de tous ses membres. Il prit sa main dans la sienne et la porta à ses lèvres.

— Ensuite, il sera trop tard pour revenir en arrière, la prévint-il. Si vous vous donnez à moi, je vous prendrai tout entière.

Elle hocha la tête avec assurance.

Cet instant resterait gravé à jamais dans sa mémoire, songea Lachlan. Cette femme sublime venait de lui faire don de sa personne. Il était si heureux que son cœur menaçait d'exploser de joie.

Il la souleva dans ses bras et la porta vers la rive, comme si elle était le plus précieux des fardeaux. Puis il la déposa sur la couverture.

La sentant soudain embarrassée, il se pencha pour l'embrasser tendrement.

— Ce que nous allons partager n'a rien de honteux, assura-t-il.

Elle opina un peu timidement et enroula les bras autour de son cou pour l'embrasser à son tour.

Il s'empara de sa bouche avec fougue, tout en lui caressant la nuque.

La langue de Flora vint à la rencontre de la sienne et elle gémit de façon si sensuelle que Lachlan fut tenté de se précipiter. Il prit ses seins dans ses paumes fébriles et les pétrit au rythme de ses coups de langue possessifs. Elle avait la peau en feu. Dès qu'il se mit à titiller ses mamelons, elle se cambra pour mieux s'offrir.

200

N'y tenant plus, il souleva la chemise mouillée pour exposer ses seins d'ivoire. Elle avait une taille de guêpe, des hanches rondes. Lachlan en eut le souffle coupé.

— Dieu que tu es belle! gémit-il en l'obligeant à le regarder dans les yeux. Ne te cache pas… J'attends ce moment depuis si longtemps… Cette fois, je vais savourer chaque parcelle de ta peau.

Il déposa un baiser sur chaque mamelon rose, puis la dévêtit entièrement. Elle était si menue qu'il pouvait presque faire le tour de sa taille de ses deux mains.

Il brûlait d'impatience de s'allonger, nu, à son côté, puis sur elle, mais il ne fallait surtout pas l'effrayer par sa fougue…

Retenant son souffle, il prit le temps de la contempler, si radieuse au soleil, avec ses cheveux formant un halo doré autour de son visage. Puis il passa une main sur son corps comme pour en graver la moindre courbe dans sa mémoire. Sa main se fit peu à peu plus tendre et il enfouit le visage entre ses seins pour humer le parfum subtil de sa peau nacrée.

Impatiente, elle s'agita et se cambra, l'implorant tacitement d'aller plus loin. Il prit un mamelon entre ses lèvres et le tourmenta à loisir. Jamais il n'aurait imaginé qu'elle soit aussi sensible, aussi sensuelle.

Il s'attarda encore pour la faire monter au bord de l'extase, puis il glissa une main entre ses cuisses. Elle poussa un cri de plaisir et l'érection de Lachlan devint presque insupportable. Si seulement il pouvait la pénétrer, prendre possession de ses replis humides, se nicher en elle! Mais il ne voulait pas la brusquer. Il insinua un doigt dans sa moiteur exquise tout en l'embrassant. Ses coups de langue répondaient au mouvement de va-et-vient de son doigt. Elle tremblait de tous ses membres, plaquant ses seins sur son torse.

Elle était au bord de l'extase. Glissant les lèvres le long de sa gorge, puis de son ventre, Lachlan s'arrêta entre ses cuisses. Elle lui appartenait.

Ignorant ses intentions, elle parut étonnée.

— Qu'est-ce que…

— Je te veux tout entière, Flora.

Sans cesser de la regarder dans les yeux, il lui donna quelques coups de langue pour goûter sa saveur. Elle frémit de plaisir.

Ses protestations éventuelles se noyèrent dans le plaisir indicible qu'il lui procurait. Il l'entendit gémir, la sentit trembler, perdre toute pudeur sous les caresses de sa bouche experte.

Elle semblait refuser de succomber, de perdre tout contrôle, mais elle était à sa merci. Soudain, Lachlan sentit l'extase la submerger dans un ultime spasme. Elle ne put réprimer un cri.

Ivre de désir, il poursuivit ses attentions pour lui procurer un second orgasme en la pénétrant de nouveau de son doigt. Enfin, elle était prête à l'accueillir vraiment. Le sexe de Lachlan palpitait, douloureux d'avoir tant attendu. Très vite, il se dévêtit.

Flora était au paradis. Par deux fois, elle avait connu des sensations indescriptibles et merveilleuses. Peu à peu, elle redescendit sur terre et prit conscience de la présence de Lachlan, nu, à côté d'elle.

Incapable de résister, elle l'observa d'un regard curieux. Sa virilité était encore plus impressionnante qu'elle ne l'avait imaginé.

Elle ne savait pas vraiment à quoi s'attendre, en fait. Certes, elle l'avait touché, caressé, mais la preuve concrète de son désir était un peu effrayante. Devinant son intention, elle prit un peu peur. Comment accueillir en elle un membre de cette taille?

— Ne crains rien, mon amour, tu ne souffriras que très furtivement, au début. Ensuite, tout ira bien.

Elle hocha la tête, mais semblait sceptique.

— Caresse-moi, Flora, murmura-t-il d'une voix rendue rauque par le désir. Comme tout à l'heure…

Elle effleura son ventre du bout des doigts, puis l'extrémité de son sexe vibrant. Il frémit, comme s'il souffrait, au point qu'elle écarta la main.

— Non, continue. C'est bon…

Submergée par une étrange chaleur, elle enroula les doigts autour de son membre, fascinée par la douceur soyeuse de sa peau. Du velours sur une tige de fer.

Il gémit, la mâchoire crispée, les yeux fermés, le corps frémissant. Flora aimait le pouvoir qu'elle avait sur lui. Chaque mouvement lui procurait manifestement un plaisir indicible. Elle descendit tout le long de son sexe, du bout des doigts, puis frotta du pouce son extrémité soyeuse, dont jaillit une goutte de semence.

Avec un juron, Lachlan écarta sa main et l'embrassa avec passion en glissant de nouveau un doigt entre ses cuisses.

Flora devinait qu'il se retenait à grand-peine. Les muscles de ses épaules et de ses bras saillaient sous l'effort. Elle lui caressa le dos.

Enfin, il vint sur elle et la pénétra peu à peu. La sensation était des plus étranges; elle se sentait à la fois possédée et triomphante.

Lachlan avait les traits crispés, mais il soutint son regard. Elle se tendit en ressentant une douleur sourde. Peut-être n'aurait-elle pas dû accepter…

— Ce ne sera pas long, Flora, promit-il. Fais-moi confiance…

Submergée par l'émotion, elle hocha la tête tandis qu'il s'insinuait plus profondément. Soudain, il donna un coup de reins. Elle résista à son impulsion de le repousser. Il demeura immobile, le temps qu'elle s'accoutume à lui, et l'embrassa avec une telle tendresse qu'elle en oublia la douleur. Peu à peu, il bougea, et chacun de ses mouvements diffusait en elle la plus exquise des sensations.

D'abord lents, puis plus intenses, ses mouvements étaient d'une sensualité et d'une tendresse infinies. Jamais Flora n'aurait imaginé qu'un Highlander puisse se montrer aussi tendre. Cependant, il se retenait encore, et elle en voulut bientôt davantage. Elle l'embrassa fébrilement, comme il le lui avait appris, et enroula les jambes autour de sa taille pour épouser le rythme de ses coups de boutoir qui s'accélérèrent.

Ce corps à corps était intense, parfait... Une vague enfla en elle, puis elle eut l'impression d'exploser. Dans un ultime spasme, Lachlan poussa un cri et se déversa en elle.

Enfin, il s'écroula, mais Flora sentit à peine le poids de son corps. Quelques instants plus tard, il roula sur le côté, si immobile qu'elle crut qu'il s'était endormi.

Que dire ? Leurs corps s'étaient exprimés sans retenue.

Il prit une mèche de ses cheveux entre ses doigts. Soudain gênée, Flora rougit. Elle n'osait pas le regarder.

— Nous serons mariés dès la publication des bans, murmura-t-il.

13

— Comment ? fit Flora, abasourdie.

Lachlan se dressa sur un avant-bras et la dévisagea. Une boucle de cheveux pendait sur son front. Il était si beau, si fort... Pour une fois, il semblait détendu.

— Je parle de notre mariage, bien sûr. Comme il était prévu.

Il avait dû se méprendre sur son acceptation..., songea Flora.

Comme elle ne répondait pas, il ajouta :

— Je suppose que je n'ai pas fait ma demande dans les règles...

Il plongea dans son regard d'un air possessif mais plein de tendresse. Elle en eut le souffle coupé.

— Flora MacLeod, me ferez-vous l'honneur de devenir ma femme ?

Flora ne put réprimer un élan de joie. Pendant un long moment, elle fut tentée d'accepter, car elle ne pouvait nier ses sentiments pour ce Highlander bourru. Il ne correspondait en rien à l'image qu'elle s'était faite du mari idéal, mais il avait beaucoup de charme.

Elle demeurait toutefois certaine qu'il lui cachait quelque chose. Il la désirait, même si elle ignorait pour quelles raisons, et elle restait méfiante.

— Je… Je ne sais pas quoi dire.

— Dites oui, tout simplement.

Il semblait un peu inquiet. Si seulement elle avait pu lire ses pensées ! De toute évidence, il cherchait à masquer sa fébrilité.

— Pourquoi ce mariage compte-t-il tant à vos yeux ?

— J'ai pris votre virginité. Je ne vois pas comment vous pouvez me poser cette question.

Pourtant, elle voulait le savoir, et la réaction de Lachlan était décevante. Il n'avait pas exprimé le moindre sentiment. L'espace d'un instant, elle se dit qu'elle aurait préféré un prétendant qui soit un peu flatteur. Elle s'attendait à plus que cela, de sa part.

Elle cacha sa déconvenue sous un sourire.

— Rien ne vous oblige à m'épouser pour cela.

— Mon honneur l'exige, répliqua-t-il d'un ton féroce.

L'honneur…

— C'est tout ? demanda-t-elle doucement. Est-ce vraiment la seule raison pour laquelle vous voulez m'épouser ?

Il hésita une fraction de seconde de trop.

— Je vous ai déjà dit que je tenais à vous.

Il lui caressa la joue, mais elle détourna la tête. *Il ne me fait pas confiance*, songea-t-elle. *Et moi non plus, sans doute. Pas assez pour mettre mon avenir entre ses mains. Ni mon cœur.*

— Non, dit-elle d'un ton neutre. Je ne vous épouserai pas.

L'expression de Lachlan oscilla entre incrédulité et colère.

— Mais vous étiez d'accord !

— Pas du tout, répliqua Flora en se redressant fièrement. Vous m'avez demandé si j'étais consciente des conséquences de cet acte, et j'ai dit oui.

— Vous vous êtes donnée à moi, insista-t-il, le regard perçant. Vous êtes souillée.

Flora tiqua. Jamais elle n'avait été ainsi qualifiée. Il venait de gâcher ce qu'ils avaient partagé.

— La perte de ma virginité ne m'empêcherait nullement de trouver un mari. Si toutefois je voulais en trouver un.

Une lueur peinée apparut dans le regard de Lachlan, mais il se ressaisit vite.

— Dois-je comprendre que vous vous servez de moi, Flora ? demanda-t-il d'un ton faussement calme. Pour vous rendre moins attrayante en tant que fiancée, peut-être ?

Cette pensée lui avait bien traversé l'esprit, mais jamais elle ne se serait donnée à lui uniquement par intérêt.

— Telle n'était pas mon intention, affirma-t-elle. Vous ne vous serviez pas de moi non plus, j'en suis certaine.

Il se figea, réaction vite réprimée qui n'échappa pourtant pas à Flora.

Était-il simplement vexé par son refus de l'épouser ou y avait-il autre chose ? Elle ne voulait pas le faire souffrir, mais elle tenait à connaître ses véritables motivations. Ils venaient de partager des instants magiques, et elle ne voulait pas que des soupçons viennent les ternir.

Elle l'embrassa doucement sur les lèvres.

— Ne soyez pas fâché. Ce malentendu n'enlève rien à ces moments merveilleux. Votre honneur est intact. Je me suis donnée à vous de mon plein gré. J'en assume les conséquences, et je recommencerais volontiers.

Lachlan était perplexe. À quoi pensait-elle donc ? Il ne voulait pas faire d'elle sa maîtresse, mais son épouse! Profondément blessé, il ravala une réplique cinglante.

Le prenait-elle pour un étalon tout juste bon à la chevaucher, mais indigne de l'épouser? C'était la première fois qu'il demandait une femme en mariage. Ce refus lui faisait mal, surtout après des ébats comme il n'en avait jamais connu. Une expérience unique, intense. Un tournant dans sa vie.

C'était comme s'il avait toujours attendu quelque chose qu'il venait enfin de trouver. Quoi qu'il en soit, il ne renoncerait pas. Flora lui appartenait, même si elle s'obstinait à l'ignorer.

Elle lui avait fait don de son innocence, il était en droit d'espérer qu'elle l'épouse. Il aurait pu ne pas lui laisser le choix, mais il refusait de s'imposer: il voulait la convaincre.

Il passa un doigt sur sa gorge, son épaule, puis son sein dénudé. Son mamelon durcit. Il lui prouverait que, malgré leur différence de statut, ils avaient des points communs.

— Nul autre que moi ne vous procurera ces sensations…

Elle l'observa d'un œil méfiant, tandis que le désir renaissait en elle. Il glissa les doigts entre ses cuisses pour s'en assurer. Aussitôt, elle se cambra. Comme il aimait la voir fermer les yeux et serrer les cuisses pour retenir sa main!

Pendant un long moment, il savoura son désir manifeste, puis il l'embrassa avec fougue avant de retirer sa main. Elle gémit de protestation et, surprise par cette interruption soudaine, rouvrit les yeux.

— Non, Flora. Je ne vous ferai plus l'amour tant que vous ne serez pas ma femme.

— Vous êtes immonde! lança-t-elle, furieuse.

— Il vous suffit d'un mot, et je vous donnerai plus de plaisir que vous ne pouvez en espérer.

Elle se détourna vivement. Ses cheveux s'éparpillèrent sur la couverture comme un soleil. Il la désirait tant! Son refus le rongeait. Il entrevit une autre possibilité.

Il la prit par le menton pour l'obliger à lui faire face.

— Et si vous étiez enceinte? demanda-t-il d'un ton faussement détaché. Quelles seraient les conséquences?

Elle retint son souffle et posa d'instinct une main sur son ventre.

— Apparemment, vous n'avez pas envisagé toutes les conséquences.

— Je pense qu'il y a peu de risques..., bredouilla-t-elle.

— Si vous êtes enceinte, vous m'épouserez, même si je dois vous traîner jusqu'à l'autel par les cheveux, c'est compris?

La vivacité de son ton ne laissait aucun doute sur sa détermination. Les yeux écarquillés, Flora hocha la tête.

Lachlan se leva, se rhabilla et, sans un regard pour elle, alla détacher les chevaux. Mieux valait qu'il s'éloigne. Il n'osait pas prononcer un mot de plus, tant son refus de l'épouser l'enrageait.

Depuis qu'elle avait failli se noyer, il devait admettre qu'il n'était plus aussi détaché que l'exigeait la situation. Comment un plan aussi simple au départ avait-il pu devenir si compliqué? Deux mois plus tôt, il s'était pourtant dit qu'Argyll avait accepté bien vite... Il comprenait maintenant pourquoi. Flora MacLeod n'attirait que des ennuis et il avait toutes les peines du monde à concilier à la fois ses sentiments et les exigences de son devoir.

Quand il eut terminé, elle s'était rhabillée et avait replié la couverture. Il ne restait plus trace de leurs ébats.

— Vous êtes prête?

— Vous êtes encore fâché ? demanda-t-elle, hésitante.

Il l'était, mais pas contre elle. La situation lui échappait. Lui qui croyait qu'elle accepterait de l'épouser quand ils auraient fait l'amour… Il avait pourtant admis qu'il tenait à elle. Manifestement, cela ne suffisait pas. Il ne pouvait cependant lui donner davantage. Trop de vies dépendaient de lui.

Sa mine déconfite l'attendrit ; il eut presque un cas de conscience.

Il la prit dans ses bras et l'embrassa légèrement sur les lèvres. Il n'osait aller plus loin, de peur d'attiser le feu du désir.

— Je ne suis pas homme à baisser les bras après un refus, dit-il en plongeant dans son regard confus. Sachez que j'ai la ferme intention de vous faire changer d'avis.

Il se mit à lui titiller le lobe de l'oreille. Pour son plus grand plaisir, elle frémit.

— Je suis prêt à tout, murmura-t-il en posant une main sur un sein qu'il caressa à travers le tissu de sa robe.

Naturellement, son membre durcit aussitôt, mais il ne désirait pas uniquement son corps. Il voulait s'unir à elle pour toujours.

— Je ne suis pas très patient, ma douce, alors ne me faites pas attendre trop longtemps…

14

La résistance de Flora commençait à se fissurer.
Depuis quelques jours, fidèle à sa promesse,
Lachlan s'évertuait à la rendre folle. Il ne manquait
pas une occasion de la frôler, de la toucher, de lui
murmurer des mots doux à l'oreille... sans jamais
l'embrasser.

Le souvenir de ce qu'il lui avait fait ne la quittait
plus. Ses baisers, ses caresses... Cette simple évocation suffisait à la faire rougir. Ses gestes plus
intimes, ces sensations exquises qui l'avaient alors
submergée... Elle avait découvert la plénitude, le
plaisir.

Il prenait un malin plaisir à lui rappeler leurs
ébats, à lui faire des promesses sensuelles de
délices inconnues. Elle était sur des charbons
ardents, au bord de l'implosion.

Elle avait un peu de répit chaque matin, quand
elle donnait des leçons à Mary et Gillian. La trêve
allait bientôt prendre fin, songea-t-elle en soupirant. Les deux jeunes filles étaient parties se changer pour le déjeuner, lui laissant le soin de ranger
leurs livres.

Flora venait de placer un recueil de poèmes sur
l'étagère quand elle sentit un bras musclé l'enlacer
par-derrière. Il la saisit ensuite par les hanches
pour la plaquer contre son corps ferme.

Quand il se fondait ainsi contre elle, elle se demandait... Était-ce possible ? Il l'avait envoûtée ! Sa présence, la chaleur de son souffle, dans son cou... Son corps s'éveilla, avide de sensations.

Lachlan enfouit le visage dans ses cheveux, puis l'embrassa sur la nuque avec douceur, sans toutefois lui accorder la passion dont elle rêvait.

— Je vous manque ? demanda-t-il.

Elle en eut la chair de poule. Face à ce ton moqueur, elle eut envie de le maudire, mais elle brûlait aussi de connaître de nouveau l'ivresse que lui seul pouvait lui procurer.

— Non..., bredouilla-t-elle d'une voix tremblante.

— Menteuse !

Il la relâcha et recula. Elle mit longtemps à se ressaisir.

— Que faites-vous ici ? s'enquit-elle enfin. Vous deviez vous absenter...

Amusé, il arqua les sourcils.

— Je pars, en effet. Je venais simplement vous rappeler votre leçon de demain.

Comment aurait-elle pu oublier une leçon de natation ?

— Je brûle d'impatience, railla-t-elle avec un sourire narquois.

— Moi aussi.

Le sous-entendu n'échappa pas à Flora qui réprima un gloussement. Elle devinait ses intentions, mais son plan ne fonctionnerait pas.

— Au fait, j'ai invité vos sœurs à se joindre à nous...

— Vous avez donc peur d'être seule en ma compagnie, Flora ?

— Bien sûr que non ! protesta-t-elle en se redressant fièrement. Ne soyez pas ridicule !

Il se mit à rire face à ce mensonge éhonté. Elle n'était pas certaine de pouvoir lui résister, voilà la vérité.

— Je me suis dit que les filles aimeraient peut-être sortir un peu, quitter la monotonie du château... Allan pourrait venir aussi...

Lachlan fit la moue.

— Vous m'aviez promis de réfléchir...

— Je l'ai fait, répondit-il en la regardant dans les yeux.

— Et?

— Je regrette, dit-il en secouant la tête. Je dois rester sur ma position. Cette alliance avec Ian MacDonald est extrêmement importante pour nous.

Flora ne masqua pas sa déception.

— Je vois...

En fait, elle ne comprenait rien à l'aveuglement de Lachlan, qui ne voyait que son devoir.

— Et vous, Flora? Avez-vous changé d'avis?

— Comment pouvez-vous parler de mariage alors que votre sœur est si malheureuse? Vous allez donc lui imposer une union dont elle ne veut pas?

Jamais elle n'épouserait un homme qui faisait si peu cas de l'opinion de sa sœur. Il se durcit, mais elle perçut quelques changements dans son expression.

— Je ne lui impose rien. Mary comprend que nous devons tous faire des sacrifices dans l'intérêt de notre clan. Pourquoi en êtes-vous incapable?

Le mariage n'aurait en aucun cas dû être un sacrifice, mais Flora savait qu'il avait raison: Mary endurerait cette épreuve par sens du devoir.

— Jamais je n'épouserais un homme dans de telles conditions.

Lachlan se tendit.

— Il ne s'agit pas de vous, mais de Mary. Ce n'est pas votre combat. Or, vous en faites une croisade personnelle.

— Vous vous trompez, assura-t-elle, sur la défensive. Je veux simplement que Mary ait une chance d'être heureuse. Vous devriez le comprendre.

— Je le comprends, croyez-le bien. Hélas! les sentiments de ma sœur ne sont pas le seul élément à prendre en compte.

— Mais vous avez dit…

— Je n'ai pas promis de changer d'avis, mais de réfléchir. Et je l'ai fait.

— Mais…

— Ne cherchez pas à m'influencer, Flora.

— N'est-ce pas plutôt le contraire? répliqua-t-elle.

Une expression étrange apparut sur le visage de Lachlan. Que diable lui cachait-il?

— Pourquoi m'avez-vous amenée ici, en réalité?

— Pour récupérer mon château, répondit-il après une hésitation.

— Et pour m'épouser?

— Cela me semblait être une bonne idée, dit-il en la dévisageant.

Flora pesa ses mots, car son instinct lui disait qu'elle avait touché un point sensible.

— Pourquoi?

— Pour de nombreuses raisons, fit-il en haussant les épaules.

— Lesquelles, par exemple?

Cette insistance l'agaçait, comme en attestait sa mâchoire crispée.

— Qu'avez-vous envie d'entendre? Je sais ce que vous pensez de votre statut d'héritière convoitée pour sa dot.

— Je veux entendre la vérité!

Elle espérait pouvoir l'encaisser. Lachlan plongea son regard dans le sien.

— Vous êtes belle, riche, vous avez des relations et… cette amulette, symbole de la fin de décennies de malheur pour mon clan. Je serais fou de ne pas vouloir vous épouser.

Elle avait voulu la vérité, elle l'avait, songea Flora. Pourquoi était-ce si douloureux?

Il dut sentir à quel point sa franchise l'avait blessée, car il la prit aussitôt dans ses bras.

— Ce n'est pas parce que je reconnais vos atouts sur le marché du mariage que je ne vous désire pas pour vous-même.

Flora sentit qu'il ne mentait pas, mais elle voulait savoir ce qu'il lui cachait.

— Il n'y a pas d'autre raison ?

Pourquoi fallait-il qu'elle le pousse constamment dans ses derniers retranchements ? Le moment était sans doute venu de lui révéler la vérité.

Lachlan se sentait tiraillé entre deux possibilités : parler à Flora de son marché avec Argyll et mettre son clan en péril en cas de refus, ou lui mentir en affirmant qu'il n'avait pas d'autre motivation.

Elle refusait de subir le même sort que sa mère. Si elle apprenait qu'il se servait d'elle, même si c'était pour des raisons honorables… Parviendrait-elle à lui pardonner cette manipulation ?

Qui cherchait-il à tromper ? Il avait besoin du soutien d'Argyll, quel qu'en soit le prix. Et il devait penser à son frère John. Si seulement il existait une autre solution ! Il n'était pas parvenu à élaborer un plan susceptible de faire libérer John sans provoquer un bain de sang. Et s'il avouait avoir conclu un marché avec Argyll, il risquait de perdre Flora. Un risque qu'il refusait de prendre. Il lui dirait tout dès que son frère serait en sécurité.

La situation était insupportable et il devait y mettre fin.

Elle attendait sa réponse, le regard rivé sur lui, ce qui ne fit qu'intensifier la frustration de Lachlan face à son dilemme.

— Pourquoi persistez-vous à nier ce qui nous unit ? demanda-t-il, presque avec colère. Vous avez donc si peur de finir comme votre mère ? Vous préférez rester seule ?

Flora encaissa le coup.

— Bien sûr que non ! Je ne vois pas de quoi vous voulez parler.

Elle fit volte-face, mais il la retint par le bras et l'attira vers lui. Il perçut les battements frénétiques de son cœur et huma son parfum fleuri qui l'envoûta. Il se crispa à la fois de rage et de désir.

— À mon avis, vous avez peur ! reprit-il. Peur de prendre le risque, peur au point de repousser quiconque s'approche un peu trop. Vos frères et sœurs, moi... Votre existence n'est qu'une révolte contre les épreuves subies par votre mère. Vous êtes si occupée à vous battre contre tout le monde que vous ne reconnaissez même pas ceux qui vous veulent du bien.

Elle rougit de colère.

— Comment osez-vous ? Vous n'avez pas le droit...

— J'ai tous les droits !

Elle allait trop loin. Si elle le cherchait, elle allait le trouver.

— Dès le moment où vous vous êtes donnée à moi, j'ai acquis ces droits. Nos sentiments réciproques n'ont donc aucune importance ? Pourquoi voulez-vous savoir pourquoi je vous veux ? Je vous veux, voilà tout !

Il cherchait à se convaincre lui-même tout autant qu'elle.

— C'est important pour moi, répondit-elle, les yeux brillants.

Elle semblait si fière, si vulnérable, en cet instant... Il aurait voulu la prendre dans ses bras pour chasser ses tourments d'un baiser.

— Ça ne devrait pas l'être. Jamais je ne vous ferai de mal. Pas délibérément, en tout cas. Je veux

216

vous protéger, vous chérir, prendre soin de vous. Vous devez le savoir !

C'était la vérité. Jamais il n'avait autant désiré une femme, de tout son corps, de toute son âme.

— Je ne sais que penser.

Il enfouit le visage dans sa chevelure soyeuse pour humer leur doux parfum. Malgré elle, elle se blottit contre lui.

— Vous réfléchissez trop, peut-être, murmura-t-il.

Il la sentit se détendre contre lui, preuve de son désir.

— Je dois partir, reprit-il en se forçant à reculer. À moins que vous ne me donniez une bonne raison de rester…

Les yeux écarquillés, Flora secoua la tête.

— Vous… Vous ne m'avez pas dit où vous alliez…

Lachlan eut soudain envie de le lui dire. De lui parler des mauvais traitements infligés par Hector à son clan, sur Coll. Mais le croirait-elle, en l'absence de preuves ? Il refusait de dresser une barrière de plus entre eux.

— Je dois régler une affaire sur mes terres. Je serai de retour ce soir.

Il voulut s'éloigner, mais elle le retint par le bras.

— Lachlan…

Surpris, il baissa les yeux vers elle. Il aimait l'entendre prononcer son prénom et crut même un instant qu'elle avait changé d'avis.

— Vous n'avez pas répondu à ma question.

En effet, et il n'en avait pas l'intention. Brûlant de l'envie de la dévorer d'un baiser, il la prit par le menton.

— Je vous ai dit ce qui était important. Maintenant, à vous de décider.

Incapable de résister à la tentation, il posa les lèvres sur les siennes en s'attardant un peu. Il lut ensuite dans ses yeux un désir réciproque.

— Vous m'informerez de votre décision.

Sans un mot de plus, il la laissa réfléchir à son avenir.

Furieux, Hector franchit les grilles de Breaca-chadh sur son destrier. Il n'avait pas éprouvé une telle rage depuis la dernière fois où Coll avait eu le dessus sur lui.

Il mit pied à terre et jeta ses rênes à un garçon d'écurie. Malgré le calme qu'il essayait d'afficher, il transpirait abondamment, et tout son corps tremblait.

Lachlan Maclean s'était trouvé sous son nez, et il lui avait échappé, en compagnie d'une demi-douzaine d'hommes et d'un troupeau de bêtes destinées à la foire.

Mes hommes et mes bêtes! songea Hector.

En apprenant la présence de Coll sur l'île, il avait jubilé. Il s'était précipité pour l'affronter, mais tout était déjà terminé. Coll avait eu le dessus sur une vingtaine de gardes…

Ce brigand allait lui payer ce vol, sans parler de l'enlèvement de sa si précieuse sœur!

Il entra en trombe dans la grande salle sans se soucier de ses bottes alourdies de boue. Où était cette maudite bonne femme?

— Mairi! hurla-t-il, impatient.

La domestique percluse de douleurs apparut sur le seuil.

— Apporte-moi du vin, et vite!

— Bien, monsieur.

Hector crut déceler une note moqueuse dans la voix de Mairi. Il en avait assez de ce personnel récalcitrant. Il allait leur apprendre le respect et ils sauraient qui était leur maître!

Il lança son épée à un valet qui lui avait emboîté le pas.

— Nettoie-moi ça! Et si elle est émoussée, je te coupe la main!

La terreur qu'il lut sur le visage du malheureux le ravit. S'il n'arrivait pas à les soumettre, il les châtierait, mais ils obéiraient, d'une manière ou d'une autre!

Mairi lui apporta un verre de vin. Il avait la gorge sèche. En buvant trop vite, il faillit s'étrangler et recracha un jet de vin sur le sol.

— Comment oses-tu me servir cette piquette? Apporte-moi l'autre flacon! Et amène-moi ta fille, pendant que tu y es.

Mairi écarquilla les yeux d'effroi.

— Comment s'appelle-t-elle, déjà? Janet? Je veux… lui parler.

— Ma fille est partie, hélas! monsieur.

— Eh bien trouve-la et ramène-la-moi! Sinon, tu peux aller chercher ton autre fille.

L'expression atterrée de la domestique ne l'émut pas.

— Mais, monsieur, elle a tout juste treize ans!

— Et alors? fit-il en haussant les épaules. À toi de choisir! J'en veux une. Et si tu me provoques, je prendrai les deux.

Les yeux de Mairi s'embuèrent de larmes.

— C'est le diable qui vous a amené ici. Vous êtes une malédiction! Mais notre laird reviendra!

— Ferme la ou je te coupe la langue! s'exclama-t-il.

Elle s'éloigna non sans lui lancer un regard meurtrier. Bande de crétins! songea-t-il. Il en avait assez de ces superstitions. Ces demeurés lui reprochaient les mauvaises récoltes. C'était ridicule! Ils auraient dû incriminer le vent et la pluie.

Hector avait tout oublié de cette malédiction ancestrale jusqu'à ce que cette sorcière de guérisseuse la lui rappelle. Désormais, c'était Flora qui portait l'amulette.

Comment n'y avait-il pas pensé plus tôt?

Les rumeurs affirmant que Coll courtisait sa sœur l'inquiétaient plus qu'il ne voulait l'admettre. En s'unissant à son ennemi juré, sa sœur le trahirait. Mais la connaissait-il bien?

Si Coll épousait Flora, mettant fin à la malédiction, il serait affaibli. Le pire cependant serait l'alliance avec Argyll. Ce mariage ne devait pas avoir lieu.

Une raison de plus de vouloir la mort de Coll... Il s'installa près de la cheminée pour élaborer un plan. Il avait une petite idée.

15

Le groupe qui se rendit à l'étang des fées était plus important que Lachlan ne l'avait prévu. Outre Flora et ses sœurs, il était accompagné de quelques gardes. Ils arrivèrent avant la marée de midi et passèrent un long moment à manger, boire, et s'ébattre dans l'eau. Bien que Lachlan eût préféré des ébats d'une autre nature, ce fut une bonne journée, surtout après sa victoire de la veille contre Hector.

Il était heureux d'avoir récupéré quelques-uns de ses hommes, mais il était marqué par les souffrances des siens. Les pluies avaient anéanti les récoltes et Hector maltraitait les siens, surtout les femmes. Pour récupérer son bien et mettre un terme à tout cela, Lachlan avait besoin d'hommes. Il ne pouvait plus espérer la clémence du roi. Il avait besoin de Rory et de ses guerriers, et cela ne serait possible qu'avec une alliance par mariage.

Il observa Flora, qui se baignait avec Mary et Gillian. Gillian éclaboussa Murdoch, qui faisait de son mieux pour l'ignorer. Après leur échauffourée de la veille, Lachlan avait jugé bon de s'entourer de gardes, dont Allan, ce qu'il regrettait amèrement. Il suffisait de voir Mary le dévorer des yeux pour comprendre que ses sentiments n'avaient rien d'une passade. Allan refusait cependant de croiser le regard de la jeune fille, car il en avait reçu l'ordre.

— Qu'est-ce qui ne va pas ? demanda Flora en le rejoignant sur les rochers.

Il s'efforça de ne pas contempler ses seins que moulait sa chemise trempée.

— Rien, répondit-il en se penchant pour ramasser sa propre chemise.

Il ne souhaitait pas parler de Mary, car ils seraient toujours en désaccord. Flora n'avait aucun sens du devoir familial.

— Il se fait tard, nous devrions partir.

Lorsqu'il voulut enfiler sa chemise, Flora l'interrompit. Il frémit en sentant sa main glacée sur lui.

— Que s'est-il passé ? demanda-t-elle en effleurant ses côtes. J'ai remarqué cette blessure, tout à l'heure...

Il retint son souffle tandis qu'elle descendait jusqu'à sa taille.

— Vous m'observez de près...

Elle rougit.

— Pas du tout ! Il est difficile de ne pas la voir. Vous vous êtes battu ?

— Ce n'était rien.

— Cela me semble assez grave. Vous avez reçu un coup d'épée. Pourquoi ne voulez-vous pas me raconter ce qu'il vous est arrivé ?

Il avait été attaqué par-derrière, mais son assaillant ne lui avait asséné qu'un seul coup. Il prit le poignet de Flora car elle le rendait fou en le touchant ainsi. Le souvenir de leurs ébats, en ce même lieu, revint en force. Son sexe durcit de désir. Comment rester impassible face à tant d'images troublantes ?

— Cessez de me toucher, ma douce, ou nous terminerons ce que nous avons commencé, mais sous les yeux d'un public.

Flora baissa les yeux et constata l'intensité de son désir. Son regard s'attarda un peu trop long-temps.

— Alors? répéta-t-il.

Elle secoua la tête.

— Emmenez mes sœurs avec vous lorsque vous vous changerez.

Elle s'éloigna de quelques pas puis se retourna.

— Lachlan...

— Oui?

— Je suis désolée. Je ne voulais pas...

Elle semblait si troublée qu'il ne put que sourire.

— Je sais. Filez! Il se fait tard.

Il fut aussitôt submergé d'une onde de chaleur qui n'avait rien à voir avec le soleil. Il n'était pas habitué à ce que quelqu'un se soucie de lui, et c'était bien agréable.

Mary et Gillian s'étaient rhabillées et avaient rejoint les hommes, mais Flora s'attardait derrière son rocher, le temps de remettre de l'ordre dans ses pensées confuses.

L'espace d'un instant, face à Lachlan et à son désir flagrant, elle avait failli succomber, tant les sensations délicieuses qu'elle avait découvertes dans ses bras lui manquaient. Elle était frappée par la force de sa propre réaction, de son désir pour lui. S'il ne lui avait pas rappelé où ils se trou-vaient, elle l'aurait caressé. Le feu du désir couvait entre eux et il suffisait d'un rien pour l'attiser: un regard, un geste, un mot...

Qu'est-ce qui la retenait? Lachlan aurait-il rai-son? Risquait-elle de passer à côté du bonheur? Ses paroles l'avaient touchée. Imaginait-elle une manigance là où il n'y en avait pas?

Elle soupira en laçant le devant de sa robe, puis noua ses cheveux en arrière à l'aide d'un ruban.

Elle faisait des progrès en natation. Elle avait même réussi à mettre la tête sous l'eau sans céder à la panique. Toutefois, elle n'aurait jamais essayé sans Lachlan à son côté.

Avant de s'éloigner, elle vérifia qu'elle n'avait rien oublié. En se penchant pour ramasser le mouchoir de Gillian, elle entendit craquer une brindille. Tout à coup, quelqu'un l'agrippa par-derrière et lui couvrit la bouche d'une main sale. Terrorisée, elle comprit tout de suite que ce n'était pas Lachlan, et que c'était grave. De plus, son agresseur était plus chétif et il empestait la sueur et le cheval.

Elle en eut un haut-le-cœur.

— Pas un bruit, souffla-t-il à son oreille. Sinon, je les tue tous. C'est toi que je veux, ma belle.

Il avait une haleine fétide. Flora n'en revenait pas : elle se faisait enlever une nouvelle fois ! Si elle n'avait pas été aussi terrifiée, elle en aurait ri. L'homme l'entraîna vers les arbres. Elle n'osa pas se débattre comme elle l'avait fait avec Lachlan. Mary et Gillian étaient trop proches.

— Flora, j'ai...

Seigneur ! C'était Gillian qui se demandait sans doute pourquoi elle tardait tant. Flora voulut la mettre en garde d'un regard frénétique, mais il était trop tard.

L'homme qui la maintenait lâcha un juron. Aussitôt, Gillian s'écria :

— Au secours ! Mon Dieu ! À l'aide ! Flora se fait enlever !

Son ravisseur souleva Flora de terre, ce qui l'empêcha de se laisser tomber pour gagner du temps. Les autres étaient alertés, maintenant. Elle n'avait rien à perdre à tenter de se libérer.

Il ne la serra que plus fort et plaqua davantage la main sur sa bouche, lui coupant le souffle, tandis que son autre bras lui enserrait la poitrine. Elle cessa de lutter et tenta d'écarter la main qui l'étouffait.

Ils avaient atteint une clairière, une trentaine de mètres plus loin. Il la relâcha enfin et la poussa vers un autre homme. Elle se pencha en avant pour reprendre sa respiration. Au loin, elle entendit des bruits de combat. Le cœur serré, elle comprit ce qui était en train de se dérouler au bord de l'eau.

L'autre homme amena vivement un cheval.

— Que s'est-il passé ?

— Une fille m'a vu l'emmener.

— Qui êtes-vous ? demanda Flora. Que me voulez-vous ?

— Nous sommes venus vous aider, dit l'homme au visage buriné qui tenait le cheval. Je m'appelle Aonghus. Votre frère nous a chargés de vous libérer des griffes de votre ravisseur.

Son frère ?

— Lequel ? s'enquit-elle.

L'homme parut troublé.

— Le Maclean de Duart...

Hector. Le combat semblait s'intensifier. Un cri déchirant retentit. Flora fit volte-face. Seigneur, c'était Gillian ! Elle voulut se précipiter vers elle, mais son ravisseur la retint. Enfin, elle put l'observer avec attention. Il avait le visage couvert de poils, avec sa barbe hirsute, et de petits yeux noirs féroces sous des sourcils broussailleux.

— Lâchez-moi !

La sécheresse de son ton l'étonna au point qu'il obéit.

— Je suis désolé, pour Cormac, milady, intervint son complice. Mais nous ne voulions pas que vous alertiez les autres.

— Je crois qu'il est trop tard, dit-elle en regardant vers le bosquet.

Les hommes approchaient, et Flora ne savait que faire. Elle voulait simplement éviter que quelqu'un soit blessé à cause d'elle. Quelques semaines plus tôt, elle aurait saisi cette occasion pour s'échapper. Mais à présent... tout avait changé.

— Rappelez vos hommes ! Il y a un malentendu. Je ne suis plus prisonnière.

Elle voulut rejoindre les autres, mais son ravisseur lui barra la route.

— Vous avez été dupée. Coll n'est pas celui qu'il paraît...

Il ne put terminer sa phrase, car ce fut le chaos.

Lachlan avait eu un pressentiment. Il avait ordonné à ses guerriers de se disperser avant de lancer l'offensive. Le cri de Gillian lui avait glacé les sangs. Puis il avait compris que des hommes emmenaient Flora. La vengeance d'Hector ne s'était pas fait attendre. Mais c'était pire que cela : Hector voulait récupérer sa sœur. Plus précisément, il voulait le priver de Flora.

Sans doute le groupe les avait-il croisés par hasard. Par chance, il avait pris quelques hommes avec lui. Ne songeant qu'à la sécurité de ses sœurs et de Flora, il lutta comme un forcené.

Dès qu'ils eurent repoussé l'attaque initiale, il envoya Allan et quelques autres raccompagner les jeunes filles. Ensuite, le cœur serré, il partit en quête de Flora. Voulait-elle partir ou rester avec lui ? Et si elle le quittait ? Quoi qu'elle ait décidé, il ne la laisserait pas partir sans se battre.

Jamais Flora n'avait été aussi heureuse de voir quelqu'un. Les hommes surgirent d'entre les arbres, Lachlan en tête. Il scruta les alentours puis riva les yeux sur elle. De toute évidence, il s'était inquiété pour elle... Les hommes de son frère étaient une bonne douzaine. Aux côtés de Lachlan, ils n'étaient que quatre. Elle ne connaissait que

Murdoch. Les autres étaient sans doute partis avec les deux jeunes filles.

Elle avait vu Lachlan à l'entraînement, mais ce n'était rien, comparé à ses prouesses dans le feu de la bataille. Il maniait l'épée avec adresse et puissance, son poignard dans la main gauche. Il était à la fois brutal et gracieux. Ces mains pouvaient toutefois être caressantes... et son regard bleu implacable pouvait être si doux, quand il se posait sur elle. Oui, Lachlan était bien plus qu'un redoutable guerrier.

Il semblait avoir le contrôle de la situation face à un adversaire en surnombre et paraissait avoir passé sa vie au combat. Jusqu'à ce jour, Flora n'avait pas compris ce que cela signifiait. Elle n'en fut que plus admirative. Se trouver en permanence confronté à la mort...

Tout en éliminant ses assaillants un à un, il progressait vers elle. La situation était un peu plus rassurante.

— Venez, milady ! lança Aonghus. Il ne faut pas rester ici. Nous devons partir.

— Mais je ne peux pas...

Flora hésita, les yeux rivés sur Lachlan. Elle ne pouvait se résoudre à le quitter. En fait, elle n'en avait aucune envie...

Son hésitation n'échappa pas à Cormac, qui la poussa vers son complice.

— Emmène-la ! Je me charge de Coll, dit-il.

Il tira son épée de son fourreau. Flora eut un frisson d'effroi. Cet homme représentait une menace.

Aonghus voulut l'entraîner au loin, mais elle se dégagea de son emprise. Malgré la férocité de l'affrontement, elle refusait de quitter les lieux tant que Lachlan serait en péril.

Elle eut l'impression d'encaisser chaque coup à sa place. Du coin de l'œil, elle vit l'un de ses hommes tomber à terre et réprima un cri d'horreur. Lachlan l'avait remarqué et redoublait d'efforts contre Cormac. Celui-ci n'avait pas sa force, mais c'était un valeureux adversaire qui parait les attaques avec une vivacité étonnante.

Lachlan commençait à fatiguer. Combien de temps encore pourrait-il résister ? Flora risqua un regard en direction des autres. Murdoch était en difficulté, acculé contre un arbre, sans échappatoire. Son compagnon ne s'en sortait guère mieux. La réaction de Lachlan fut immédiate. Dans un effort surhumain, il repoussa Cormac. Profitant d'un instant de distraction, il lui planta son poignard dans le cœur.

Flora se détourna tandis que Aonghus poussait un juron. Il ne cessait de regarder derrière lui. Peut-être attendait-il des renforts… Il l'entraîna avec force, malgré sa taille modeste.

— Lâchez-moi ! protesta Flora en se débattant. Je ne partirai pas…

— Pardonnez-moi, milady, mais je dois insister.

Il l'emmena vers un cheval. Flora eut envie d'appeler Lachlan à l'aide, mais il était parti à la rescousse de Murdoch et se battait seul contre trois. Elle se défendit donc de toutes ses forces.

En voyant Lachlan encerclé, elle étouffa un cri de terreur. Il parait les coups, mais reculait peu à peu. Ils vont les déchiqueter ! songea-t-elle avec effroi. Murdoch, quant à lui, résistait de son mieux. Le troisième compagnon venait de trébucher sur une souche. Flora retint son souffle et se détourna pour ne pas voir un homme de son frère lui planter son poignard dans le ventre. Elle comprit qu'il était mort quand ses deux adversaires rejoignirent leurs compagnons pour affronter Lachlan.

Il était désormais seul contre cinq ! Ses pires craintes se réalisèrent. Un homme de son frère lacéra le bras de Lachlan. Elle poussa un cri en voyant le sang couler.

Aonghus cherchait encore à l'emmener, mais elle résistait de son mieux. Comme elle l'avait fait avec Lachlan, elle lui écrasa le pied et se dégagea de son emprise. Puis elle se précipita vers Lachlan.

Enfin, elle y voyait clair : elle refusait de partir avec les hommes de son frère, car elle ne voulait pas quitter Lachlan.

Elle l'aimait.

Son attirance immédiate pour lui n'avait fait que se renforcer au fil des jours Sous le masque implacable se cachait un homme d'une grande tendresse. Avec lui, elle se sentait protégée, chérie, et surtout désirée. Depuis la mort de sa mère, elle était perdue. Chez Lachlan, elle avait trouvé un foyer, une famille. C'était un rude Highlander, mais il ne manquait pas de subtilité ni de sensibilité.

Il était le premier homme à ne pas s'être laissé impressionner par ce qu'elle représentait : sa fortune, sa beauté supposée, ses relations, son caractère… Lachlan constituait un défi. Elle le respectait et l'admirait. Elle l'aimait plus qu'elle ne l'aurait cru possible. Si seulement elle avait pu en prendre conscience plus vite ! Il était peut-être déjà trop tard…

Elle courut vers lui, mais les combattants étaient si nombreux qu'elle le perdit de vue. Où diable était-il passé ? Elle entendait le souffle court d'Aonghus derrière elle et accéléra. Une branche lui griffa la joue, mais elle ne sentit même pas la douleur. Soudain, elle le vit. La scène resterait à jamais gravée dans sa mémoire. Encerclé, Lachlan parait les coups avec force et assurance. En dépit de son manque d'instruction, elle serait fière de vivre au côté d'un tel guerrier, songea-t-elle. Elle serait fière d'être sa femme.

Dieu merci, Murdoch eut le dessus et alla à la rescousse de son chef. Il ne restait que trois adversaires, mais Lachlan était fatigué. Le front luisant de sueur, la chemise imbibée de sang, il se mouvait de plus en plus péniblement.

Il abattit un autre assaillant. Pétrifiée d'effroi, Flora ne parvenait pas à se détourner du combat. Lachlan ne serait en sécurité que lorsqu'il aurait éliminé les deux hommes restants.

La suite se déroula comme au ralenti. En tentant de parer deux attaques, il reçut un coup sur la tête et s'écroula.

— Non ! cria Flora.

Abasourdis, ses deux adversaires restèrent un moment pétrifiés, puis ils se ressaisirent. L'un d'eux brandit son arme pour porter l'estocade. Sans réfléchir, Flora se rua sur lui.

— Non ! hurla-t-elle, les yeux embués de larmes. Ne le touchez pas !

Elle prit Lachlan dans ses bras. Par chance, son cœur battait encore.

— Ne vous en mêlez pas, milady, intervint Aonghus qui venait de la rejoindre.

— Je ne le quitterai pas ! affirma-t-elle avec un regard meurtrier.

Murdoch les rejoignit.

— La dame vient de vous demander de la laisser tranquille, dit-il.

Les hommes d'Hector semblaient perplexes face à la résistance de Flora.

— Venez, milady, insista Aonghus. Votre frère ne pense qu'à votre sécurité.

— Dites-lui que j'apprécie son aide, mais que je suis en sécurité et que je souhaite rester là où je suis.

Lachlan reprit conscience, la tête endolorie, mais il sentit aussi le corps de Flora blotti contre lui.

En entendant les paroles qu'elle avait adressées aux hommes d'Hector, il avait cru que son cœur allait exploser de bonheur. Il en était à la fois soulagé, heureux et étonné.

— Vous êtes sûre de votre choix ? demanda-t-il.

Il la sentit sursauter, puis elle riva sur lui ses yeux d'un bleu intense. Il lut dans son regard la réponse à sa question, réponse que vinrent confirmer ses propos :

— Je n'ai jamais été aussi certaine de quelque chose de toute ma vie...

Il échangea un regard avec Murdoch, qui se plaça entre lui et les hommes d'Hector. Ignorant ses souffrances, Lachlan se leva et s'adressa à Aonghus, dont il avait déjà croisé le chemin.

— Tu as entendu la dame, Aonghus. Elle ne souhaite pas partir.

— J'ai des ordres, répliqua-t-il en regardant vers le bosquet.

— Tes autres hommes ne reviendront pas, reprit Lachlan en saisissant son épée maculée de sang. Il y a eu assez de morts pour aujourd'hui. Va-t'en, sinon tu seras le suivant à périr.

— Tu es bien téméraire, pour un homme blessé et seul contre trois, répliqua Aonghus.

En entendant Murdoch gronder, Lachlan lui fit signe de se calmer et de ne pas provoquer davantage les hommes de Duart.

— J'ai une bonne raison de me battre, dit-il en regardant Flora. Pouvez-vous en dire autant ? Retournez auprès de votre chef et dites-lui que la jeune femme refuse son... aimable invitation. Elle est heureuse là où elle se trouve.

Aonghus soutint longuement son regard, puis se tourna vers Flora.

— Si vous changez d'avis...

— Elle n'en changera pas, coupa Lachlan.

Aonghus parut sur le point d'ajouter quelque chose, mais il se ravisa et fit signe à ses hommes de s'en aller. Ils rassemblèrent les chevaux de leurs morts et s'éloignèrent.

Lachlan savait cependant qu'ils reviendraient chercher leurs morts et que la guerre n'était pas finie.

Dès qu'ils se furent éloignés, il enlaça Flora qui laissa libre cours à ses émotions. Secouée de sanglots, elle chercha le réconfort dans ses bras. C'était la première fois qu'il la voyait pleurer, et il en était tout désemparé.

Murdoch s'était éloigné pour respecter leur intimité. Allan allait bientôt revenir avec des renforts, et ils devaient ramener leurs morts au château. Chaque victime était une perte cruelle qui les touchait tous.

Après ce déchaînement de violence, consoler Flora lui mit du baume au cœur. C'était la première fois de sa vie qu'il avait quelqu'un à chérir. Car il l'aimait... Il en était conscient depuis un certain temps déjà, sans vouloir l'admettre. Et elle voulait rester avec lui ! Il se croyait à l'abri de toute émotion, mais Flora était différente. Elle était la seule à avoir vu au-delà de son armure. Pour elle, il était capable de songer à autre chose qu'à son devoir envers son clan.

Il admirait son courage et son caractère rebelle et imprévisible. Il aimait son assurance et la vulnérabilité qu'elle cherchait à cacher. Il la prit par le menton pour l'obliger à le regarder dans les yeux.

— Que se passe-t-il ? demanda-t-il en essuyant ses larmes de son pouce.

Il remarqua son égratignure sur la joue.

— Il vous a blessée ?

— Non, hoqueta-t-elle, mais... Je vous ai cru mort. Quand je vous ai vu prendre ce coup sur la tête...

Elle frémit et se mit à pleurer de plus belle.

— Ma mort vous aurait attristée ?

— Bien sûr ! répliqua-t-elle en lui donnant une tape sur le torse. Pourquoi pensez-vous le contraire ?

— Peut-être parce que vous avez refusé de m'épouser...

232

Flora se mordit la lèvre.

— À ce propos… Je ne me rendais pas compte, sur le moment…

Lachlan se figea. Ce qu'il voulait de toute son âme, de tout son cœur, allait peut-être se réaliser…

— Quoi ?

Elle enroula les bras autour de son cou et le regarda droit dans les yeux, avec une intensité qui lui coupa le souffle.

— Je ne me rendais pas compte que je vous aimais.

Lachlan fut submergé d'un bonheur indicible. Comment cette femme superbe pouvait-elle l'aimer ? Il avait peine à y croire.

— Et je vous aime aussi, petite entêtée, avoua-t-il.

— Vraiment ? demanda-t-elle, abasourdie. Pourquoi ne me l'avez-vous pas dit plus tôt ?

Il esquissa un sourire désabusé.

— C'est une expérience nouvelle, pour moi. J'ignorais que ce sentiment irrationnel et intense était de l'amour.

— Irrationnel et intense ? Je suppose que c'est une excellente définition. Moi-même, je n'ai pris conscience de mes sentiments que lorsque j'ai failli vous perdre.

Il la serra plus fort malgré son bras blessé.

— Cela n'arrivera pas…

Elle posa la tête sur son épaule avec un soupir.

— Vous n'arriverez pas à vous débarrasser de moi, je vous préviens. J'ai une réputation à tenir.

— Cela signifie-t-il que vous acceptez de m'épouser ?

Flora releva la tête et opina en riant à travers ses larmes.

— Oui, je veux vous épouser.

Lachlan ressentit à la fois un intense soulagement et un bonheur parfait, au point qu'il n'osa dire un mot. Il l'embrassa avec une fougue plus éloquente que n'importe quelle parole.

16

Il m'aime ! songea Flora, le cœur en joie.

Gillian et Mary étant à l'abri au château, Allan était revenu avec des renforts. Pendant qu'il rassemblait les dépouilles, Flora avait soigné le bras de Lachlan. La plaie était profonde et nécessitait des points de suture. Après l'avoir nettoyée du mieux qu'elle put, elle la couvrit d'un lambeau de sa chemise. Il affirmait ne pas souffrir, mais semblait apprécier les soins qu'elle lui prodiguait. Elle saisissait la moindre opportunité de le toucher.

Après la peur qu'elle avait eue, elle refusait de s'éloigner de lui. Sans doute devina-t-il ce besoin de sa présence, car il la prit avec lui sur son cheval. Toute à la joie de ces sentiments partagés, Flora savoura l'étreinte de l'homme qu'elle aimait, malgré l'horreur qu'ils laissaient derrière eux.

Ce bonheur lui semblait presque être un péché.

Ce soir-là, dans sa chambre, elle se prépara pour la nuit. Elle n'en revenait toujours pas. Ce que sa mère n'avait jamais connu, elle l'avait trouvé là où elle s'y attendait le moins : dans les bras d'un Highlander qui l'avait enlevée. Quelle ironie du sort ! En cet instant, elle aurait pu être mariée à lord Murray... À cette idée, elle frissonna. Jamais elle n'aurait connu cet émerveillement, cette magie de l'amour réciproque.

Elle avait failli accepter un mariage sans amour uniquement parce qu'elle était persuadée qu'aucun homme ne pouvait s'intéresser à elle. Elle redoutait tant de subir le même sort que sa mère qu'elle s'était entourée de barrières que seul Lachlan avait su abattre. Désormais libérée de ses démons, elle pouvait se donner totalement à lui.

Fidèle à elle-même, Flora ne faisait jamais rien à moitié. Elle jeta un dernier regard dans le miroir et souffla sa chandelle.

Installé devant la cheminée de sa chambre, Lachlan ressentait une étrange nervosité. Pour soulager la douleur que lui infligeait son bras, il avala une longue rasade d'alcool. Son malaise était apparu dès son retour au château, quand il avait dû lâcher Flora. Quand il la tenait contre lui, il avait l'impression que rien ne pouvait se dresser entre eux.

Il se leva et se mit à arpenter nerveusement la pièce, le corps vibrant d'une énergie qui ne demandait qu'à se libérer. Après la bataille, il avait généralement besoin d'une femme. Cette fois, cependant, ses pulsions n'avaient rien à voir avec le combat qu'il avait mené plus tôt… Il n'avait qu'une envie, prendre Flora dans ses bras et lui faire l'amour avec passion. Mais elle avait sans doute besoin de repos, après cette journée riche en émotions. Il pouvait bien patienter encore un peu. Dans quelques jours, elle serait sienne pour toujours.

Le baiser qu'ils avaient échangé le laissait affamé. Il brûlait d'envie de sceller leur engagement, mais une partie de lui-même lui intimait d'attendre que Flora sache toute la vérité. Leur amour serait alors mis à l'épreuve. Comment allait-elle réagir en apprenant qu'il avait conclu un marché avec son cousin Argyll ? Lachlan se sentait oppressé. L'orage couvait, et il avait tout à perdre.

En échange de son mariage avec Flora, Argyll avait promis de l'aider à récupérer son château et à faire libérer son frère John de prison. Avec les guerriers de Rory, Lachlan n'aurait sans doute pas besoin d'Argyll pour reprendre son bien et il trouverait peut-être un moyen de faire sortir John. N'eût été son marché avec le comte, il n'aurait rien eu à cacher à Flora.

À son retour au château, il avait organisé une réunion avec ses hommes de confiance pour discuter non de l'attaque menée par Hector, mais d'un plan visant à libérer John du château de Blackness. Il avait reçu une information des plus intéressantes.

John était enfermé dans une tour qui surplombait la mer, dans des quartiers réservés aux soldats issus de familles nobles. S'ils parvenaient à faire passer une corde par une fenêtre, John pourrait descendre le long du mur et sauter dans un *birlinn* qui l'attendrait. Ils avaient un homme infiltré dans le château, mais il travaillait aux écuries, et n'avait pas accès à la tour.

Dans son dernier rapport, il avait appris à Lachlan que certains prisonniers recevaient parfois la visite d'un pasteur. C'était l'occasion rêvée. Il suffisait que ses hommes retiennent ce pasteur et lui empruntent ses vêtements. L'un d'eux se ferait passer pour l'homme d'Église et cacherait une corde sous sa soutane. Le soir venu, John pourrait s'évader.

L'effet de surprise jouerait en sa faveur. Sir James Sandilands, gardien du château, ne s'attendrait pas à cette évasion, car toute évasion semblait impossible.

Restait à savoir qui se chargerait de cette mission. Dans un premier temps, Lachlan s'était porté volontaire, mais ses gardes s'y étaient opposés. En tant que chef, il ne pouvait prendre le risque d'être capturé. S'il lui arrivait quoi que ce soit, son clan serait à la merci d'Hector. Allan se ferait donc passer pour le pasteur.

En cas d'échec, Lachlan aurait besoin d'Argyll et de son influence sur le roi pour obtenir la libération de John. Son plan était périlleux, et jamais il n'aurait couru un tel risque s'il n'avait pas tant souhaité échapper à son marché avec Argyll.

Plongé dans ses pensées, il observait la mer sombre par la fenêtre et entendit à peine que l'on frappait à sa porte. Ce devait être Morag.

— Apporte-moi encore un peu de bière, et tu pourras disposer, dit-il sans se retourner.

— Vous me donnez déjà des ordres alors que nous ne sommes pas encore mariés ? Cela commence bien...

En entendant la voix de Flora, il se retourna et découvrit l'objet de son désir, toute de soie ivoire vêtue. Ses longs cheveux blonds cascadaient sur ses épaules nacrées et elle était pieds nus.

Seigneur, elle avait donc décidé de le torturer !

— Que faites-vous ici ? demanda-t-il avec une brusquerie involontaire. Vous devriez être au lit.

Elle s'approcha de lui. Les flammes de la cheminée dessinèrent des ombres sur son visage, et à travers la fine étoffe de son vêtement, il décela...

Il retint son souffle. Elle était nue sous la soie... Son sang se mit à bouillonner dans ses veines et son corps tout entier se raidit.

— Je ne trouvais pas le sommeil, répondit-elle. Vous non plus, à en juger par cette chope.

— Qu'êtes-vous venue faire ici, Flora ?

Elle continua à avancer en ondulant des hanches, puis s'arrêta juste devant lui. Son parfum fleuri affola les sens de Lachlan.

— N'est-ce pas évident ?

Son cœur s'emballa : elle s'offrait à lui. Dire qu'il la désirait plus que tout au monde !

Elle passa les bras autour de son cou et se lova contre son torse nu. Il sentit la douceur de la soie sur sa peau, puis la forme de ses seins. La sensation de chaleur fut si intense qu'il gémit et en oublia la douleur de son bras.

— Puisque nous serons mariés dans quelques jours, je pensais que vous voudriez attendre d'être officiellement ma femme, dit-il, déterminé à résister à la tentation.

— Mais il faut deux semaines pour publier les bans ! protesta-t-elle, contrariée.

— J'ai écrit à votre cousin pour obtenir une dispense.

— Vous n'avez pas perdu de temps…

— J'avais peur que vous changiez d'avis, avoua-t-il, un peu coupable.

Si son plan échouait, il n'attendrait pas un jour de plus pour libérer son frère et son clan.

— J'ai également écrit à Rory.

Elle sourit et se blottit davantage contre lui.

— Je suis flattée, mais il n'y a aucune raison de se précipiter. Je ne changerai pas d'avis. Cela dit, je pense que mon cousin et mon frère seront si impatients de me marier qu'ils feront le nécessaire pour hâter les choses. Je crains d'avoir beaucoup agacé mon cousin, ces derniers temps.

— À juste titre, je suppose.

— Peut-être, admit-elle avec un sourire espiègle. Vous pensez qu'ils risquent de ne pas nous donner leur accord ?

L'ironie de sa question n'échappa pas à Lachlan, pour qui l'affaire était réglée.

— Je me suis montré très persuasif. Il n'y aura pas de refus.

Le cas échéant, Argyll veillerait à ce que Rory accepte, songea Lachlan. Elle posa sur lui un regard si confiant qu'il dut détourner les yeux.

— Je connais votre force de persuasion, dit-elle en caressant son bras valide. Leur avez-vous précisé…

Il savait à quoi elle faisait allusion : sa virginité.

— Je ne le ferai qu'en cas de nécessité.

Soulagée, elle hocha la tête, sans cesser de le caresser. Sa main errait sur sa peau avec la légèreté d'une plume, attisant le feu de son désir.

— Nous aurons besoin de temps pour les préparatifs de la cérémonie, non ? reprit-elle.

Il devenait presque incapable de penser, tant il était sous l'emprise de ses sens en émoi.

— Je n'attendrai pas plus de temps que nécessaire pour faire de vous ma femme, dit-il. Je vous aurais épousée aujourd'hui même, si je l'avais pu. Nous nous marierons dimanche.

Quatre jours. Il pouvait patienter quatre jours…

Elle glissa la main sur son ventre, puis plus bas.

— Cela me semble long, fit-elle en s'approchant peu à peu de son sexe dressé. Et il n'y a pas vraiment de raison…

Lachlan ne voyait pas de raison d'attendre, lui non plus. Il n'avait plus qu'une idée en tête, lui faire l'amour jusqu'à l'épuisement. Après cela, elle ne pourrait douter de leurs sentiments partagés.

Elle le regarda d'un air hésitant. Sa réticence soudaine devait la déstabiliser, alors qu'il n'avait cessé de la poursuivre de ses assiduités.

— Vous étiez sincère, n'est-ce pas ? demanda-t-elle presque timidement.

Il déposa un baiser sur son front soucieux.

— Oui, mon amour.

C'était justement ce qui rendait les choses plus difficiles pour lui.

— Vous m'aimez ?

— De tout mon cœur.

— Alors montrez-le-moi…

C'était un défi qu'il ne pouvait que relever. Il n'était pas homme à exprimer ses sentiments par des formules mièvres, et il n'y avait pas de mots pour traduire ce qu'il ressentait en cet instant. Il possédait ce qu'il y avait de plus précieux au monde, l'amour de Flora. Il se sentait invincible. Comment le lui prouver ? En lui faisant l'amour, jusqu'à ce qu'elle ait la certitude absolue d'être à lui.

Il l'attira à lui et l'embrassa avec ardeur. Sa passion était intensifiée par l'attente, la peur, la frustration des derniers jours.

Il gémit en goûtant sa saveur. Son baiser se fit plus exigeant. Elle y répondit avec de petits cris de plaisir étouffés qui l'encouragèrent et se fondit contre lui, au point qu'ils ne faisaient plus qu'un.

Lachlan déposa une multitude de baisers fébriles sur sa joue, son cou, mais il en voulait davantage : il voulait dévorer chaque parcelle de sa peau nue. Il l'allongea doucement sur le lit, puis la dévêtit lentement. Lorsqu'elle essaya de se glisser sous les couvertures, il l'en empêcha.

— Non… Laisse-moi t'admirer…

Il aurait aimé que ces instants durent éternellement. Elle était si belle, ainsi offerte, à la lueur du feu de cheminée dont les flammes faisaient danser des ombres sur sa peau d'albâtre. Il glissa les doigts dans sa crinière dorée, puis suivit les contours de ses lèvres. Son désir s'intensifia au spectacle de ce corps svelte aux rondeurs voluptueuses, de ces seins ronds, de ces mamelons roses. Il ne put résister à l'envie d'en prendre un dans sa bouche. Flora gémit de plaisir, mais il s'écarta. Il voulait poursuivre son exploration sensuelle.

Son ventre plat, ses hanches rondes… Sa taille de guêpe, et ses fesses… Depuis une semaine, il les avait si souvent senties plaquées contre lui ! Il se promit de satisfaire la curiosité de Flora en lui faisant découvrir d'autres plaisirs. Mais pas tout de suite.

Et ses jambes… Longues et fines, terminées par de petits pieds délicats. Il avait vu nombre de femmes nues, mais aucune n'avait cette beauté. Son désir avait toutefois une autre origine, un sentiment indéfinissable, une chaleur nouvelle. Perdre Flora serait perdre une partie de lui-même.

— Lachlan…

Face à sa gêne, il se rappela qu'elle était encore innocente à bien des égards.

— Tu es si belle… J'ai plaisir à te regarder.

Elle contempla son torse nu, puis le renflement suggestif de son entrejambe.

— Cela se voit.

— Tu es bien téméraire, remarqua-t-il avec un sourire.

— Uniquement avec toi, précisa-t-elle.

Devant tant d'abandon, il fut saisi d'un élan possessif.

— Tu m'intimides, *mo ghradh*, mon amour.

Les yeux pétillants de bonheur, elle tendit la main vers lui et glissa une mèche de ses cheveux derrière son oreille.

— Je suis heureuse. Je t'aime et je me sens aimée.

— Sois-en certaine, répondit-il. Quoi qu'il arrive, Flora, ne doute jamais de mon amour pour toi.

La véhémence de son ton étonna Flora, qui parut hésiter.

— Que pourrait-il bien arriver ?

Lachlan se maudit d'avoir été si bavard et sentimental.

— Rien, assura-t-il en se déshabillant. Mais après cette nuit, je te promets que tu ne douteras plus jamais de mon amour.

Flora tremblait d'impatience. La voix sensuelle de Lachlan avait embrasé ses sens, et elle savait qu'il était sincère. Mais ce fut son regard qui la toucha en plein cœur : intense, possessif, respectueux. Elle avait l'impression d'être la plus aimée et la plus belle des femmes.

Dans un premier temps, elle avait perçu chez lui une certaine hésitation, voire de la réticence. Cette volonté d'attendre le mariage était touchante, surtout de la part d'un Highlander.

Elle n'avait aucune envie de patienter davantage. Elle se consumait de désir pour lui et le souvenir des sensations qu'il pouvait faire naître d'une simple caresse la hantait. L'excitation était montée en elle comme une vague. Sa bouche, ses mains… Elle voulait l'accueillir en elle.

Son torse nu luisait dans la lumière dorée soulignant ses muscles saillants qui paraissaient taillés dans le marbre. Jamais elle ne cesserait de s'émerveiller de ce spectacle. Elle fronça les sourcils en observant son pansement.

Elle le saisit par le poignet. Peut-être était-ce là la raison de sa réticence…

— Ton bras te fait souffrir ?

— Non, ça va.

— La plaie est cousue ?

— La guérisseuse s'en est chargée après le souper.

— Ah…

La guérisseuse. Seonaid. Flora ne put réprimer la bouffée de jalousie qui la submergea. Sa maîtresse l'avait touché, elle avait admiré son torse nu. Lachlan lui avait dit l'aimer, mais sans promettre d'être fidèle. À cette pensée, elle sentit son cœur se serrer et se jura de faire en sorte qu'il n'ait jamais envie d'aller voir une autre femme… Mais comment ?

— Qu'est-ce qui te tourmente, ma douce ?

— Rien, répondit-elle en le lâchant pour l'inciter à poursuivre.

Il se mit à rire et l'embrassa sur les lèvres.

— Tu es jalouse ? Tu n'as aucune raison de l'être.

— Je ne suis pas jalouse.

Il lui adressa un sourire irrésistible.

— Ce n'est pas drôle. Cela te plairait que je me retrouve seule dans une chambre avec un homme dont j'ai été la maîtresse ?

Il eut alors un regard noir qui la ravit.

— Je le tuerais. Mais tu n'auras pas d'autre amant que moi, la question ne se pose pas.

— En sera-t-il de même pour vous, milaird ? Je ne serai pas une épouse très conciliante, vous verrez.

Lachlan mit un moment à assimiler ses paroles puis il éclata de rire.

— Tes craintes sont infondées. Je respecte toujours mes engagements.

— Tu ne prendras donc pas de maîtresse ? demanda-t-elle avec espoir.

— Jamais je ne te déshonorerai, dit-il en soutenant son regard.

Flora avait pensé un peu plus tôt qu'elle ne pourrait être plus heureuse. Or, elle s'était trompée. À présent, elle avait le monde à ses pieds. Oubliant sa nudité, elle passa les bras autour du cou de Lachlan.

Aussitôt, elle fut parcourue d'un frisson de désir irrépressible. Elle gémit et se lova contre sa peau chaude. Il s'empara de sa bouche pour l'embrasser avidement. Flora enfonça les ongles dans les muscles saillants de son dos.

Il prit un mamelon entre ses dents pour le titiller. De sa langue, il traça un sillon brûlant sur sa peau moite, de son oreille à son cou, puis entre ses seins. Le contact de sa barbe naissante sur sa peau l'enivrait. Elle sentait ses seins tendus de désir. Dès qu'il se mit à lécher et sucer un mamelon, elle frémit et se cambra vers lui en enfouissant les doigts dans ses cheveux pour l'attirer plus près.

Elle s'agita sous ses coups de langue sensuels et perçut une palpitation entre ses jambes.

Lorsqu'il s'écarta pour l'embrasser sur le ventre, elle fut un peu frustrée, mais elle se rappela leurs derniers ébats... Et les caresses intimes qu'il lui avait prodiguées de sa langue.

Était-ce convenable ? Peu importait. Son corps réclamait ces attentions. Enfin, il embrassa l'intérieur de sa cuisse et glissa un doigt dans les replis humides pour s'assurer qu'elle était prête. Jamais Flora n'avait été aussi impatiente. Elle brûlait de savourer ses caresses expertes. Elle voulait revivre ces instants magiques, sentir cette chaleur qui inondait son ventre pour se propager dans tout son corps... Il la prit par les hanches pour l'attirer vers sa bouche.

Elle ne pouvait plus attendre. Tout son corps le réclamait.

Dès le premier coup de langue, il la regarda dans les yeux. Elle se mit à crier tandis que des ondes de plaisir la submergeaient. Ses tremblements se muèrent en spasmes. Bientôt, ce fut l'explosion, dans un cri d'extase. Lachlan attendit le dernier spasme pour s'interrompre.

Flora était épuisée, le corps brûlant et lourd, comme si elle allait sombrer dans un profond sommeil. Ce n'était cependant que le commencement.

Lachlan s'agenouilla et entreprit de se dévêtir.

— Attends, dit-elle.

Elle voulait le toucher, sentir sa force sous ses doigts. Il se laissa faire, le regard brûlant. Flora s'assit et contempla longuement le corps sculptural de son guerrier, ses larges épaules, ses bras puissants, ses cicatrices... Pourtant, cette force n'était rien en comparaison de l'amour qu'elle ressentait pour cet homme.

Elle effleura son ventre Plus elle s'approchait de son sexe dressé, plus Lachlan se tendait. Lentement, elle dénoua le cordon de sa culotte de cuir, joueuse, comme si elle allait prendre sa verge dans sa main. Il retint son souffle. Le cuir glissa sur ses hanches, révélant l'intensité vibrante de son désir.

Fascinée par la douceur de sa peau, Flora passa le bout des doigts le long de la verge dressée. Lachlan gémit sous ses caresses. Elle fit alors glisser son pouce sur la pointe veloutée de son gland. Sentant son impatience, elle enroula les doigts sur le membre et entama des mouvements de va-et-vient, de plus en plus vite, se délectant de ses palpitations sous ses doigts.

Il avait le visage crispé, le regard sombre, féroce. Flora aimait ce pouvoir qu'elle avait sur lui et il lui vint soudain une idée qu'elle n'aurait jamais osé exprimer. Il fallait qu'il n'ait plus jamais envie d'une autre femme. Il l'observait, la mâchoire crispée, comme s'il devinait ses pensées.

Elle s'humecta les lèvres.

— Puis-je...

Les mots ne vinrent pas.

— Est-ce que..., reprit-elle, les yeux levés vers lui.

— Oh oui..., souffla-t-il.

Elle se pencha doucement et approcha sa bouche.

La réaction de Lachlan fut instantanée. Il fut parcouru d'une onde de plaisir fulgurante, comme il n'en avait jamais connu, un plaisir intense qui se propagea dans tout son corps. Le contact de ses lèvres douces sur son gland était irrésistible, presque douloureux.

Il voulait lui prouver l'intensité de son amour, ce soir-là. Or, Flora l'avait pris au dépourvu. Sa sensualité instinctive était à la hauteur de la sienne. Il avait senti en elle une femme audacieuse, sans pour autant s'attendre à une telle audace. Il était à sa merci.

Elle se montra d'abord timide, et il eut toutes les peines du monde à ne pas la guider de ses mains. Ses lèvres descendirent le long de sa verge, puis elle lui donna un long coup de langue voluptueux.

Les yeux mi-clos, il voyait scintiller ses cheveux blonds, mais ce fut le spectacle de sa bouche qui le bouleversa. Jamais il n'avait connu un tel plaisir. Il luttait contre les bas instincts que suscitaient ces caresses. Il n'avait plus qu'une envie, pénétrer sa bouche.

Bientôt, une goutte de semence apparut. À sa grande stupeur, elle l'aspira d'un coup de langue. N'y tenant plus, il gémit et franchit ses lèvres.

Aussitôt, il se noya dans un océan de délices. Il s'agrippa à elle pour ne pas donner un coup de reins, le temps qu'elle s'habitue à ce contact.

Elle se dégagea un instant.

— Dis-moi comment faire...

Le cœur battant, il se maîtrisa.

— Fais avec ta bouche ce que tu fais avec ta main.

Elle se rapprocha et se pencha sur lui.

Cette fois, Lachlan ne pensa plus à rien et s'abandonna au plaisir qu'elle lui procurait. Il était au paradis. La pression était si intense, le besoin d'exploser si puissant qu'il se tendit de tout son corps. Juste avant de se répandre, il s'arracha de sa bouche.

Flora lui lança un regard étonné.

— Il faut que je te prenne... tout de suite...

Sans un mot de plus, il l'attira vers lui, s'allongea sur elle et l'embrassa avec ardeur dans le cou, sur les seins. Puis il la pénétra en la regardant dans les yeux, désireux de faire durer ce moment. Elle l'accueillit avec enthousiasme, dans une onde de plaisir.

Il voulait qu'elle sente qu'ils ne faisaient plus qu'un. D'un regard, il exprima ses sentiments et s'immobilisa. Sa plainte le toucha au plus profond de lui-même.

Pour la première fois de sa vie, il connaissait la plénitude.

Flora savait qu'elle ne se sentirait jamais aussi proche de lui qu'en le prenant dans sa bouche. D'abord, elle crut qu'il suffirait de l'embrasser, mais Lachlan semblait attendre davantage. Jamais elle n'aurait cru…

Jamais elle n'aurait eu l'idée de l'accueillir ainsi, car son sexe était impressionnant. Consciente du plaisir qu'elle lui procurait, elle se détendit et fit de son mieux. C'était une sensation étrange, mais elle était plus proche de lui que jamais.

Jusqu'à ce qu'il l'attire vers lui et la pénètre en la regardant droit dans les yeux. Elle lui livra alors son cœur. L'émotion fut si profonde qu'elle en eut un peu peur. Il possédait désormais sur elle un pouvoir qu'elle n'avait jamais accordé à aucun homme.

Le plus merveilleux, c'était qu'elle lisait dans son regard les mêmes sentiments. Sa tendresse, sa douceur en disaient long sur son amour pour elle.

Lachlan n'était pas homme à composer des poèmes ou à faire de grandes déclarations. Sans doute était-elle la première à qui il avouait son amour.

En se blottissant contre lui, elle eut la certitude que c'était le cas.

Lachlan avait ignoré jusque-là ce qu'était le véritable désir. Ce n'était pas seulement un besoin charnel. Avec Flora, il ne cherchait pas seulement à soulager une pulsion. Il voulait posséder chaque fibre de son être. Il savourait chaque sensation, chaque caresse sur sa peau.

Lovée dans ses bras, elle gémit et se pressa contre lui. Il s'empara de ses lèvres et entama un va-et-vient sensuel. Il lui montra comment soulever les hanches pour épouser son rythme et l'accueillir plus profondément en elle.

Elle était si étroite… Il éprouvait un plaisir fou à se mouvoir en elle, à plonger dans sa chaleur. Jamais il n'avait été aussi tendre.

Au moment de l'extase, il vit son regard émerveillé et perçut son cri étouffé. Dans un dernier coup de reins, il connut l'orgasme le plus violent de toute sa vie.

Quand ils eurent repris leur souffle, il ne put se séparer d'elle. Trop ému pour parler, il la serra dans ses bras

— Je n'arrive pas à y croire, dit Flora, rompant le silence.

— Si je devais de nouveau te prouver mon amour, je ne m'en remettrai peut-être pas.

— Comment pourrais-je douter, maintenant ? demanda-t-elle. Mais je n'imaginais pas ce qui vient de se passer. Jamais je n'aurais pensé rencontrer un homme qui me voudrait pour moi-même. Ma mère croyait cela impossible.

Elle posa une main sur sa joue, les yeux embués de larmes.

— J'ai beaucoup de chance, murmura-t-elle.

Lachlan sentit son cœur se serrer, car la réalité lui revenait de plein fouet. Il la serra plus fort. Son plan visant à libérer son frère John allait fonctionner, il le fallait absolument.

17

Trois jours plus tard, alors qu'il s'entraînait avec ses hommes pour préparer sa reprise de Breacachadh, Lachlan reçut la réponse qu'il attendait.

— Je regrette, milaird, fit Allan, le visage maculé de boue.

Il venait d'arriver, car l'odeur de la lande flottait encore autour de lui.

Le cœur de Lachlan se serra. La tentative d'évasion avait échoué.

— Que s'est-il passé ? s'enquit-il, se préparant au pire.

— Tout s'est déroulé comme prévu. Hugh a réussi à tromper les gardes et à introduire une corde dans la cellule. Nous attendions John à bord d'un *birlinn*, en contrebas, quand il a entamé sa descente. Malheureusement, à mi-chemin, un garde l'a repéré. Nous avons attendu autant que possible, mais nous avons dû nous replier pour ne pas être capturés.

Ils avaient eu de la chance. Le roi allait sans doute le soupçonner, mais il n'aurait aucune preuve.

— Et John ? demanda-t-il, les poings crispés. Qu'est-il arrivé à mon frère ?

— Ils l'ont remonté avec la corde. Nous avons eu peur qu'il fasse une chute mortelle.

— Je ne comprends pas. Il devait descendre sur la face opposée à celle de la vigie. Comment a-t-il pu se faire remarquer?

— Nous avons découvert plus tard qu'un garde avait quitté son poste pour soulager un besoin naturel. Il a levé les yeux au mauvais moment.

Lachlan serra les dents. Il devinait à l'expression d'Allan que ce n'était pas tout.

— Je t'écoute…

— Notre homme infiltré dans le château nous a rejoints au village voisin, comme convenu en cas de problème… John est au cachot.

Lachlan jura et jeta son épée à terre. Le cachot était réservé aux pires malfrats. Cette fois, il ne pourrait se passer de l'aide d'Argyll. Flora devrait comprendre qu'il n'avait pas le choix.

Les mariages arrangés étaient courants, après tout. Le leur ne serait pas différent des autres, à un détail près: ils étaient amoureux l'un de l'autre. N'était-ce pas le plus important?

Lachlan trouva Flora dans le petit salon. Malgré trois nuits de passion torride, elle sentit le désir renaître instantanément dès qu'elle le vit.

Les journées s'écoulaient dans l'effervescence. À mesure que le mariage approchait, leurs ébats devenaient plus fébriles, comme si le feu qui les consumait allait les emporter. Flora n'en avait jamais assez.

Il la prit par la taille et plaqua son torse puissant dans son dos. Elle se lova dans sa chaleur et ferma les yeux. Les mains sur ses seins, il l'embrassa dans le cou en lui faisant sentir l'intensité de son désir. Elle frémit lorsqu'une torpeur sensuelle désormais familière s'empara d'elle. Plus rien n'existait que ses mains sur son corps, son souffle court, les ondulations de ses hanches.

Il souleva le bas de sa robe et lui écarta les jambes. Elle tremblait tant qu'elle tenait à peine debout. Prête à l'accueillir, elle palpitait déjà... Dès qu'elle sentit son sexe contre elle, elle se cambra, mais Lachlan la fit languir jusqu'à ce qu'elle se mette à gémir d'impatience.

Enfin, il s'insinua en elle. Désireuse de mieux l'accueillir, elle se pencha en avant.

Lachlan étouffa un juron tant la sensation était intense. Lentement, il entama ses mouvements de va-et-vient, tout en libérant ses seins du haut de sa robe. Il accéléra jusqu'à ce qu'elle se trouve au bord de l'extase.

— Je vais jouir, souffla-t-il, les dents serrées.

Flora aimait le voir perdre tout contrôle, l'entendre exprimer son plaisir. Il se mit à murmurer à son oreille tout en glissant une main entre ses jambes pour stimuler son point sensible. Puis, n'y tenant plus, il explosa en elle.

Lachlan laissa leur passion partagée retomber peu à peu. Il ne pensait pas se montrer aussi brutal. Au départ, il était venu la voir pour tout autre chose, mais le récit d'Allan l'avait bouleversé et il avait cherché le réconfort dans les bras de Flora.

Il se retira enfin.

— J'ai une surprise pour toi, murmura-t-il.

Elle reprit son souffle et se tourna vers lui.

— En plus de celle-ci ?

— Coquine !

Si seulement son unique souci pouvait être de la satisfaire dans toutes les positions imaginables ! L'échec de l'évasion de son frère le tourmentait. En cherchant à ne pas blesser Flora par son marché avec Argyll, il n'avait fait qu'aggraver la situation. Quand elle le regardait ainsi, les yeux pétillants de bonheur, il avait l'impression d'être un héros. Plus d'une fois, il avait failli lui parler de son frère et de cet accord avec Argyll, surtout après l'amour, quand ce qui les liait lui semblait indestructible. Hélas ! il redoutait toujours sa réaction, compte tenu de son caractère et de sa peur de subir le même sort que sa mère. Il refusait toutefois de mettre son frère et son clan en péril.

Sa rage avait dû s'exprimer à travers son comportement, et sans doute se demandait-elle pourquoi il avait ces élans de passion extrême. Elle le saurait bien assez vite...

Il écarta une mèche dorée de son visage et la glissa derrière son oreille. Elle sourit et pencha la tête vers sa paume.

— Viens, dit-il en détournant les yeux. Mais remets un peu d'ordre dans ta tenue d'abord...

Flora rougit et s'exécuta. Déjà, elle sentait renaître son désir. Décidément, elle était insatiable...

— Quelle est cette surprise ? Où allons-nous ?

— Patience, répondit-il. Ce ne serait plus une surprise...

Dès qu'elle eut rajusté sa tenue, il la prit par la main et l'entraîna dans l'escalier.

— Tu m'emmènes dans ma chambre ?

— Oui, mais ce ne sera bientôt plus ta chambre, dit Lachlan en ouvrant la porte. Nous devrons tout changer dès demain.

Elle observa les malles disposées dans la pièce.

— Qu'est-ce...

Soudain, elle comprit.

— Ma garde-robe ! Tu as fait venir mes effets...

— Et tes souliers, ajouta-t-il. Deux malles pleines de souliers.

Il en avait encore mal au dos.

— Je me suis dit que tu devais en avoir assez des vieilles robes de Mary, et...

Il ne put terminer car elle se jeta à son cou pour l'embrasser avec fougue. Il ne s'attendait pas à de telles effusions. Ses toilettes lui avaient certainement manqué. Jamais il ne comprendrait cette fascination pour les soieries, la mode... Cependant, il ne voyait aucun inconvénient à ce que sa femme soit belle et apprêtée.

— Tu es merveilleux ! s'exclama-t-elle. Comment te remercier ?

— Je crois avoir une petite idée...

Elle esquissa un sourire espiègle.

— Moi aussi, mais il faudra attendre un peu, le temps que je défasse mes malles.

Elle ouvrit la première et en sortit des robes plus somptueuses les unes que les autres, soupirant d'aise chaque fois qu'elle retrouvait une de ses toilettes favorites. Elle s'émerveilla devant la soie, le brocart, le velours, la dentelle... Lachlan n'avait jamais rien vu d'aussi raffiné.

Il se réjouissait de son bonheur, mais ces signes de richesse le gênaient un peu. En la voyant vêtue simplement, il était facile d'oublier d'où elle venait. À quelle occasion pourrait-elle donc porter ces tenues si raffinées ? Lors de son déplacement annuel à Édimbourg, pour témoigner son allégeance au roi ?

Il se dirigea vers la cheminée sur le manteau de laquelle se trouvait une petite boîte contenant l'autre surprise qu'il lui réservait.

— Je te laisse ranger tes affaires, mais je voudrais te remettre ceci avant de partir, dit-il en lui tendant la boîte.

Elle posa ses dessous et se tourna vers lui.

— Que pourrais-tu me donner de plus ?

— Ce n'est qu'un petit cadeau, pour célébrer notre mariage.

— Mais je n'ai rien à t'offrir en échange, répondit-elle, la mine grave.

— Je ne veux rien de plus, assura-t-il. Je t'en prie, prends-le.

Flora l'observa d'un œil hésitant, puis s'assit dans le fauteuil pour ouvrir le coffret. Lachlan attendit. Il l'entendit retenir son souffle tandis qu'elle sortait une pantoufle de la boîte pour l'examiner. Elle était ornée de perles et de diamants scintillants.

— Lachlan..., murmura-t-elle, les yeux écarquillés. Comment as-tu...

Il tenta de masquer son plaisir.

— La tradition veut que le père offre des souliers au marié mais... J'ai pensé que tu pourrais les porter pour la cérémonie. Je les ai fait faire en ivoire car je ne connaissais pas la couleur de ta robe.

Elle enfila la pantoufle et en admira l'effet.

— Elles me vont à merveille, commenta-t-elle. Comment as-tu fait ?

— J'ai réussi à récupérer une des pantoufles que tu as perdues en mer. Elle s'est échouée sur la plage, le lendemain matin.

— Mais tu as dû les commander il y a un certain temps déjà ! Comment pouvais-tu deviner...

— J'espérais te convaincre, à force de persévérance.

— Eh bien, fit-elle avec un large sourire, sous ton armure de guerrier se cache un romantique...

— Ne dis pas de bêtises, répondit-il, les sourcils froncés. J'aurais préféré t'offrir un bijou...

— Surtout pas ! s'exclama-t-elle en serrant ses pantoufles contre elle, comme s'il allait les lui reprendre. Je n'en ai jamais eu de plus belles ! Cependant... Elles ont dû te coûter une fortune.

En effet. Il n'en avait pas vraiment les moyens, mais il avait tenu à lui offrir un cadeau de ses deniers personnels. Il lui prit la main et l'embrassa.

— C'est un cadeau. Je voulais te montrer combien tu m'es précieuse.

Le cœur de Flora s'emballa. Jamais elle n'aurait imaginé que cet homme implacable qui l'avait enlevée puisse se montrer aussi attentionné. Elle se garda toutefois d'exprimer cette pensée.

Elle lui passa les bras autour du cou et se hissa sur la pointe des pieds pour l'embrasser tendrement.

— Merci, murmura-t-elle. Je regrette de ne rien avoir à te donner en retour. S'il y a quelque chose qui te ferait plaisir, tu n'as qu'un mot à dire. Je ferais n'importe quoi...

Il l'enlaça et l'attira vers lui.

— Flora, je...

Il avait une voix étrange, tout d'un coup.

— Oui?

Il plongea dans son regard comme pour y trouver une réponse.

— Tu sembles préoccupé, depuis quelques jours. Tu as des soucis?

— Non, mentit-il en la relâchant. Les invités vont bientôt arriver. Il ne nous reste plus beaucoup de temps à partager avant la cérémonie de demain.

Les invités seraient peu nombreux, songea Flora, un peu déçue: son cousin Argyll, son frère Rory et quelques chefs de clans voisins et leurs familles. Ils n'avaient pas eu le temps de convier leurs autres frères et sœurs, ni Elizabeth et Jamie Campbell, ses autres cousins.

— Je suis désolé, dit Lachlan, devinant ses pensées. Je sais que tu regrettes l'absence des tiens.

— C'est sans importance, assura-t-elle en secouant la tête. Je sais que tu es impatient de te marier.

Elle fronça les sourcils.

— Ton frère John sera-t-il rentré à temps? J'aimerais le rencontrer.

Lachlan se figea, une réaction qu'il avait chaque fois qu'elle évoquait John. C'était étrange qu'il ne parle jamais de lui, songea Flora. Peut-être étaient-ils brouillés, mais cela ressemblait peu à Lachlan.

— Je crains que non, déclara-t-il enfin. John est retenu.

— Tu ne m'as pas dit où il se trouvait.

— Près d'Édimbourg, répondit-il après un moment d'hésitation.

— Vraiment ? Je me demande si je l'ai déjà croisé, à la cour...

— Je ne pense pas.

De toute évidence, cette conversation le contrariait. Il était devenu distant.

— Lachlan, je...

— Je te laisse ranger tes affaires, la coupa-t-il vivement. Dès que ton frère et ton cousin seront arrivés, je te préviendrai.

Avant qu'elle puisse esquisser un mouvement, il disparut. Quelque chose n'allait pas, Flora le sentait. Mais pourquoi ne se confiait-il pas à elle ?

Quelques heures plus tard, Flora alla rejoindre Lachlan. Elle était redevenue elle-même, avec sa robe de velours bleu foncé brodée de perles et sa coiffe assortie. Sa tenue n'était pas aussi somptueuse que la robe de mariée qu'elle avait récupérée quelques semaines plus tôt, mais elle se sentait plus en confiance ainsi vêtue. Elle allait avoir besoin de courage et d'assurance pour affronter son cousin et son frère. Elle prit une profonde inspiration et entra dans le petit salon.

Lachlan se tenait devant la cheminée. Les deux autres hommes se levèrent pour la saluer. Bizarrement, son cousin était souriant, ce dont il n'était pas coutumier. En se tournant vers Rory, Flora eut le souffle coupé. Cela faisait des années qu'elle ne l'avait pas vu, et elle avait oublié à quel point il était imposant. Il était encore plus grand que Lachlan, et plus large d'épaules. Ses yeux d'un bleu perçant ressortaient dans son visage hâlé, et elle se rendit compte qu'elle avait les mêmes yeux que lui. Leur lien de parenté était évident.

Lachlan semblait amusé par sa façon de dévisager son frère.

Elle sourit timidement puis, se rappelant son devoir, salua le comte d'Argyll, l'un des hommes les plus influents d'Écosse.

— J'espère que vous avez fait bon voyage, cher cousin.

— Il fut au moins sans encombre. Nous avons dû nous hâter, vu le peu de temps que nous accordait le message de Coll. Mais cela n'a aucune importance, ajouta-t-il vivement en voyant la mine contrite de Flora. Je commençais à croire que vous ne vous marieriez jamais.

Rory s'approcha pour l'embrasser.

— Je suis heureux de te revoir, Flora. Cela faisait si longtemps !

Peu habituée à cette affection fraternelle, elle s'efforça de se détendre et de se ressaisir.

— C'est vrai, mon frère, répondit-elle en toute sincérité.

— Toutes mes condoléances, pour ta mère.

Flora se sentit un peu triste, mais Lachlan la réconforta en posant la main sur sa taille.

— Merci. Elle me manque beaucoup.

Rory observa la main de Lachlan.

— Coll vient de nous expliquer ce qui s'est passé. Je dois avouer que je suis un peu surpris. D'après ta lettre refusant mon invitation à Dunvegan, je te croyais chez Duart.

Par chance, Lachlan et elle avaient prévu cette question. Les visiteurs s'assirent. Flora prit place à côté de son fiancé.

— En me rendant chez Hector, j'ai eu un accident, sur la route de Falkirk, expliqua-t-elle.

Elle omit bien sûr sa fuite en compagnie de lord Murray et l'enlèvement.

— Je rentrais justement d'Édimbourg, intervint Lachlan. J'ai pu venir en aide à Mlle MacLeod.

— Quelle chance ! commenta Argyll. Les routes ne sont pas sûres, de nos jours, avec tous ces brigands qui rôdent. Dieu sait ce qui aurait pu t'arriver, Flora.

Flora l'observa d'un air perplexe. Il n'avait pas l'habitude de se montrer aussi conciliant et elle se serait plutôt attendue à un interrogatoire en règle de sa part.

Rory en revanche lui lança un regard si perçant qu'elle en fut déstabilisée.

— C'est une chance, en effet, déclara-t-il en se tournant vers Lachlan. Mais pourquoi n'as-tu pas raccompagné ma sœur à Édimbourg ?

— J'avais à faire ici.

— Elle aurait dû retrouver sa famille au plus vite, souligna Rory d'un ton qui inquiéta Flora. Tu aurais pu me faire quérir sur-le-champ !

Lachlan soutint son regard.

— Il se trouve que j'ai apprécié sa présence ici, à mes côtés.

Rory le foudroya du regard et crispa les doigts sur les accoudoirs de son fauteuil. Lachlan ne parut guère impressionné. La tension entre les deux hommes était cependant palpable et Flora crut bon d'intervenir avant que la situation ne dégénère.

— C'était également mon souhait, mon frère. Je vous en prie, ne vous fâchez pas. Ne voyez-vous pas que tout se termine bien ?

Rory l'observa attentivement pour s'assurer de sa sincérité.

— Tu es certaine que c'est ton souhait, Flora ? Tu veux épouser Coll ? Il ne t'a pas contrainte ?

— Non ! affirma-t-elle en posant une main apaisante sur le bras de Lachlan qui était furieux. J'ai pris cette décision moi-même, je vous le jure ! Je veux l'épouser ! Plus que tout au monde…

Lachlan prit sa main dans la sienne, geste hautement symbolique.

— Vous avez entendu ? Nous sommes d'accord. C'est fait.

Étonnée par cette expression étrange, Flora lui jeta un regard perplexe.

— Sauf si je m'y oppose, déclara Rory.

— Est-ce ton intention ? s'enquit Lachlan avec un air de défi.

— Bien sûr que non ! s'exclama Argyll. Il a déjà donné son accord.

Pourtant, Rory semblait hésiter. Que faire s'il changeait d'avis ? se demanda Flora. Elle devait le convaincre !

— Je vous en prie, mon frère ! Je l'aime…

Rory la regarda droit dans les yeux et Flora retint son souffle. Après quelques instants, il afficha un large sourire.

— Dans ce cas… Je ne peux que m'incliner. C'est ton choix, après tout. Félicitations, petite sœur !

Dès que la tension se fut dissipée, Flora prit congé et laissa les trois hommes boire leur whisky. Elle devait consulter Mary et Gillian à propos des préparatifs du mariage.

La réunion s'était déroulée mieux que prévu, ce qui était un soulagement. Rory avait émis des doutes, certes, mais à juste titre. Quant à son cousin… probablement était-il impatient de la voir se marier.

Elle trouva les jeunes filles dans la cuisine voûtée, sous la grande salle. Gillian était en train de glousser avec une femme de chambre et Mary, la mine réjouie, donnait des instructions à la cuisinière.

— Tout est prêt ? demanda Flora.

Les deux jeunes filles se tournèrent vers elle.

— Flora! s'exclama Gillian. Vous êtes magnifique! Où avez-vous trouvé cette belle robe?

— Votre frère a fait venir mes effets.

— Vraiment? demanda Gillian, visiblement surprise. Que lui avez-vous donc fait? Il se moque éperdument de la mode. Il affiche toujours une tête sinistre quand je me plains que mes robes sont élimées ou trop petites!

Flora se mit à rire.

— Je n'en croyais pas mes yeux, je dois le reconnaître. Mais je suis venue vous voir parce que j'ai une surprise pour vous deux.

— Une surprise? Quelle surprise? fit Gillian dont le regard s'illumina.

— Allons, la gronda gentiment sa sœur, ce ne serait plus une surprise si Flora nous le disait!

Flora eut toutes les peines du monde à ne pas rire de leurs chamailleries.

— Montez vite dans votre chambre et vous verrez, leur dit-elle.

Elle avait choisi dans sa garde-robe quelques robes qui iraient à merveille aux deux jeunes filles. Dès son retour à Édimbourg, elle veillerait à ce qu'elles aient un trousseau digne de ce nom.

Gillian s'éloigna en courant vers l'escalier, sous le regard attendri de Mary et Flora.

— Elle n'a aucune patience, commenta Mary.

— Je sais, mais je suis un peu comme elle. C'est bon de vous revoir sourire, Mary.

Mary baissa la tête en rougissant.

— J'ai de bonnes raisons de sourire.

— Ah bon? Racontez-moi!

— Mon frère a changé d'avis! s'exclama la jeune fille, les yeux embués de larmes. Il accepte qu'Allan me courtise. Si nos sentiments sont toujours aussi intenses dans un an, il nous laissera nous marier.

Flora l'étreignit avec bonheur.

— C'est merveilleux ! Je suis très heureuse pour vous.

— C'est grâce à vous, répondit Mary.

— Mais non... Votre frère aurait fini par changer d'avis, en constatant la force de vos sentiments. Jamais il ne vous obligerait à épouser un homme contre votre gré. Il vous aime.

Mary parut sceptique.

— Il nous aime, c'est vrai, mais l'intérêt du clan passe avant tout, à ses yeux. Je sais que vous êtes intervenue en ma faveur, car il me l'a dit.

— Vraiment ?

— Oui. Vous ne voyez donc pas que puisque vous allez l'épouser, il va bénéficier de vos appuis ? Il n'a plus besoin de conclure une alliance en me mariant à un homme influent.

— En tout cas, je suis ravie. Vous êtes radieuse. Allan ne pourra plus vous quitter des yeux, quand il verra ce que je vous ai offert. Montez vite dans votre chambre. Il vous reste peu de temps.

Mary écarquilla les yeux avant de courir rejoindre sa sœur.

Flora était plus heureuse que jamais. Après le mariage, tout serait parfait.

Lachlan sentit la tension se dissiper dès que Rory eut donné son accord. Il n'en avait plus vraiment besoin, après les propos de Flora, mais il s'en réjouissait pour elle, car la journée du lendemain n'en serait que plus agréable.

En matière de mariage, la loi écossaise était pour le moins floue. L'Eglise n'appréciait guère les unions irrégulières, mais il suffisait d'une déclaration d'intention et d'une consommation pour être déclaré marié. Craignant que Rory ne se ravise, Lachlan avait eu la ferme intention de faire cette déclaration.

De toute évidence, Rory ne croyait guère à leur histoire de rencontre fortuite, et Lachlan s'attendait à subir un interrogatoire dès que Flora se serait retirée.

Il ne fut pas déçu.

— Tu vas me dire ce qu'il s'est vraiment passé, déclara-t-il dès que la jeune femme eut refermé la porte.

Lachlan fut tenté de mentir, mais il respectait trop son ami pour cela. Il ne lui parlerait pas de son marché avec Argyll, mais en révélerait suffisamment pour éviter toute question indiscrète.

— Ce n'était pas un accident. Ce sont mes hommes qui ont arrêté sa voiture.

Il comprit aussitôt qu'il venait de franchir les limites de l'amitié de Rory.

— Tu as enlevé ma sœur! s'exclama celui-ci.

Ne sachant que répondre, Lachlan garda le silence.

Rory retint sa colère à grand-peine.

— Pourquoi?

— Je la désirais, répondit-il, sachant que seule leur amitié de longue date pouvait lui épargner un duel.

— Si tu l'as contrainte, tu es un homme mort!

— Tu me connais!

— Je croyais te connaître. Il t'aurait suffi de venir me voir! J'aurais soutenu ton projet.

— C'est justement pourquoi je ne t'ai rien demandé. Je savais qu'elle était farouchement opposée à l'idée d'un mariage arrangé. J'ai donc jugé qu'une approche directe serait plus efficace.

Rory ne discuta pas ce point.

— Comment as-tu su où la trouver?

Lachlan lui raconta la tentative de mariage à la sauvette, sans lui dire comment il en avait été informé. Rory lâcha un juron. Comme Argyll, il n'appréciait guère Murray.

— La petite sorcière !

Argyll, qui n'avait encore rien dit, prit la parole.

— La méthode de Coll est assez primitive, certes, mais on ne peut contester son efficacité. C'est un beau mariage et, de toute évidence, elle veut l'épouser.

Rory l'observa d'un air soupçonneux. Argyll regretta d'être intervenu car maintenant, Rory avait la puce à l'oreille.

— Seule la certitude que ma sœur veut vraiment t'épouser m'empêche de t'interroger plus avant, dit-il à Lachlan. Mais je ne partirai pas d'ici sans connaître le fin mot de toute cette histoire.

Lachlan opina, car cela n'avait plus aucune importance, désormais.

18

Le jour du mariage promettait d'être ensoleillé. Pas un nuage n'apparaissait à l'horizon. Pourtant, Flora se réveilla frigorifiée. D'instinct, elle tendit le bras, en quête de la chaleur de Lachlan, mais ne rencontra que le drap froid. Elle eut d'abord un moment de panique, puis se rappela qu'il avait regagné sa chambre après leurs ébats, par respect pour leurs invités. Depuis qu'elle avait accepté de l'épouser, c'était la première fois qu'ils ne passaient pas toute la nuit ensemble, et il lui manquait plus qu'elle ne l'aurait imaginé.

Il s'était montré si tendre, si attentionné, cette nuit-là. Il l'avait serrée contre lui et l'avait contemplée avec tant d'amour qu'elle en avait eu le cœur serré. Au terme de cette journée, ils seraient liés pour la vie. Impatiente, elle se leva et alla regarder par la fenêtre, foulant le sol froid de ses pieds nus.

Le soleil brillait déjà haut dans le ciel. Il était tard... La cérémonie était prévue pour midi et serait suivie d'un banquet qui se prolongerait tard dans la nuit.

Morag n'allait pas tarder à se présenter pour l'habiller. Flora se mit en quête des bas qu'elle avait égarés la veille, en triant ses effets. Elle sourit en revoyant Mary et Gillian, vêtues de belles toilettes. Lachlan avait été touché par sa générosité. Quant à Allan, il avait dévoré Mary des yeux pendant toute la soirée.

Le souper s'était déroulé à merveille, mais Lachlan avait semblé distrait. Pourvu que son cousin et son frère ne l'aient pas harcelé de questions ! avait songé Flora. Il n'aimait pas mentir, mais ne perdrait jamais de vue son objectif. C'était une qualité qu'elle admirait, chez lui.

Tandis qu'elle déambulait parmi ses malles, son pied heurta un parchemin tombé à terre, près de la porte. Intriguée, elle le ramassa et reconnut le sceau de Duart. Hector. Que voulait-il donc ? Il n'y avait qu'un moyen de le savoir.

Je regrette que ma tentative pour te libérer t'ait effrayée, chère sœur, mais je ne songeais qu'à ta sécurité. Je sais ce que Coll mijote. Ne l'épouse pas. Il te trompe. Mes hommes surveilleront les grilles du château, en cas de besoin.

Ton frère, Hector.

Perplexe, elle relut la lettre. De toute évidence, la rivalité entre Hector et Lachlan était à son comble. En épousant Lachlan, elle perdrait sans doute la possibilité de mieux connaître son frère. Elle n'accordait pas foi à sa mise en garde, mais quelque chose la dérangeait. Qui avait glissé cette lettre sous sa porte ? Y avait-il un espion au château ?

Il se faisait tard, mais elle ne pouvait attendre. Si elle partait tout de suite, elle pourrait peut-être rattraper Lachlan. Rory et lui devaient signer le contrat dans la matinée. Elle enfila la vieille robe de Mary et partit à la recherche de son fiancé.

Lachlan poussa un soupir de soulagement en voyant Rory MacLeod apposer sa signature au bas du parchemin. Les contrats étant signés, la cérémonie n'était plus qu'une formalité. Flora l'ignorait sans doute mais, selon l'usage écossais, ils étaient déjà mariés.

Non seulement il venait d'assurer la libération de son frère John, mais il était désormais un homme riche. Il avait atteint son objectif. Hélas! Flora serait furieuse d'apprendre le rôle joué par son cousin dans ce mariage.

Le moment de vérité approchait. Ce soir, après le banquet, il lui avouerait tout, même si l'épreuve promettait d'être douloureuse.

Rory lui présenta ses félicitations et prit congé pour régler quelque affaire, le laissant seul en compagnie d'Argyll.

C'était l'occasion que Lachlan attendait.

— Où est mon frère? demanda-t-il sans préambule.

Argyll esquissa un rictus.

— Là où il est depuis deux mois, je suppose.

— Je me marie aujourd'hui, déclara Lachlan.

— En effet, confirma Argyll en buvant une gorgée de vin.

Argyll prenait un malin plaisir à le tourmenter, aussi Lachlan maîtrisa-t-il sa colère grandissante. Il refusait de lui donner cette satisfaction, mais se promit de le tuer s'il tentait d'échapper à son engagement. Argyll était un personnage difficile à cerner. Bien que Highlander, il s'habillait et s'exprimait comme un Écossais du Sud. S'il était raffiné, il n'en était pas pour autant un courtisan précieux, comme lord Murray. Quoi qu'il en soit, il ne pouvait avoir acquis le statut qui était le sien sans une détermination et une intelligence rares.

— Vous avez entendu les propos de Flora, dit Lachlan en croisant son regard. Elle m'épouse de son plein gré. J'ai respecté ma part du marché, alors ne cherchez pas à me posséder.

— Vous me menacez? fit Argyll en arquant les sourcils.

— Prenez-le comme vous voulez. J'ai respecté ma part du marché et vous allez respecter la vôtre. Vous m'avez promis que mon frère serait relâché aujourd'hui même.

Cette fois, son ton était ouvertement menaçant.

Argyll ne parut guère impressionné, mais il sortit de sa poche un rouleau de parchemin portant le sceau royal. Lachlan se figea : Argyll tenait entre ses mains la liberté de John.

— Voici un décret ordonnant la libération de votre frère. Après la cérémonie, il sera à vous.

Lachlan se sentit soulagé d'un grand poids.

— Et l'autre aspect de notre accord?

— Cela prendra un peu de temps. Le roi doit s'assurer de votre coopération avant de décider du sort de votre château.

Il avait déjà trop attendu et ne croyait guère en la justice du roi. Dès qu'ils seraient mariés, il demanderait l'aide de Rory, sous la forme de guerriers, pour récupérer son château. Argyll arrangerait l'affaire avec le roi... plus tard.

Le comte l'observait avec attention.

— Je dois avouer que vous m'impressionnez, dit-il. Je ne pensais pas que vous y arriveriez.

En entendant la voix de son cousin, Flora s'arrêta derrière la porte sans se faire remarquer.

— Ma chère cousine a refusé tous les prétendants que je lui ai présentés. Et vous, vous avez réussi à la persuader. Comment y êtes-vous parvenu?

— Cela ne vous regarde pas, répliqua Lachlan. J'ai réussi, c'est tout. Sans violence. C'est tout ce que vous avez à savoir.

— Elle est au courant de notre accord?

Un accord? songea Flora en se figeant.

— Bien sûr que non! Mais je lui parlerai dès que mon frère sera en sécurité.

Flora pâlit et son cœur s'emballa.

— Elle m'aime, elle comprendra, poursuivit Lachlan.

Argyll s'esclaffa.

— Vous êtes trop sûr de vous! J'ai comme l'impression que vous allez avoir grand besoin de cette belle assurance!

En entendant des pas s'approcher de la porte, Flora alla se cacher dans un coin et attendit que son cousin ait disparu dans l'escalier.

Oppressée, la gorge nouée, elle chercha son souffle. Il devait y avoir une explication valable à ce qu'elle venait d'entendre. Les mains tremblantes, elle glissa le parchemin dans les plis de sa robe.

Il y avait forcément une explication..., se répéta-t-elle sans conviction.

Après avoir pris une profonde inspiration, elle entra dans le salon puis referma la porte.

— Flora, qu'est-ce...

Il s'interrompit face à l'expression de Flora.

Elle l'observa en silence. Ce visage séduisant, ce corps musclé, ces yeux d'un bleu intense... Il était en tenue de cérémonie, son plaid attaché par sa broche de chef, et portait à la ceinture un poignard incrusté de pierres qu'elle ne connaissait pas.

— Qu'est-ce qui ne va pas? demanda-t-il.

— De quoi parlais-tu avec mon cousin? s'enquit-elle sans préambule. Quel est cet accord que tu as conclu avec lui?

— Tu as entendu..., fit-il.

— Dis-moi que j'ai mal entendu. Dis-moi que notre mariage n'a rien à voir avec cet accord. Dis-moi que tu n'as pas tout manigancé avec Argyll!

Il soutint son regard sans sourciller.

Parle, bon sang ! eut-elle envie de crier. Mais il ne prononça pas un mot.

— Qu'as-tu fait ? insista-t-elle, la gorge nouée.

Lachlan fit un pas vers elle, mais elle recula.

— Je n'ai pas besoin de réconfort, j'ai besoin de connaître la vérité !

Il jura et se passa une main dans ses cheveux.

— Ce n'est pas ce que tu crois, Flora ! Ne tire pas de conclusions hâtives sans m'avoir écouté.

— Eh bien parle ! Explique-moi ce que j'ai mal compris.

— Tu n'as entendu qu'une partie de l'histoire, la moins importante. Argyll n'a rien à voir avec mes sentiments pour toi.

Il scruta son visage en quête d'un signe, mais elle demeura de glace.

— Il y a quelques mois, le roi m'a convoqué à Édimbourg, face à son conseil. Je me doutais que dès que j'aurais le dos tourné, Hector tenterait de s'emparer de mon château de Breacachadh, alors j'ai envoyé mon frère à la cour à ma place.

Il crispa rageusement les poings.

— Au lieu d'écouter ses arguments en ma faveur, le roi a jeté John en prison pour me contraindre à venir en personne.

— Mais tu m'as dit que John était…

Elle s'interrompit. Encore un mensonge…

— Pourquoi ne m'as-tu rien dit ?

— Tu aurais posé trop de questions auxquelles je n'étais pas prêt à répondre. Tu aurais compris que si nous étions mariés, j'irais demander l'aide de ton cousin.

— Ce que tu as fait, apparemment.

— Je suis allé lui demander d'intervenir auprès du roi pour faire libérer mon frère. C'est alors qu'il a eu vent de ton projet de mariage à la sauvette avec lord Murray. Comme tu l'imagines, il était furieux. Il a accepté de faire libérer mon frère et de m'aider à récupérer mon château si je faisais échouer ce mariage et si je te persuadais de m'épouser.

Ses paroles résonnèrent comme un glas pour Flora qui fut prise d'un vertige face à cette trahison.

— Je ne suis donc qu'un pion, une monnaie d'échange. Toi et mon cousin, vous avez tout manigancé : l'enlèvement, la séduction, tout... Pourquoi ne m'as-tu pas prise de force ? Cela t'aurait facilité la tâche !

Lachlan semblait abasourdi qu'elle puisse le croire capable d'une chose pareille.

— Argyll savait que Rory ne t'obligerait jamais à te marier. Ton cousin tient à toi ; il ne voulait pas que tu souffres.

— Il tient à moi ? Tu plaisantes ! Aucun de vous deux ne m'a prise en compte. Vous m'avez utilisée ! Argyll voulait se débarrasser de moi et toi, tu avais besoin de lui. Une riche épouse en prime, cela ne se refuse pas.

Il ne voulait pas d'elle, en réalité. Flora eut l'impression qu'on lui arrachait le cœur. Elle avait peine à y croire. Comment avait-elle pu être aussi aveugle ? Toute sa vie, elle serait un pion, un trophée !

— Tu te trompes, insista-t-il, crispé. L'accord que j'ai conclu avec ton cousin n'a rien à voir avec mes sentiments pour toi. Au départ, je voulais libérer mon frère et récupérer mon château, bien sûr, mais je suis tombé amoureux de toi.

— Comme c'est pratique ! Tu vas me dire que tu avais l'intention de me rendre amoureuse de toi ?

Lachlan voulut s'approcher d'elle, mais elle recula. Elle refusait de l'écouter plus longtemps. Le simple fait de le regarder était une souffrance. Sa mâchoire volontaire, sa bouche sensuelle, ses yeux bleus naguère pleins de promesses...

— Mon cousin a fait le bon choix, remarqua-t-elle amèrement.

Elle avait succombé si facilement à son charme viril.

— Comment as-tu pu me mentir ? Pourquoi tant de cruauté ?

— Je n'ai pas menti ! protesta-t-il, la mine sombre.

— Tu as omis de me dire la vérité, ce qui revient au même.

— Je t'ai dit ce qui comptait vraiment. Mes sentiments pour toi sont sincères. L'accord conclu avec ton cousin n'y change rien.

— Mais les deux sont liés inexorablement. Comment pourrais-je te croire encore, maintenant ?

Il la prit par le bras et la retint, malgré ses tentatives pour se dégager.

— Écoute-moi, dit-il à voix basse. J'ai besoin de l'aide de ton cousin. J'ai fait mon devoir envers mon frère et mon clan. Mais c'est sans lien avec nos sentiments et n'y change rien, insista-t-il.

Cela changeait tout, au contraire. Lachlan s'était servi d'elle. Il l'avait manipulée de la pire façon qui soit et elle était tombée amoureuse de lui. Il savait qu'elle souffrirait, mais il n'avait rien dit.

— Tu aurais dû m'en parler.

— Je n'étais pas certain que tu m'écouterais.

Son regret était manifeste, mais il ne changerait rien au fait qu'il s'était servi d'elle.

— Aurais-tu accepté de m'épouser ? lança-t-il d'un air de défi.

— Nous ne le saurons jamais, parce que je n'ai pas eu la possibilité d'en décider.

— J'ai toujours eu l'intention de te dire la vérité.

— Quand il aurait été trop tard pour changer d'avis ?

— Je ne pouvais courir le risque que tu changes d'avis, répliqua-t-il avec un regard pénétrant. Je connais parfaitement ton opinion sur les mariages arrangés, et je ne voulais pas te perdre.

Elle émit un rire amer.

— Dommage que ton plan n'ait pas totalement fonctionné !

— Il a fonctionné, dit-il calmement.

— Si tu crois encore que je vais t'épouser, tu n'es pas très malin !

Flora n'aima pas la façon dont il la regardait. C'était comme s'il savait quelque chose qu'elle ignorait.

— Pourquoi me regardes-tu ainsi ? demanda-t-elle.

— Il n'est pas nécessaire d'en arriver là, répondit-il sur un ton de mise en garde. Nous pouvons nous rendre à la cérémonie…

— Non ! Je ne t'épouserai pas.

— C'est trop tard.

— Ne sois pas ridicule ! La cérémonie n'a pas commencé.

— Cette cérémonie n'est pas obligatoire.

— Que veux-tu dire ? s'enquit-elle, soudain alarmée.

— Les contrats sont signés, expliqua Lachlan après avoir pris une profonde inspiration. Et hier soir, nous avons exprimé notre intention de nous marier.

Flora blêmit. La déclaration inattendue de Lachlan devant son frère et son cousin lui revint à l'esprit. Tout était clair !

— Tu m'as possédée…, murmura-t-elle tout en se demandant pourquoi elle s'en étonnait.

Il n'avait cessé de la manipuler depuis le départ… Une idée douloureuse lui vint brusquement.

— C'est donc pour cela que tu es venu dans ma chambre, cette nuit…

Pas pour faire l'amour, mais pour consommer leur union, après leur déclaration officielle d'intention. Cela suffisait à valider leur mariage.

272

— Je serais venu de toute façon.

— Oui, mais tu avais une autre motivation, répondit-elle, le cœur serré. N'est-ce pas ?

— J'espérais qu'il ne serait pas nécessaire d'en arriver là, mais je ne pouvais prendre aucun risque, de peur que Rory mette son veto. J'ai voulu nous protéger tous les deux.

— Me protéger ? railla Flora. Tu n'espères tout de même pas que je vais te croire !

— C'est pourtant la vérité.

— Non ! La vérité, c'est que tu me mens depuis le jour de notre rencontre. Tu as fait cette déclaration d'intention que tu as scellée en m'utilisant.

Comment avait-il pu se montrer aussi tendre alors qu'il n'était qu'un traître ?

— Je ne t'ai jamais utilisée ! protesta-t-il, furieux. Tu t'es donnée à moi, Flora. Plus d'une fois.

Il l'attira vers lui et reprit d'un ton menaçant :

— Accord ou pas, je ne voulais pas te perdre. Nous sommes faits l'un pour l'autre, tu ne le vois donc pas ?

Les yeux embués de larmes, Flora observa l'homme qu'elle avait cru aimer. La souffrance était insoutenable. Elle eut l'impression que les murs se refermaient sur elle. Sa pire crainte se réalisait : elle était obligée de se marier !

— Ne me fais pas cela ! implora-t-elle.

— C'est trop tard. C'est fait, répondit-il d'une voix glaciale.

— Rien ne nous y oblige…

Ils étaient les seuls à être informés de ce mariage irrégulier. Si aucun d'entre eux ne le revendiquait, nul n'en saurait jamais rien.

— Je t'en prie, laisse-moi partir !

— Flora…, dit-il, un peu hésitant, le regard plus doux. C'est impossible. Je veux t'épouser, et pas seulement pour faire libérer mon frère ! Je t'aime. Je sais que tu souffres, que tu es blessée, mais cela passera. Et tu comprendras que j'ai agi pour le mieux.

Il semblait anéanti, mais elle savait qu'il jouait la comédie. Il était tout aussi redoutable qu'elle l'avait cru au premier abord : un chef sans cœur prêt à tout pour s'approprier ce qu'il désirait.

Elle recula d'un pas. Enfin, tout était clair. Cette trahison lui faisait mal. Son amour pour lui s'envola comme s'il n'avait jamais existé.

Lachlan avait l'impression d'avoir infligé à Flora des centaines de coups de fouet qui la laissaient meurtrie. Il s'en voulait terriblement, même s'il savait qu'il n'avait pas le choix. La douleur qu'exprimait le regard de la jeune femme, le tremblement de sa voix étaient une véritable torture pour lui. Il avait tenté de garder son calme, avec bien du mal, car elle refusait de l'écouter. Son instinct qui lui avait dicté de ne pas parler de l'accord avec Argyll ne l'avait pas trompé.

— Je t'en prie…, insista-t-elle, de plus en plus suppliante. Si tu tiens un peu à moi…

— Si je tiens à toi ? s'insurgea-t-il. Tu ne m'as donc pas écouté ? Je t'aime ! Tu crois que je veux te faire souffrir ? Cette histoire me fend le cœur ! Depuis le moment où tu m'as poignardé, je te veux !

— C'est de la possession, pas de l'amour.

— Tu te trompes. Je n'ai cessé de te prouver mon amour.

— Tu ne m'as prouvé qu'une chose : que tu es un menteur !

Il brûlait de la prendre dans ses bras pour l'obliger à l'écouter. Elle était en train de lui échapper, et jamais il ne s'était senti aussi désemparé. Il la prit par les épaules et la regarda droit dans les yeux.

— Je t'aime. Tu es la première femme à qui je fais une telle déclaration. Je ne suis pas un de tes courtisans aux belles paroles, je ne sais que te dire de plus. J'ai fait ce que je devais faire pour sauver mon frère et mon clan. J'aurais aimé ne pas t'impliquer, mais…

— Tu ne m'aimais pas assez pour me dire la vérité ! Je croyais avoir trouvé un homme qui me voulait pour moi-même, et non pour ce que je pouvais lui apporter.

— Je te veux, Flora.

— Je n'en aurai jamais la certitude, dit-elle, le cœur brisé. J'avais confiance en toi. Je te croyais différent des autres.

Lachlan commençait à se lasser de son aveuglement, de ses peurs obsessionnelles. Son bonheur n'était pas l'unique enjeu, après tout !

— Crois-tu que j'ai cherché à te mentir ? Si tu savais comme je voulais te dire la vérité…

— Mais tu n'en as rien fait.

— Bon sang, Flora ! Tu es tellement coincée dans ton passé et tes idées romantiques que tu ne vois pas le monde réel. Ce n'est pas si simple ! Parfois, on doit prendre des décisions difficiles. Tu n'imagines pas le poids de mes responsabilités. Mon frère risquait la mort. Que voulais-tu que je fasse ? Si John se retrouve au cachot, aujourd'hui, c'est parce que j'ai tenté de le libérer moi-même par peur de te perdre ! J'ai voulu me passer de l'aide de ton cousin, pour que tu ne m'accuses pas d'être intéressé. La tentative d'évasion a échoué. Mon frère souffre, et Argyll détient un décret du roi qui le libérera. Tu veux qu'il meure pour sauver ta fierté ?

Flora sursauta comme s'il venait de la frapper. La souffrance de John l'avait touchée plus que la déclaration d'amour de Lachlan. Elle était capable de compassion. Jamais elle ne mettrait John en péril, même si elle devait pour cela s'unir à un homme qu'elle détestait.

Lachlan comprit qu'il avait gagné, mais n'en tira nulle satisfaction. En la voyant figée face à lui, le regard vide, il eut froid dans le dos.

— Tu auras ton décret, dit-elle sombrement...

Le soulagement de Lachlan fut de courte durée.

— Mais je ne te pardonnerai jamais.

Son assurance lui glaça les sangs. Il tendit une main vers elle, mais elle refusa tout contact. Ce rejet le frappa de plein fouet. Il se promit de se racheter, tout en sachant qu'il lui faudrait du temps.

— Je regrette, dit-il.

Sans un regard, elle tourna les talons et s'éloigna, le laissant plus seul qu'il ne l'avait jamais été.

La cérémonie et le banquet se déroulèrent comme dans le brouillard. Assise sur l'estrade, Flora observa les convives d'un œil distrait; elle n'était pas vraiment présente. Elle parvint à masquer son amertume en demeurant de marbre tandis que les invités défilaient pour féliciter les mariés. Seuls Rory et Mary avaient senti que quelque chose n'allait pas, mais elle avait balayé leurs craintes en invoquant la fatigue et l'émotion.

La présence de Lachlan à son côté était une torture qu'elle vivait comme une trahison de plus. Non seulement il l'avait trompée, mais il l'avait accusée d'égoïsme. Comment pouvait-il espérer après tout cela qu'elle l'accepte ?

Toute la journée, elle avait évité son regard, de peur de s'écrouler, de laisser voir sa souffrance. Ce qui aurait dû être le plus beau jour de sa vie s'était transformé en cauchemar. Hélas ! ce n'était pas encore terminé. Elle jouerait son rôle aussi longtemps qu'elle le pourrait puis prendrait congé à la première occasion, avait-elle décidé.

Elle percevait le brouhaha des festivités, les rires, la musique des cornemuses. C'était de plus en plus insupportable. Elle se leva, à bout, et eut l'impression qu'elle allait s'écrouler sous le poids des épreuves. Elle avait tout perdu.

— Les émotions de cette journée m'ont épuisée, dit-elle à son mari et à son cousin. Je vais me retirer.

Argyll fronça les sourcils.

— Je t'ai trouvée un peu pâle, un peu réservée, depuis ce matin. Quelque chose ne va pas ?

Rien ne va ! songea-t-elle. La sollicitude d'Argyll était presque risible, car il était tout aussi coupable que Lachlan. À cette différence près qu'elle s'attendait à une telle perfidie de la part de son cousin.

— Je vais bien, assura-t-elle un peu trop vivement.

En sentant Lachlan se crisper, elle s'empressa d'ajouter :

— Un peu de sommeil, et il n'y paraîtra plus. Je vais demander à la guérisseuse de me préparer une décoction.

Argyll adressa à Lachlan un regard entendu.

— Du sommeil ? remarqua-t-il d'un ton amusé. Ton mari va s'occuper de toi, je n'en doute pas.

Lachlan l'ignora.

— Seonaid va monter te voir, et je te rejoins très vite, déclara-t-il.

Elle ravala une réponse cinglante. S'il croyait... Elle se raidit. Jamais !

Consciente d'être observée, elle afficha un sourire forcé.

— Ne te presse pas...

À son regard furibond, elle sut qu'il avait compris.

Quelques heures plus tard, Lachlan gravit les marches jusqu'à la chambre de Flora. Il venait de passer les heures les plus éprouvantes de sa vie. Au moins Argyll lui avait-il remis le décret du roi. Allan et quelques gardes étaient en train de se préparer à partir pour la prison. Si tout allait bien, John serait de retour à Drimnin pour le lever du soleil.

Toute la journée, Flora n'avait été que l'ombre d'elle-même. Chacun de ses sourires forcés était pour lui un coup de poignard dans le cœur. Comme il aurait aimé la prendre dans ses bras pour apaiser sa douleur! Malheureusement, il était la dernière personne qu'elle souhaitait voir la réconforter.

Elle était d'une beauté à couper le souffle, telle une fée ou une princesse en robe dorée, coiffée d'un diadème. Mais jamais elle n'avait paru aussi vulnérable. Et elle ne portait pas les pantoufles qu'il lui avait offertes. Il ne pouvait y voir qu'un rejet supplémentaire.

Lachlan s'attendait à de la colère; il ne voyait qu'une froide détermination bien plus inquiétante car il ne savait comment en venir à bout. Il était totalement désemparé.

Dès qu'il la prendrait de nouveau dans ses bras, elle ne pourrait plus nier ni ignorer le lien qui les unissait. Elle était blessée et entêtée, certes, mais elle finirait par comprendre.

Devant sa porte, il hésita. Peut-être devait-il lui laisser un peu de temps…

Non. Ils étaient mari et femme, maintenant. Plus vite elle s'en rendrait compte et l'admettrait, mieux cela vaudrait. Il ne pouvait la laisser s'éloigner davantage.

Il frappa à la porte et voulut l'ouvrir. Elle était verrouillée. Sa femme lui interdisait l'entrée de sa chambre!

19

Épuisée, Flora avait fini par s'assoupir au coin du feu, mais le bruit à la porte l'avait réveillée d'un bond.

Elle se leva et lissa sa robe en soie dorée brodée de perles. Les pantoufles de Lachlan étaient restées dans leur boîte au profit de pantoufles plus sobres. L'avait-il remarqué ? De toute façon, elle s'en moquait.

Elle prit entre ses doigts son amulette, ce symbole qu'elle comptait offrir à Lachlan en gage de son amour. À présent, il n'était plus qu'un rappel du triste destin de sa mère. La malédiction n'allait pas prendre fin de sitôt.

Lachlan frappa encore à la porte, plus fort, cette fois.

— Ouvre, Flora ! ordonna-t-il.

— Non, répondit-elle, les poings crispés.

Il jura et actionna furieusement la poignée.

— Ouvre-moi ou je défonce cette porte !

Elle hésita un instant, puis se dit que la barre de fer ne risquait pas de céder.

— Va-t'en ! Je n'ai aucune envie de te voir. Ni ce soir ni aucun autre soir !

Il jura de plus belle, puis ce fut le silence. Flora attendit, retenant son souffle. Les secondes s'écoulèrent. Elle soupira enfin, à la fois étonnée et soulagée qu'il ait renoncé aussi vite.

Soudain, il y eut un grand fracas et la porte vola en éclats. D'un coup de pied, il avait fait sauter les gonds !

Lorsqu'elle rencontra le regard de l'homme qui se tenait sur le seuil, Flora perdit de son assurance. Il avait les traits crispés en un masque féroce. Ses yeux brûlaient de rage, luisants comme des saphirs à la lueur des chandelles.

Elle recula de quelques pas.

— Ne m'interdis plus jamais l'accès à ta chambre !

— Tu n'as pas le droit…

— J'ai tous les droits ! fulmina-t-il en la rejoignant en trois longues enjambées. Tu es ma femme.

— Contrainte et forcée.

— Ne me pousse pas à bout, Flora ! Je m'efforce d'être patient, mais tu ne me facilites pas la tâche. Nous avons prononcé des vœux, et tu vas les respecter.

Il se comportait comme si c'était elle la fautive, alors qu'il lui imposait un mariage dont elle ne voulait plus.

— Mon cousin t'a-t-il remis le décret du roi qui fera libérer ton frère ?

— Oui.

— Dans ce cas, tu as ce que tu voulais. À présent, laisse-moi.

Lachlan la saisit par le bras et plongea dans son regard.

— C'est toi que je veux.

Elle se dégagea d'une secousse.

— Tu m'as peut-être négociée, mais tout n'est pas à vendre.

Il se figea, plus tendu que jamais.

— Qu'est-ce que tu racontes ?

— Tu devras me contraindre, parce que je ne viendrai plus à toi de mon plein gré, répondit-elle, la tête haute.

Lachlan eut un regard si féroce qu'il parut sur le point d'exploser. Il l'attira vers lui d'un geste sec et la plaqua contre son torse. Il brûlait de tout son être et son cœur battait à tout rompre. En sentant son souffle tiède dans son cou, Flora ne put réprimer un frisson.

— Tu en es certaine ? demanda-t-il d'un ton suave qui lui donna la chair de poule.

Elle le savait capable de tout, même de la pousser à ramper à ses pieds. Lorsqu'il l'embrassa avec une ardeur exigeante, elle se débattit en vain. Pour toute réponse, il se fit plus passionné encore.

Jamais il ne l'avait embrassée ainsi. Cette fougue faisait presque peur à Flora, car elle était sans retenue. Sa barbe naissante lui meurtrissait la peau. Ses mains puissantes se posèrent sur ses fesses pour lui faire sentir l'intensité vibrante de son désir. Il était devenu sauvage et dominateur.

L'espace d'un instant, elle se laissa aller dans cette vague de chaleur, puis des larmes d'humiliation lui montèrent aux yeux. Elle se dégagea de son emprise, pantelante.

— Ma mère avait raison. Tu n'es qu'un barbare !

Il pâlit, mais Flora était trop furieuse pour s'en soucier. Elle n'avait qu'une envie : libérer toute sa colère et sa douleur.

— Comme oses-tu m'embrasser comme si j'étais ta catin ? Comment ai-je pu croire une seconde que ton manque d'éducation et de raffinement n'avait pas d'importance ? Tu n'es qu'une brute. Je m'en rends compte, à présent. Ne pose pas tes sales pattes sur moi ! conclut-elle d'une voix brisée.

Elle s'aperçut qu'elle avait fait mouche et voulut ravaler ses paroles blessantes. Elle avait cherché à lui faire mal et y était parvenue.

— Je suis peut-être un barbare, répondit-il en reculant, mais tu me désires. Et je suis ton mari.

Plus vite tu l'accepteras, mieux cela vaudra pour nous deux.

— Jamais !

— J'ai tout mon temps, Flora, dit-il en rivant sur elle ses yeux d'un bleu profond. Je m'en vais, pour ce soir, mais ne te refuse plus jamais à moi. Tu es ma femme.

Flora ne dit pas un mot. S'il croyait avoir gagné, il se trompait, songea-t-elle.

Après un dernier regard, il la laissa seule. Mais il reviendrait, Flora le savait. Malgré la haine qu'elle ressentait à son égard pour ce qu'il lui avait fait, saurait-elle lui résister longtemps ? Il n'était pas question qu'elle cède. Par ailleurs, il avait obtenu ce qu'il désirait. Son frère allait être libéré. Il n'avait donc plus besoin d'elle.

Le soleil venait de se lever à l'horizon quand l'ombre de Drimnin se profila. La lumière dansait sur les eaux au-delà, créant un paysage féerique. Malgré la rosée fraîche qui couvrait la lande, Lachlan était en nage. Il avait chevauché toute la nuit.

Il observa son frère à la dérobée. C'était un homme, désormais. Leur mission avait réussi, mais John avait changé. Il n'avait plus rien du chenapan insouciant qui était parti pour Édimbourg quelques mois plus tôt.

Il était maigre, sale, les traits marqués, le regard hanté. Bref, il s'était endurci, ce qui attristait son aîné. Jamais il n'aurait dû l'envoyer à sa place à la cour. Il aurait dû prévoir la trahison du roi. À cause de son manque de jugement, John avait subi une épreuve terrible.

Et il n'était pas le seul. Lachlan avait toutefois la certitude d'avoir agi pour le mieux et Flora devait lui pardonner. Il songea à leur confrontation amère de la veille. Leurs rapports s'étaient dégradés, ce qui était compréhensible. Après tout, il avait défoncé la porte de sa chambre. Il était alors si furieux qu'il n'avait pas réussi à se maîtriser. Quand elle lui avait ensuite dit qu'elle ne se donnerait plus jamais à lui de son plein gré, il avait failli lui prouver le contraire. L'avait-il vraiment embrassée avec férocité ? Oui, il s'était comporté comme un barbare...

Il avait préféré partir avant de faire quelque chose qu'il aurait regretté ensuite. Pour calmer le jeu, il avait donc rejoint ses hommes qui étaient en route pour le château de Blackness.

Les paroles blessantes de Flora l'avaient meurtri, même s'il savait qu'il s'agissait avant tout d'une réaction de colère de sa part. Toutefois, elle n'avait pas tort et jamais il n'aurait dû lui imposer cette confrontation. Il aurait dû lui accorder du temps. Dès son retour, il l'informerait qu'il pouvait attendre aussi longtemps qu'elle le voulait.

Mais il lui devait peut-être davantage.

Il pensa à ce qu'il avait rangé dans sa sacoche. Une lettre d'Argyll destinée au pasteur de la paroisse pour qu'il enregistre leur mariage, ainsi que le montant de l'amende qu'il devait payer pour cette union irrégulière. Il ne parvenait pas à envoyer cette lettre. Théoriquement, il avait rempli son contrat vis-à-vis d'Argyll. Si Flora voulait affirmer que ce mariage n'avait pas été consommé, il ne l'en empêcherait pas.

Si elle désirait reprendre sa liberté, il ne la retiendrait pas de force, mais ferait tout ce qui était en son pouvoir pour la persuader de rester.

John s'était montré peu loquace durant tout le trajet.

— Tu es vraiment marié ? demanda-t-il enfin à Lachlan.

Pour l'instant, songea Lachlan amèrement.

— Oui.

— Désolé que tu aies dû sacrifier ta liberté pour la mienne, dit John. Si j'avais su que le roi allait m'emprisonner…

— Tu n'as rien à te reprocher. J'aurais dû m'attendre à cela, de la part du roi. Je suis le seul responsable.

— Au moins, nous sommes d'accord à propos du roi.

— Et je t'assure qu'épouser Flora n'a rien d'un sacrifice.

— Vraiment ? fit John, qui esquissa son premier sourire depuis sa libération. Je brûle de rencontrer celle qui a réussi à envoûter mon frère…

— Tu n'auras pas longtemps à attendre, répondit Lachlan en désignant le château, au loin. Tout le monde semble déjà levé pour t'accueillir.

John se mit à rire et talonna sa monture. Ils parcoururent le reste du trajet au galop, soulevant des nuages de poussière. Hélas ! leur bonne humeur s'envola dès qu'ils entrèrent dans la cour. À en juger par l'agitation qui régnait et les ordres que lançait Rory, il ne s'agissait pas d'un comité de réception.

Mary et Gillian se jetèrent dans les bras de John.

À peine Lachlan eut-il mis pied à terre que Rory le rejoignit, l'épée à la main.

— Je devrais te tuer ! tonna-t-il. Qu'est-ce que tu lui as fait ?

Lachlan observa les visages qui l'entouraient. Que se passait-il donc ? Même Argyll semblait choqué.

Avant qu'il puisse interroger Rory, Mary s'écarta de John pour se jeter dans les bras de son aîné.

— Lachlan ! Elle est partie ! sanglota-t-elle.

Partie ? D'abord incrédule, il se sentit envahi par un profond désespoir.

Bon sang ! Elle s'était enfuie… Une fois de plus.

20

Aux premières lueurs de l'aube, Flora entama la dernière partie de son trajet. Le *birlinn* venait d'accoster dans le village d'Arinagour, sur l'île de Coll. Elle découvrait le château de Lachlan, qu'Hector occupait.

Elle remarqua d'abord la force du vent qui soufflait. Puis elle regarda la plage de sable parsemée de rochers et la lande, au-delà. Sous le soleil, le paysage était superbe. Son cœur se serra à la pensée qu'elle aurait pu vivre en ce lieu.

Elle venait y trouver refuge auprès de la seule personne n'ayant pas intérêt à la voir se marier avec Lachlan, Hector.

Depuis qu'elle avait découvert la terrible vérité, elle n'avait eu qu'une idée en tête, fuir Lachlan, dont elle ne supportait plus la présence. Leur histoire n'était qu'une mascarade. Elle aurait peut-être pu lui pardonner d'avoir conclu un marché avec Argyll, mais jamais ce mariage forcé. Il fallait qu'elle trouve un moyen de regagner sa liberté.

Après cette confrontation, dans sa chambre, elle avait pris une décision dans l'urgence. Si elle restait une minute de plus, elle risquait de succomber aux désirs de son corps. Il fallait qu'elle parte, même si les autres allaient lui manquer cruellement.

En voyant Lachlan se mettre en route pour aller chercher son frère, elle avait saisi l'occasion. Ayant besoin d'aide, elle s'était tournée vers celle qu'elle savait désireuse de la voir partir : Seonaid. D'abord, la guérisseuse s'était montrée réticente. Flora lui avait alors raconté pourquoi Lachlan l'avait épousée. Dans l'espoir de renouer avec Lachlan, Seonaid avait accepté. Cette perspective peinait Flora, qui refusait d'imaginer Lachlan dans les bras d'une autre.

Grâce à la guérisseuse, elle n'avait eu aucune difficulté à quitter Drimnin. Drapée dans une longue cape noire, elle avait attendu, le cœur battant, que Seonaid fasse diversion pour détourner l'attention des gardes. Puis elle avait franchi la grille. Une fois dehors, elle avait connu un moment de doute, ainsi qu'une grande tristesse. Comment les choses avaient-elles pu changer aussi vite ?

La veille encore, à son réveil, elle avait tout pour être heureuse. Elle avait en Lachlan une confiance aveugle, et il avait tout gâché. Chassant ces souvenirs douloureux, elle s'était dirigée vers la plage. Il ne fallait pas regarder en arrière. Pourtant, à mesure que le château s'éloignait, elle prenait conscience de tout ce à quoi elle renonçait.

Hector n'avait pas menti, dans sa lettre. À peine s'était-elle engagée sur le chemin rocheux qu'elle se trouva encerclée par des hommes de son frère, dont Aonghus, tout sourire. Elle avait eu envie de pleurer.

— Nous n'osions plus espérer, milady ! s'était-il exclamé. Votre frère sera enchanté de vous voir.

Ils étaient partis vers le nord avant de monter à bord d'un *birlinn* en direction de Coll. Loin d'être soulagée, Flora se sentait vide, épuisée. Elle venait de quitter son mari, un homme à qui elle s'était donnée corps et âme. Au lieu de laisser libre cours à sa passion, en cette nuit de noces, elle fuyait dans la nuit avec des hommes qu'elle connaissait à peine.

Elle s'était répété à plusieurs reprises qu'elle avait pris la bonne décision. Il lui était impossible de vivre avec un menteur, un traître, d'autant qu'elle était consciente de sa propre faiblesse. Si seulement elle ne souffrait pas autant ! Elle n'était partie que depuis quelques heures, et il lui manquait déjà terriblement. Dire qu'elle avait jeté les mises en garde de sa mère aux orties pour vivre un rêve… Face à ce paysage sauvage, elle se prit à regretter le bonheur qu'elle aurait pu trouver auprès de Lachlan.

Sur la plage, un peu plus loin, un homme impressionnant l'attendait. Son frère était venu l'accueillir. Bon sang ! Il lui rappelait Lachlan, non par les traits, mais par la prestance et la détermination.

S'il n'avait pas le charme ravageur de Rory, Hector ne manquait pas d'allure. Elle perçut très vite le lien de parenté qui les unissait. Il vint vers elle et l'observa longuement.

— Tu es venue… À la bonne heure ! J'avais peur que tu me déçoives.

Flora ressentit une cruelle déception qu'elle chassa vite de son esprit. Cet accueil était bien moins chaleureux que celui de Rory, dont l'exubérance avait été une bonne surprise. Elle aurait sans doute dû accorder à Rory le bénéfice du doute, mais il était trop proche d'Argyll pour qu'elle prenne le moindre risque.

Malgré cette froideur, elle sentit des larmes d'émotion lui monter aux yeux.

— Je suis heureuse de vous voir, mon frère.

Sans doute prit-il conscience de sa fatigue, car son regard s'adoucit.

— Viens. Tu sembles épuisée. Nous bavarderons quand tu te seras reposée.

Flora prit la main qu'il lui tendait et le suivit vers le château qui appartenait à son mari, en se disant que les choses allaient bien se passer, finalement.

Une bien jolie petite sœur, songea Hector, qui avait éprouvé une pointe de pitié en la voyant arriver.

Magnanime, il lui avait accordé quelques heures de repos. Coll n'allait certainement pas tarder à se présenter, mais comme il lui faudrait au préalable réunir des hommes, cela laissait à Hector un peu de temps pour se préparer.

Il ne savait pas encore comment il allait utiliser Flora pour défendre ses intérêts. Elle n'était pas la gamine entêtée à laquelle il s'attendait. Apparemment, Coll l'avait domptée, ce qui était une excellente chose car cette docilité allait servir ses projets.

En d'autres circonstances, il aurait peut-être aimé avoir sa sœur à son côté. Mais maintenant qu'il détenait Flora, il allait pouvoir mettre fin au conflit qui l'opposait à son ennemi depuis trop longtemps.

Bientôt, tout serait terminé...

Flora fut réveillée par un coup frappé à la porte. L'espace d'un instant, elle se crut de retour à Drimnin et sourit en s'étirant. Son bonheur s'évanouit dès qu'une domestique inconnue encore plus acariâtre que Morag entra et posa un broc d'eau sur la table.

— Le chef veut que vous déjeuniez avec lui, annonça la servante.

— Merci, répondit Flora en hochant la tête.

— Je m'appelle Mairi.

— Merci, Mairi, reprit Flora, mais la femme évita son regard.

La servante l'aida à enfiler sa robe froissée et maculée de boue, puis Flora s'aspergea le visage d'eau fraîche. Que ne pouvait-elle en verser aussi sur son cœur meurtri ! Avec le temps, la douleur s'estomperait. Du moins l'espérait-elle...

Elle se passa la main dans les cheveux en se regardant dans le miroir, puis quitta la chambre, un peu requinquée malgré tout.

Dans le couloir menant à la salle à manger, elle ne put s'empêcher de remarquer le comportement étrange de Mairi, qui sursautait chaque fois qu'elle lui adressait la parole, comme si elle la craignait.

— Cela fait longtemps que vous êtes ici, Mairi ? s'enquit-elle.

La domestique opina.

— Donc vous n'êtes pas arrivée ici avec mon frère ?

— Oh non !

Flora s'étonna de sa véhémence, de la lueur haineuse de son regard.

Certes, sa situation ne devait pas être facile. Hector s'était emparé du château par la force, et cette femme était de toute évidence restée loyale à Lachlan. Elle ne pouvait avoir la moindre sympathie pour la demi-sœur de son nouveau maître.

Elle voulut la rassurer puis se ravisa. Que dire ? Qu'elle avait épousé le laird mais qu'elle l'avait quitté ? Elle avait choisi le camp d'Hector au détriment de son devoir envers son mari. Lachlan n'avait pas tort en l'accusant de n'avoir aucun sens du devoir. Pour la première fois, elle se demanda si elle n'aurait pas dû réfléchir un peu plus avant de partir...

L'expression de Mairi la troublait. Elle avait tout d'un chien battu prêt à mordre à la moindre occasion. Manifestement, elle avait peur d'Hector. Flora observa les alentours. Il ne régnait pas ici la même atmosphère qu'à Drimnin, loin de là. Les rares domestiques baissaient les yeux en la croisant. C'était troublant.

Comme Drimnin, Breacachadh se composait d'une tour à laquelle on accédait par un escalier surplombant la mer. Cependant, les murs étaient bien plus épais et le mur d'enceinte comportait un parapet.

Breacachadh avait dû être une demeure superbe, autrefois, avec ses pièces spacieuses, ses tableaux, ses tapisseries, ses meubles robustes, mais ses occupants affichaient une mine lugubre. Ce ne pouvait être à cause de Lachlan.

Lorsque Flora arriva dans la grande salle, Hector avait déjà commencé son repas. Elle voulut remercier Mairi, mais celle-ci avait déjà disparu.

— Tu as bien dormi ? lui demanda-t-il dès qu'elle se fut assise.

— Oui, merci.

— Tu ne lui ressembles guère…

— À ma mère ?

Il opina.

— Non, en effet, admit Flora en esquissant un sourire face à ses yeux verts et ses cheveux bruns. Au contraire de vous…

— Peut-être, mais je ne l'avais pas revue depuis des années.

— Pourquoi vous êtes-vous brouillés ?

Il l'observa par-dessus sa chope.

— Elle ne te l'a jamais dit ?

— Non.

— Peu après la mort de mon père, elle a épousé un homme que je détestais.

— John MacIan d'Ardnamurchan ? répondit-elle.

— En effet, fit Hector avec un regard féroce.

— Mais il est mort assassiné, bredouilla Flora. De façon très violente.

— C'était un ennemi de Duart, un allié des Mac-
Donald. Même après le mariage, il a refusé de se
joindre à nous pour les affronter. Il n'a eu que ce
qu'il méritait.

Le regard d'Hector s'était fait encore plus dur.

— Vous l'avez tué? s'enquit Flora, soudain mal
à l'aise.

— Il est allé trop loin en épousant ma mère. Et
elle allait souiller les Maclean avec du sang
MacIan. Je ne pouvais permettre un tel affront. J'ai
profité de la première occasion qui s'est présentée.

Il semblait vouloir la convaincre.

— Quelle occasion? demanda-t-elle avec un frisson de dégoût.

— Leur mariage, à Torlusk. Une de mes mai-
sons, sur Mull.

Cette fois, Flora ne put masquer sa réaction. En
attaquant MacIan à Torlusk, Hector avait violé un
principe sacré chez les Highlanders: l'hospitalité.

Sa pauvre mère! Pas étonnant qu'elle ait peu vu
Hector après cela. Pourquoi ne lui en avait-elle
jamais parlé? Quel genre d'homme était capable
d'une telle atrocité? Dire que Lachlan l'avait mise
en garde contre Hector!

— Avez-vous fini par demander pardon et par
vous réconcilier avec elle? demanda-t-elle, le cœur
battant.

— Demander pardon? s'esclaffa-t-il. Pourquoi
aurais-je demandé pardon? Tout était sa faute à
elle. Mère est venue me voir, à l'époque du mariage
d'Argyll.

Flora pâlit en devinant pourquoi. C'était à cause
d'elle, car elle se plaignait de ne jamais voir ses
frères et sœurs et de ne pas connaître Hector. Sa
mère avait fait abstraction de son propre ressentiment dans l'intérêt de sa fille. C'était cela, l'amour.
Aurait-elle dû en faire autant pour Lachlan? Cette
pensée la perturba.

Elle prit une profonde inspiration. Sans doute exagérait-elle l'importance de tout ce qu'elle entendait. Dans les Highlands, les conflits prenaient généralement des proportions excessives. Toutefois, Hector lui donnait l'impression d'être sournois et barbare. C'était exactement ce dont elle avait accusé son mari… Elle en frémit.

— Mais c'est le passé, reprit Hector avec un sourire. Tu es là, c'est la seule chose qui compte.

Hélas ! son sourire ne s'exprima pas dans son regard.

— J'aurais préféré que tu viennes plus tôt. Pourquoi as-tu refusé de suivre mes hommes ?

Son ton était teinté de reproche.

— Je n'ai pas compris tout de suite de qui il s'agissait, expliqua-t-elle, sur la défensive. J'étais sous le choc. Cormac m'a brutalisée.

— Tu as dit à Aonghus que tu voulais rester, insista Hector, les sourcils froncés.

— C'était vrai… sur le moment.

Il pinça les lèvres.

— Raconte-moi ce qui s'est passé, dit-il, visiblement inquiet.

Flora lui relata les circonstances de son arrivée à Drimnin en omettant bien sûr sa tentative de mariage à la sauvette. Dans un premier temps, Hector fit preuve de compassion, mais quand elle en arriva au mariage, sa mine s'assombrit.

— Comment as-tu pu l'épouser ? s'insurgea-t-il, le regard noir.

Ce changement d'humeur était surprenant.

— Je n'ai pas eu le choix, déclara-t-elle posément.

Hector ne parut pas satisfait par cette réponse.

— Tu es partie avant que cette union soit consommée, ce qui est une bonne chose.

— Oui, je suis partie peu après le banquet, mais…

Elle s'empourpra.

— Tu t'es donnée à lui, fit Hector, perspicace.

— C'était avant d'apprendre la vérité, protesta-t-elle en lui racontant la déclaration de Lachlan devant son frère et son cousin.

— Petite imbécile ! s'exclama Hector.

Cette réflexion effraya Flora. Il leva la main, comme s'il allait la frapper, et elle eut un mouvement de recul. Cet homme cruel ne pouvait être son frère... Seigneur ! Qu'avait-elle encore fait ?

Voyant sa peur, il s'efforça de se contrôler.

— Nous aurons du mal à prétendre que tu n'as jamais été mariée, mais ce problème sera vite réglé.

— Mais...

Flora ravala ses protestations. N'était-ce pas ce qu'elle voulait, alors que son instinct lui hurlait le contraire ?

Son dilemme semblait amuser Hector au plus haut point.

— Tu l'oublieras dès que toi et lord Murray...

Il s'interrompit. Il fallut à Flora un moment pour assimiler ses paroles.

— Comment savez-vous, pour lord Murray ?

Elle s'était gardée de lui raconter cet épisode.

— Je suppose que cela n'a plus d'importance que tu le saches maintenant, répondit-il avec un sourire. Murray et moi avons conclu un accord il y a quelque temps. En échange de toi, enfin... toi et ta dot, il me fera bénéficier de son influence auprès du roi.

Abasourdie, Flora comprit l'ironie de la situation. Hector l'utilisait lui aussi comme un pion... Comme Lachlan, il était déterminé à atteindre son objectif, à n'importe quel prix

Toutefois, Lachlan affirmait ne pas avoir voulu la faire souffrir, et il disait l'aimer. Il avait également tenté de sauver son frère sans son aide. Dieu comme elle avait envie de le croire !

— C'est donc vous qui aviez orchestré le mariage à la sauvette?

Hector sourit, l'air très satisfait.

— En effet. Mon plan était brillant. Il aurait fonctionné à merveille sans l'intervention de Coll.

Flora l'avait échappé belle…

— Je n'épouserai pas Murray. Ce n'est qu'un lâche qui m'a laissée à la merci de brigands.

— Si, petite sœur, tu l'épouseras, répliqua-t-il avec un regard d'acier.

Il semblait si sûr de lui que Flora en frémit d'effroi.

Hector était aussi déterminé que Lachlan, mais il était également brutal et cruel. Elle réalisa qu'elle avait commis une grave erreur en venant à Breacachadh.

— Qu'est-ce que c'est? s'enquit tout à coup Hector en désignant l'amulette. J'ai déjà vu ce bijou.

Flora résista à l'envie de la protéger de sa main.

— Elle appartenait à ma mère.

Son frère fronça les sourcils. Avant qu'elle ait pu faire le moindre mouvement, il s'empara du bijou et le retourna pour lire l'inscription.

Aussitôt, son regard s'illumina.

— La malédiction… C'est l'amulette des Campbell, celle du rocher de la Dame…

Flora ne répondit rien.

— C'est bien ça…, répéta-t-il.

— De quoi parlez-vous?

Il éclata d'un rire si cruel qu'elle en eut la chair de poule. Quelques heures plus tard, elle comprendrait pourquoi.

Lachlan avait passé la matinée à rassembler ses hommes… et à convaincre Rory de ne pas le provoquer en duel.

Ils étaient une centaine de guerriers, dont ceux de Rory qui étaient venus pour le mariage. Hector quant à lui disposait d'effectifs quatre fois plus importants, dont la moitié se trouvait sur Coll.

— Si jamais tu te trompes, le prévint Rory tandis qu'ils accostaient à Arinagour, je reprends mes hommes et je retourne à Dunvegan, non sans avoir réglé notre différend.

— Je ne me trompe pas, répondit Lachlan d'un ton qui se voulait assuré. Flora était furieuse. Elle est allée rejoindre Hector sans réfléchir. Je suis certain qu'elle le regrette déjà amèrement et qu'elle sera soulagée de nous voir.

— Connaissant Hector, je dirais que tu as raison. Mais en ce qui concerne la validité de ce « mariage », j'hésite encore.

Lachlan voulut protester, mais il se ravisa. C'était à Flora de décider si elle souhaitait demeurer sa femme.

— Je n'insisterai pas si elle refuse.

— Je l'espère bien.

Rory en voulait à Lachlan d'avoir manipulé sa sœur, mais Lachlan avait su le convaincre de la sincérité de ses sentiments pour Flora. Heureusement, car Lachlan ne tenait pas à affronter Rory.

Ils débarquèrent sans encombre. La plage et le port n'étaient pas gardés, ce qui était étonnant. Bizarre, même.

— Je me demande où est le comité d'accueil, commenta Rory qui avait tiré les mêmes conclusions que lui.

— Je l'ignore, mais soyons prudents.

À l'approche du château, ils eurent la réponse : Hector les attendait à la grille, entouré de quelques hommes. Les autres devaient être à l'intérieur, prêts à intervenir. Un tel aplomb était inhabituel.

— Tu détiens quelque chose qui m'appartient, déclara Lachlan sans préambule.

— Ton château ? Je crains de ne pouvoir te le rendre. Je m'y plais beaucoup.

— Non. Ma femme.

Hector fit mine de ne pas comprendre.

— Si tu fais allusion à ma sœur, tu ne peux pas l'avoir non plus, dit-il avec dédain. À moins que tu saches nager…

Il désigna la mer, dans le dos de Lachlan. Celui-ci fit volte-face et sentit son sang se glacer. À une centaine de mètres du rivage, Flora était attachée sur un rocher, entourée d'eau. Tous les hommes d'Hector étaient alignés sur la plage, formant un rempart humain entre lui et Flora.

Et la marée montait…

Jamais Flora n'avait éprouvé une telle frayeur. Elle avait froid, elle était trempée et sentait l'eau monter inexorablement. Vêtue d'une simple chemise blanche, elle avait tout d'une vierge sacrifiée sur l'autel d'une rivalité entre clans. Pourtant, elle était bien décidée à ne pas tomber sans se battre.

Elle observa le large et vit avec effroi une autre vague enfler pour retomber avec fracas sur le rocher et l'éclabousser. L'espace d'un instant, elle lâcha prise, puis se rattrapa de justesse. Combien de temps résisterait-elle ?

Elizabeth Campbell avait-elle ressenti la même angoisse ? Flora n'avait jamais réfléchi au sort de son ancêtre, dont l'épreuve, en pleine nuit, avait dû être encore plus cruelle. Flora distinguait au moins la côte.

Sur son rocher, elle avait à peine la place de tenir debout. Elle devait presque enlacer la pierre glacée pour ne pas être renversée par les vagues. Le château semblait proche, même si ce n'était qu'une impression, et elle voyait son frère donner ses ordres à ses hommes. Tout à coup, elle fut assaillie par le souvenir de ses leçons de natation avec Lachlan, dans l'étang des fées. Puis elle songea au jour où elle avait failli se noyer. Affolée, elle imagina les eaux noires lui montant jusqu'à la bouche, au nez.

Non. Plus jamais !

Hector s'était souvenu de sa peur de l'eau et avait décidé de se servir de sa propre sœur comme appât pour attirer Lachlan dans un piège, d'où cette reconstitution macabre de la mésaventure d'Elizabeth Campbell.

D'abord, elle ne l'avait pas cru capable d'une telle ignominie et s'était débattue, en vain. Hector lui avait ordonné d'enlever sa robe. Incrédule, elle n'avait pu qu'obtempérer. Puis elle avait vu le bateau. Ils avaient dû se mettre à plusieurs pour la faire embarquer de force, malgré ses cris de terreur. Elle ne souffrirait pas, avait prétendu Hector, si Lachlan se montrait coopératif.

Lachlan…

Quelle idiote elle avait été ! Lachlan n'avait rien en commun avec Hector. Hélas ! il était trop tard. Lachlan faisait son devoir, avec des motivations honorables. Hector n'était mû que par l'ambition et l'avidité, et totalement dénué de compassion. Avec le recul, elle comprenait pourquoi Lachlan ne s'était pas confié à elle dès le départ : à cause de ses propres craintes, elle n'aurait pas compris.

Elle lui en voulait encore de l'avoir trompée, mais jamais elle n'aurait dû s'enfuir de la sorte. Elle avait agi sans réfléchir, par peur de finir comme sa mère. Or, elle avait eu une chose que Janet n'avait jamais eue, l'amour. Et elle l'avait repoussé.

En partant le soir de leurs noces, elle avait humilié Lachlan et trahi ses vœux. Sans oublier la cruauté de ses paroles… Elle l'avait blessé dans sa fierté. Probablement était-il heureux d'être débarrassé d'elle, maintenant…

En dépit de cela, Hector semblait certain qu'il viendrait la chercher. Au plus profond de son cœur,

Flora sentait que son frère avait raison. Elle était la femme de Lachlan, et il la garderait, malgré la honte qu'elle lui infligeait.

Dès qu'ils avaient repéré le *birlinn* en approche, Hector et ses hommes avaient mis leur plan à exécution. Or, Lachlan tardait à accoster et le temps allait manquer...

Enfin, elle le vit, accompagné de Rory, qui se dirigeait vers le château. Elle ne distinguait pas ses traits mais imaginait sans peine l'air redoutable qu'il devait arborer, dans sa tenue de combat.

Son mari venait la chercher !

21

Depuis la plage, Lachlan posa sur elle son regard pénétrant. Si Flora avait eu le moindre doute sur les sentiments de Lachlan, ils auraient été balayés en un clin d'œil. L'espace d'un instant, elle crut le voir pâlir dans la lumière de cette fin de journée. Il semblait... hanté. Comme lorsqu'il l'avait sauvée de la noyade.

Il l'aimait, en dépit de tout. Elle en ressentit un bonheur indicible. Elle avait tant de choses à lui dire ! Lui demander pardon, lui assurer qu'elle l'aimait, l'implorer de lui accorder une seconde chance... Elle sentait qu'il comprendrait.

Il se tourna vers Hector, la main sur son épée. Flora se crispa, puis poussa un soupir de soulagement en le voyant parler. Les intentions d'Hector étaient claires : il la laisserait se noyer si Lachlan ne se rendait pas.

— Sois maudit ! hurla Lachlan.

Il voulut se ruer sur Hector, mais Rory le retint.

— Ramène immédiatement ma sœur ! ordonna Rory.

— Ne t'en mêle pas, Rory. Flora est aussi ma sœur, que je sache.

Elle n'entendit pas les paroles de Rory, mais il semblait furieux.

— Il ne lui arrivera rien si Lachlan se montre coopératif, reprit Hector.

— Qu'est-ce que tu veux dire? demanda Lachlan.

— C'est simple. Tu te rends, et Macleod pourra libérer Flora.

Hector avait tout prévu. Une bataille leur ferait perdre un temps précieux. Lachlan n'avait pas le choix.

— Non! cria Flora.

Les hommes se tournèrent vers elle. Elle croisa le regard de Lachlan.

— Non, ne te rends pas, murmura-t-elle en secouant la tête.

Elle ne voulait pas mourir, mais elle voulait encore moins que Lachlan se sacrifie pour elle. Une nouvelle vague vint la fouetter. Elle dut s'accrocher plus fort et se prit un pied dans une anfractuosité de la roche.

— Tiens bon! lui cria Lachlan.

Il posa son épée et entreprit d'ôter son ceinturon. Sans hésiter, il se rendait à son pire ennemi pour elle. Comment avait-elle pu douter de son amour?

La vie d'un Maclean en échange d'une Campbell! La malédiction ancestrale lui revint à la mémoire. Elle ne pouvait le permettre et sut ce qu'il lui restait à faire. Lachlan avait raison: elle était forte. Ses propres craintes n'avaient pris le dessus que trop longtemps et avaient failli la mener à sa perte. Il ne fallait pas qu'elles soient maintenant responsables de la mort de l'homme qu'elle aimait.

— Non! cria-t-elle. Attends!

Sans hésiter une seconde, elle se jeta à l'eau.

Lachlan se retourna au moment où Flora plongeait. Son sang ne fit qu'un tour. Il comprit son intention, mais elle n'était pas capable de nager dans ces courants dangereux. Jamais elle n'y arriverait! Profitant de la stupeur d'Hector et obsédé par l'idée de sauver sa femme, Lachlan ramassa vivement son épée et attaqua Hector.

Celui-ci leva son arme, mais trop tard. Lachlan le désarma sans difficulté et posa sa lame sur sa gorge.

Tout était allé si vite que les hommes d'Hector tardèrent à réagir. Rory et ses guerriers parvinrent à les maintenir à distance.

— Rappelle-les! ordonna Lachlan à Hector. Sinon, je t'égorge, comme tu le mérites.

Ivre de rage, Hector parut sur le point de discuter, mais Lachlan appuya davantage la lame sur sa peau. Un filet de sang coula le long du cou de son ennemi. Jamais il n'avait eu autant envie de tuer un homme.

Cependant quelque chose le retenait.

Hector était le frère de Flora. En dépit de ce qu'il avait fait, il ne pouvait l'égorger ainsi. Flora n'avait pas encore sombré. Elle nageait même avec courage, mais le courant l'entraînait vers l'est.

— Rappelle-les. Vite!

Il se prit à espérer qu'Hector refuserait et qu'il pourrait ainsi le tuer en toute impunité. Hector leva toutefois la main. Lachlan avait gagné, mais sa victoire avait un goût amer. À quoi bon vaincre Hector s'il devait perdre la femme qu'il aimait?

Il lui tordit le bras dans le dos et le poussa vers Rory puis courut sur la plage et se dévêtit pour plonger dans les vagues.

Flora n'en pouvait plus. Pourtant, elle refusait d'abandonner la lutte. Elle se tourna sur le dos et fit la planche, comme Lachlan le lui avait appris. La nuit tombait; elle ne voyait plus ce qui se passait sur la plage. Elle avait de bonnes raisons de s'accrocher à la vie. Elle voulait être la femme de Lachlan, passer le reste de ses jours avec lui, porter ses enfants…

Le froid était tel qu'elle claquait des dents et que ses membres commençaient à s'engourdir. Elle n'avait plus qu'une envie : fermer les yeux et se laisser porter, dériver…

— Flora !

La voix de Lachlan la tira de sa torpeur.

— Par ici ! cria-t-elle, les larmes aux yeux. Je suis là !

— Dieu merci…

Dès qu'elle aperçut son visage familier, elle laissa libre cours à ses émotions. Il semblait si fort… et il l'avait retrouvée. Le cauchemar était terminé. Avec un cri étouffé, elle s'élança vers lui.

Quelques secondes plus tard, ses bras puissants l'enlacèrent et la plaquèrent contre son torse. Il la serra de toutes ses forces tandis qu'elle s'abandonnait à son étreinte rassurante.

Elle sentit contre sa joue le picotement familier de sa barbe naissante. Lachlan était essoufflé et son cœur battait à tout rompre, mais il émanait de lui une telle chaleur, malgré l'eau froide…

Elle fondit en larmes.

— Je te tiens, murmura-t-il en lissant ses cheveux. Tu ne risques plus rien.

Il la prit par le menton et plongea dans son regard.

— Tu m'as fait peur, tu sais. J'ai cru… En te voyant flotter, inerte, j'ai cru que tu étais morte…

— Tu ne te débarrasseras plus de moi aussi facilement, répondit-elle en secouant la tête.

— Me débarrasser de toi ? répéta-t-il en la serrant plus fort pour l'embrasser sur les lèvres.

Sa bouche avait un goût de sel, mais il n'avait jamais rien trouvé d'aussi savoureux.

— Jamais !

Il l'embrassa encore, plus longtemps, avec une tendresse infinie qui réchauffa le corps engourdi de Flora.

— Si nous ne voulons pas mourir de froid, nous devrions regagner la terre ferme au plus vite, suggéra-t-il.

Elle hocha la tête et gagna la plage avec son aide, en suivant le courant. Bientôt, elle vit les hommes de Rory et ceux de Lachlan venir à leur rencontre. Elle avait réussi ! Elle était à bout de forces, mais elle se sentait invincible, désormais.

Dès qu'ils eurent pied, Lachlan la souleva dans ses bras et elle se lova avec plaisir contre lui.

Rory se précipita vers eux.

— Elle va bien ? demanda-t-il à Lachlan.

Flora s'empressa de rassurer son frère.

— Je n'ai rien.

— Dieu soit loué ! dit-il en tendant à Lachlan un plaid dont il enveloppa la jeune femme.

— Elle est gelée. Fais préparer ma chambre ! Je l'emmène au château.

— Attends, Coll ! intervint Rory en lui barrant la route. Nous avons passé un accord. Je n'imposerai pas ce mariage à ma sœur. Installe-la plutôt dans une autre chambre.

Il cherche à me protéger, songea Flora. Cette affection fraternelle la toucha, surtout après ce qu'elle venait d'endurer. Elle adressa à Rory un sourire plein de gratitude, que Lachlan interpréta mal.

— Bon, une autre chambre, concéda-t-il en passant devant Rory, la mâchoire crispée.

Flora eut envie de le taquiner davantage, mais elle avait trop froid.

— Je vous remercie de cette sollicitude, Rory, mais la chambre du laird me convient parfaitement.

Lachlan lui jeta un regard plein d'espoir.

303

— Tu es certaine ? demanda Rory.

Flora ne pouvait détacher ses yeux de Lachlan. Jamais elle n'oublierait ce moment. Leur amour absolu éclatait au grand jour. En dépit de tout ce qu'elle lui avait fait, il avait été prêt à donner sa vie pour elle.

— Oui, répondit-elle. Je n'ai jamais été aussi certaine.

Lachlan la serra plus fort et s'éloigna avec son précieux fardeau, sous les acclamations des hommes du clan. Maclean de Coll était de retour chez lui !

La porte se referma derrière Mairi. Malgré les affirmations de Flora qui assurait qu'elle allait bien, Lachlan ne parvenait pas à se détendre. Il ajouta une bûche dans la cheminée, remonta les couvertures et tapota les oreillers.

En entendant un gloussement, il croisa les bras en faisant mine d'être fâché.

— Détends-toi un peu ! Tu as entendu Mairi : je vais bien. Dès que j'ai été débarrassée de ma chemise mouillée, je me suis réchauffée.

Il la toisa longuement, devinant ses pensées.

— Ne cherche pas à me distraire, ça ne fonctionnera pas. Tu dois te reposer.

Les yeux de Flora pétillaient de joie. Elle baissa légèrement le plaid qui l'enveloppait, révélant un sein nacré.

— Tu es sûr ? demanda-t-elle d'un air suggestif.

Il s'assit sur le bord du lit et remonta le plaid jusqu'à son menton. Après quoi il écarta une mèche de cheveux de son front et posa la main sur sa joue veloutée.

— Flora, quand je t'ai vue plonger...

Sa voix se brisa et il se détourna le temps de se reprendre.

— Je ne veux plus jamais ressentir une telle angoisse ! J'ai bien cru te perdre.

— Mais Hector voulait te tuer ! protesta-t-elle.

— Je préférais mourir que te perdre.

— Je n'aurais pas survécu sans toi… Et Hector ?

— Il est vivant, mais prisonnier. Argyll va le garder captif jusqu'à ce que le roi le condamne.

En voyant le soulagement de Flora, Lachlan sut qu'il avait pris la bonne décision en laissant à Hector la vie sauve.

— Je sais qu'il ne mérite pas ma compassion, dit-elle, mais la prison suffira à le faire réfléchir.

— S'il avait tardé davantage, je n'aurais pas eu le choix. J'aurais dû le tuer pour te sauver. Si jamais tu refais une bêtise de ce genre, je jure de t'enfermer dans cette tour. Quand tu as plongé, j'ai cru que mon cœur s'arrêtait de battre !

Flora prit sa main dans la sienne.

— Alors tu sais ce que j'ai ressenti en voyant que tu te rendais à Hector. Je ne pouvais pas te laisser mourir pour moi. Tu m'as donné la force de surmonter ma peur. Tes leçons de natation m'ont beaucoup servi.

— Je suis fier de toi. Mais à l'avenir, évite de nager en pleine mer…

— C'est promis, dit-elle en retrouvant son sérieux. Je n'arrive pas à croire que mon propre frère ait été capable de tels agissements.

— Hector n'a aucune morale. Je voulais te mettre en garde, mais tu ne m'aurais pas cru. Mais de là à imaginer qu'il s'en prendrait à toi…

— Sa haine pour toi est plus forte que son amour fraternel, et je suis tombée dans son piège. Je n'aurais pas dû partir.

— C'est vrai, tu n'aurais pas dû partir. Tu ne peux pas fuir chaque fois que tu as peur ou que tu es en colère.

— Je sais. Tu m'as reproché de ne pas comprendre ce que sont le devoir et les responsabilités...

Il voulut l'interrompre, mais elle poursuivit.

— Tu n'avais pas tort. J'étais trop aveuglée par ma souffrance pour comprendre tes problèmes. Je n'ai pas la responsabilité d'une famille. Tu as des devoirs envers ton clan et ton frère. On m'a appris à ne pas respecter mes devoirs... J'aurais dû au moins t'écouter.

Lachlan la prit par le menton.

— Je veux avoir la certitude que tu ne chercheras plus à t'enfuir, déclara-t-il avec un sourire triste. Les décisions que je devrai prendre ne te plairont pas toujours.

— Je m'en doute... Je ne te promets pas de ne plus jamais me mettre en colère, mais je ne sauterai plus dans le premier bateau.

Il lui caressa doucement la joue.

— Tu avais des raisons d'être en colère. Je m'y suis mal pris. J'aurais dû t'accorder du temps. Au lieu de cela, je me suis imposé à toi. Je méritais que tu me traites de barbare.

— Je n'en pensais pas un mot, assura-t-elle en serrant sa main dans la sienne. Je voulais te faire mal. À vrai dire, ma réaction m'a fait peur. Je voulais te détester, mais mon corps refusait de l'entendre. Je sais bien que tu ne me feras jamais de mal.

— Je t'ai fait souffrir, concéda-t-il en songeant à son marché avec Argyll.

Elle soutint son regard, et Lachlan n'y lut aucun reproche. Uniquement de la compréhension.

Elle soupira.

— Quand j'ai appris ce que tu manigançais avec mon cousin, j'ai pensé que mes pires craintes se réalisaient. J'ai revu ma mère, qui a été un pion toute sa vie. Je n'ai pas su distinguer ton devoir et tes sentiments pour moi. Je n'acceptais pas que tu m'aimes tout en me cachant quelque chose. Je comprends à présent ton silence.

— Je le regrette plus que tu ne pourras jamais l'imaginer. Au départ, je ne pensais qu'à libérer mon frère et récupérer mon château. Mais j'ai vite compris que je te désirais. Plus je t'aimais, plus je me rendais compte que la vérité te blesserait. J'aurais préféré avoir une autre possibilité.

— Tu as fait ce que tu devais faire. Quoi qu'il en soit, je n'ai aucune intention de remercier mon cousin d'être intervenu.

— Je m'en doutais. Je t'ai épousée pour moi-même, et pas seulement pour mon frère.

— Ce qui compte, c'est que nous nous aimons. Je ne puis changer ce que je suis, et toi non plus. Tu es un chef, tu as des devoirs. Je dois accepter ce fait.

— Je t'appartiens de toute mon âme et de tout mon cœur.

— Pour un homme qui prétend ne pas manier les belles paroles comme les courtisans, tu sembles trouver tes mots...

— Tu me pardonnes ? murmura-t-il en lui caressant la joue.

Elle posa sur lui un regard malicieux.

— Tu arriveras peut-être à m'en persuader... Mais tu devras faire des efforts...

Lachlan se sentait de taille à répondre à ses moindres souhaits.

— Je t'aime, Flora. Et je passerai le reste de mes jours à te le prouver.

— Moi aussi, je t'aime.

Elle se pencha pour prendre l'amulette posée sur la table de chevet et la lui passa autour du cou.

— Elle t'appartient, désormais.

— Tu es sûre ? demanda-t-il, la gorge nouée par l'émotion.

Les yeux de Flora s'embuèrent de larmes de joie.

— Tu voulais sacrifier ta vie pour la mienne, alors je te donne cette amulette, mon mari, mon amour.

Ne sachant que dire, il l'embrassa tendrement à travers ses larmes. Avant de céder au feu du désir, il la relâcha car il fallait qu'elle se repose. Flora ne l'entendait cependant pas de cette oreille. Elle glissa les mains sous sa chemise encore humide. Dès le premier contact, le sang de Lachlan ne fit qu'un tour.

— Et si tu me le prouvais tout de suite ? suggéra-t-elle en faisant mine de trembler. J'ai froid. Connaîtrais-tu un moyen de me réchauffer ?

Il ne demandait pas mieux que de la réchauffer, mais il ne voulait pas la fatiguer après les épreuves qu'elle venait de traverser. Elle tendit la main vers sa ceinture, mais il la retint en lui saisissant le poignet. Si elle le touchait, il ne répondrait plus de rien, tant son désir montait.

— Tu es sûre ? dit-il d'une voix rauque. Car il sera ensuite trop tard pour revenir en arrière. Notre mariage n'est pas encore enregistré. Si tu souhaites reprendre ta liberté, j'ai promis à ton frère de ne pas m'y opposer.

— J'en ai assez de regarder en arrière. Je veux penser à l'avenir. Avec toi.

Il lâcha son poignet. Dès qu'elle posa la main sur lui, il gémit contre sa bouche.

Flora savoura ce gémissement de plaisir. Elle glissa la main sous le cuir de sa culotte et referma les doigts sur son membre. Une douce chaleur se propagea dans tout son corps. Il était si dur qu'elle ne pouvait attendre de l'accueillir en elle à nouveau.

Elle tremblait de désir. Si seulement ces instants pouvaient durer éternellement ! Le baiser de

Lachlan l'embrasa. À quoi bon nier la passion qu'ils partageaient? Elle avait failli le perdre… Elle caressa fébrilement son dos et ses épaules. Il était si beau, si fort… Elle savoura le contact de ses muscles saillants sous ses doigts. Il interrompit leur baiser le temps de se dévêtir, puis se glissa sous les couvertures, auprès d'elle. Aussitôt, il l'attira dans ses bras pour l'embrasser avec une ardeur décuplée. Flora se fondit dans sa chaleur, les sens en émoi, le cœur battant à tout rompre.

Il prit possession de son corps de ses mains puissantes qui explorèrent chaque parcelle de sa peau brûlante. Ivre de désir, elle sentit une onde sensuelle naître entre ses cuisses. Il la désirait tout autant et luttait pour contenir son ardeur. Sa bouche se fit plus exigeante, et Flora en voulut davantage.

— Non, murmura-t-elle contre ses lèvres.

Lachlan s'écarta, troublé.

— Qu'est-ce qui ne va pas?

— Ne te retiens pas. Je te veux tout entier. Ne cherche pas à me ménager…

Elle glissa la langue sur la commissure de ses lèvres.

— Je ne suis pas en porcelaine, ajouta-t-elle.

Il la dévisagea.

— Je n'ai pas peur, assura-t-elle.

Elle insinua cette fois sa langue dans sa bouche.

— Montre-moi, murmura-t-elle. Je veux sentir ta passion se déchaîner.

En voyant son regard s'enflammer, elle s'enhardit. Il lui appartenait et ne la quitterait plus jamais. Elle le voulait tout entier, elle voulait cette facette sauvage qu'il cherchait à dissimuler.

Elle avait gagné. Lachlan l'allongea sur le dos et l'embrassa enfin sans retenue. Dominateur, exigeant, féroce…

Il la fit trembler de tous ses membres par ses caresses. Il enfouit le visage entre ses seins. Elle se cambra pour mieux s'offrir à ses coups de langue. Il titilla ses mamelons jusqu'à la rendre folle.

Il la regarda droit dans les yeux au moment de la faire sienne d'un coup de reins puissant. Elle étouffa un cri. Son plaisir était si intense qu'il était presque douloureux.

Sans la quitter des yeux, il entama ses mouvements de va-et-vient. Il n'exprimait pas seulement du désir, de l'amour. Ils ne formaient plus qu'un dans une union des corps et des âmes. Ils étaient faits l'un pour l'autre.

Elle percevait son émotion, son corps vibrant, tandis qu'il allait et venait en elle, de plus en plus fort, de plus en plus vite. Il ne maîtrisait plus son ardeur. Elle était au bord du précipice, mais se retint. Jamais elle ne s'était sentie aussi vivante et libre. La vague enfla encore.

Il se crispa en un spasme. Son visage se tordit dans le plaisir, puis il poussa un cri guttural tandis qu'il se déversait en elle. Elle explosa sans retenue, agrippée à lui dans l'extase, mais il était sans merci. Il ne lui laissa pas le temps de reprendre son souffle. Encore brûlant, il ondula les hanches pour la faire crier de nouveau, projetant en elle des ondes de plaisir. Quand elle redescendit sur terre, il la berça dans ses bras avec tendresse.

Comblée, Flora savait qu'il venait de tout lui donner : son corps, son amour, son âme, sa confiance.

Lachlan caressa sa peau brûlante en regardant sa poitrine se gonfler au rythme de sa respiration. Il ne savait que dire. Il n'existait pas de mots pour exprimer ce qu'il ressentait en cet instant. La tristesse et l'angoisse des jours précédents étaient oubliées, ainsi que ses doutes. Flora l'avait mis à nu. Elle avait su regarder derrière son masque de brutalité, pour l'accepter tel qu'il était.

Ils étaient liés pour toujours, mais il se sentait libre, libéré de ses chaînes.

Elle était sa femme.

Flora poussa un long soupir d'aise.

— Tu te sens bien ? demanda-t-il.

— Plus que bien, répondit-elle avec un sourire.

— Je t'aime, dit-il en plongeant dans son regard.

— Je sais, murmura-t-elle, mutine. Tu as réussi à m'en convaincre.

— Dieu merci… Parce que je ne pense pas pouvoir recommencer.

Peu après, il se rendit compte qu'il s'était trompé.

Épilogue

Août 1608

Flora se promenait sur la lande avec son mari, savourant le calme après la tempête. Il avait peine à croire qu'une année s'était écoulée depuis leur retour à Breacachadh. Le mariage de Mary et Allan se préparait. Les invités n'allaient pas tarder à arriver pour une semaine de festivités. Pour la première fois depuis longtemps, tous les frères et sœurs de Flora allaient être réunis en un même lieu. À l'exception d'Hector, toujours dans les geôles d'Argyll.

Elle poussa un soupir de satisfaction. Cette journée sombre semblait si loin…

Le soleil de la fin d'été dardait ses rayons brûlants sur les champs parsemés de fleurs. Depuis leur retour, Breacachadh avait retrouvé sa splendeur d'antan.

— Tu crois qu'elle est heureuse pour nous ? demanda-t-elle.

— Qui ? s'enquit Lachlan, perplexe.

— Elizabeth Campbell.

Il lui sourit et le cœur de Flora s'emballa. Il était plus insouciant, plus détendu que naguère. Son clan avait connu l'adversité, mais il prospérait, désormais. Les épreuves n'avaient fait que renforcer leur amour.

— Je croyais que tu n'étais pas superstitieuse !

— Je ne le suis pas, mais regarde autour de toi. Tu as récupéré ton château, les récoltes sont bonnes, le bétail gras, et les orages nous ont épargnés. Sans oublier…

— Ah oui…, fit-il.

Il se tourna vers elle pour lui désigner le petit être qu'il tenait dans ses bras. Elle aimait les voir tous les deux. Lachlan semblait si fort, avec son fils dans les bras. John portait le prénom de son oncle qui, malgré lui, avait provoqué leur rencontre, et il avait les yeux bleus de son père. Flora, elle, portait Janet, ainsi baptisée en souvenir de sa grand-mère.

Des jumeaux. Quel beau cadeau de la nature !

— Je crois qu'elle a trouvé la paix, dit-il.

Le soleil se refléta sur la broche qui maintenait le kilt de Lachlan. Cette amulette qui avait été symbole de malédiction représentait à présent leur amour.

Flora sourit, le cœur en joie. Elle avait trouvé le bonheur, comme Elizabeth avait trouvé le sien.

Note de l'auteur

L'histoire d'Elizabeth Campbell sur son rocher est connue en Écosse encore aujourd'hui. Lors d'une récente croisière en Écosse, nous avons contourné l'île de Mull. J'ai donc failli voir le rocher de la Dame, qui ne figure sur aucune carte. Il existe différentes versions de cette histoire, mais toutes affirment qu'un chef du nom de Maclean avait abandonné son épouse, une Campbell, sur un rocher, en espérant qu'elle serait emportée par les vagues et se noierait. Elle fut sauvée et retourna chez son père au moment où son mari éploré venait lui annoncer la terrible nouvelle. Son frère John Calder tua son mari quelques années plus tard. La malédiction et l'amulette sont toutefois des créations pures et simples de ma part.

Les personnages principaux de ce roman sont inspirés de personnes ayant existé. Janet Campbell, petite-nièce d'Elizabeth, était une riche héritière qui se maria au moins quatre fois. Sa fille Flora MacLeod, épousa bel et bien Lachlan Maclean, sixième laird de Coll. Pour éviter toute confusion, Hector est un mélange de Lachlan Mor Maclean, quatorzième chef de Duart (demi-frère de Flora), qui mourut en 1598, et Hector Maclean, quinzième chef de Duart (neveu de Flora). Allan, fils de Neil Mor (grand-oncle de Coll), fut le régisseur du château de Drimnin. Il aurait été le meilleur guerrier de son temps. On ignore tout de sa femme. Si la fuite de Flora pour se marier à la sauvette est une invention, lord Murray fut un membre influent de la cour du roi Jacques. Il obtint le titre de Tullibardine, et son fils John fut le premier comte d'Atholl. Lord Murray fut l'un des commissaires opposés au clan Gregor en 1611.

La lutte pour récupérer le château de Breacachadh eut lieu un peu plus tôt. Lachlan Mor (« Hector ») prit sans doute le contrôle du château vers 1591. Il ne fut rendu à Lachlan de Coll que vers 1596. Le conflit entre les clans Duart et Coll dura de nombreuses années, y compris le refus de Coll de reconnaître Duart comme son chef.

Lachlan exécuta les hommes qui avaient tué son oncle Neil Mor, tout en rendant Lachlan Mor responsable. L'une des premières mesures de Coll fut d'exécuter les quatre meurtriers qui jouaient au shinty sur une plage de l'île de Mull. Ils furent pendus sur l'île de Coll.

Lachlan Mor (« Hector ») s'en prit à John MacIan, le mari de sa mère Janet Campbell, le soir de leur mariage, après son refus de passer son allégeance des MacDonald aux Maclean. Ce désaveu de l'hospitalité des Highlands est un épisode connu de l'histoire de l'Écosse. Quand le couple se fut retiré pour la nuit, Lachlan Mor fit tuer tous les hommes de MacIan et fit irruption dans la chambre nuptiale. Seules les suppliques de sa mère l'empêchèrent de tuer John MacIan, qui fut emprisonné et torturé.

La région où se déroule le roman fait aujourd'hui partie de Trossachs. Quant aux mégalithes, ils sont nombreux dans la campagne écossaise. N'hésitez pas à consulter le site Internet de l'auteur : www.monicamccarty.com

Découvrez les prochaines nouveautés
de nos différentes collections J'ai lu pour elle

AVENTURES
&PASSIONS

Le 6 avril :
La famille Huxtable — 4. Le temps du désir ↝
Mary Balogh

INÉDIT

Autrefois soupçonnée de meurtre, Cassandra a été bannie de Londres. C'est donc une femme blessée, mais bien décidée à retrouver son mode de vie extravagant, qui revient dans la capitale. Elle entreprend alors de séduire Stephen Huxtable, riche marquis aux airs angéliques, qui accepte d'en faire sa maîtresse. Mais les anges ne sont pas tous innocents… et en séduire un n'est jamais sans conséquences.

Les sœurs d'Irlande — 1. Eliza, la rebelle ↝
Laurel McKee

INÉDIT

Dublin, fin du XVIIIᵉ siècle. Le pays se révolte contre le joug britannique. Alors qu'Eliza Blacknall se bat aux côtés des indépendantistes, son amour d'enfance, Will, a rejoint les rangs de l'armée britannique. Leur passion est plus forte que jamais, mais résistera-t-elle à l'effondrement de leur monde ?

Les frères Malory —3. Passagère clandestine ↝
Johanna Lindsey

Georgina n'a pas le choix. Il lui faut absolument quitter l'Angleterre au plus vite ! Le seul navire à appareiller pour l'Amérique ne prend aucun passager mais cherche un mousse… C'est risqué, mais jouer avec le feu la tente plutôt. Elle se coupe les cheveux, se déguise en garçon, et le tour est joué ! Bien sûr, le capitaine James Malory n'est pas dupe. Se faire passer pour un mousse ! Quel toupet ! Toutefois, il n'a pas l'intention de la démasquer tout de suite. Auparavant, il va s'amuser un peu…

Le 20 avril :
La chanson d'Annie ↝ Catherine Anderson

Annie, l'idiote, la simple d'esprit, la sauvageonne… Elle erre sans fin dans les bois, car c'est finalement là qu'elle est le mieux. Sa riche famille se préoccupe si peu de son sort… Un jour, cet être totalement démuni se heurte à la concupiscence d'un homme : le détestable et cruel Douglas, qui abuse de son innocence… La scène a eu des témoins. Alors, Alex, le frère de Douglas, le jette à la porte. Et lorsqu'il apprend qu'Annie est enceinte, il décide de réparer la faute de son cadet en épousant la sauvageonne. C'est une question d'honneur !

La rose de Mayfair ↝ Hope Tarr

INÉDIT

À Londres, en 1890, le mouvement des suffragettes n'a pas que des alliés. Certains sont même bien décidés à empêcher la création d'une loi autorisant le vote des femmes. Pour cela, une idée brillante : discréditer la meneuse, la très vertueuse Caledonia Rivers. On engage alors un photographe, Hadrian St. Claire, pour la séduire et on la compromet en images…

$\mathcal{P}$assion intense

Quand l'amour vous plonge dans un monde de sensualité

Le 20 avril :
L'amant de mes songes ❧ **Robin Schone**   INÉDIT

Une vieille fille de trente-six ans engage un homme pour l'initier au plaisir charnel. Ce qu'elle ignore, c'est que son amant éphémère cache un tragique secret et que par cette initiation, elle deviendra l'instrument d'une terrible vengeance…

Les combattants du feu — 3. Flamme secrète ❧   INÉDIT
Jo Davis

Un pompier sexy qui cache un lourd secret, une avocate glaciale et pourtant prête à lui offrir son corps, un tueur dont le jeune homme se retrouve la cible… Voilà les ingrédients du nouveau tome tant attendu de la série brûlante de Jo Davis !

> **2 romans tous les 2 mois**
> **aux alentours du 15 de chaque mois.**

Sous le charme
d'un amour envoûtant

CRÉPUSCULE

Le 6 avril :
Les ombres de la nuit — 4. Âme damnée ❧   INÉDIT
Kreysley Cole

Le vampire Conrad Wroth a été enfermé par ses frères pour l'empêcher de nuire aux humains. Néomi Laress, de son côté, est devenue fantôme depuis son assassinat. Personne ne peut la voir… sauf Conrad, tourmenté par le violent désir qu'elle lui inspire. Jusqu'où ira-t-il pour la conquérir ?

L'exécutrice — 1. Le baiser de l'Araignée ❧
Jennifer Estep

On l'appelle l'Araignée. C'est une tueuse professionnelle, qui maîtrise le pouvoir de la Pierre (qui lui permet d'entendre les graviers comme les montagnes) et celui de la Glace.
Depuis qu'un tueur maîtrisant l'Air a assassiné son mentor, elle ne pense qu'à sa vengeance… et rien ni personne ne pourra l'empêcher de l'assouvir…

> **Nouveau ! 2 romans tous les 2 mois**
> **aux alentours du 1er de chaque mois.**

Une toute nouvelle collection,
cocktail de suspense et de passion

FRISSONS

e 20 avril :

es enquêtes de Joanna Brady — 2. Tombstone courage ∞

A. Jance

cemment élue shérif de Cochise, dans l'Arizona, Joanna Brady doit
aintenant gérer les préjugés de la police machiste de la région. Tâche d'autant
us difficile que deux corps brûlés par le soleil ont été découverts dans le
sert, et qu'elle découvre qu'ils sont liés par de terribles secrets familiaux.

icochet ∞ **Sandra Brown**

avannah, Georgie. Elise, la jeune épouse du juge Laird, a tué un cambrioleur.
égitime défense ou règlement de comptes ? Pour répondre à cette question,
nspecteur Hatcher et sa coéquipière DeeDee Brown mènent l'enquête. Et
écouvrent que la séduisante Elise a un passé trouble. Ensuite que son mari la
it suivre par un détective privé. Enfin, qu'elle serait la maîtresse de deux
ommes, dont un célèbre joueur de base-ball.
atcher a d'autant plus de mal à démêler le vrai du faux qu'il succombe lui
ussi au charme d'Elise...

Nouveau ! 2 romans tous les 2 mois
aux alentours du 1ᵉʳ de chaque mois.

Et toujours la reine du roman sentimental :

Barbara Cartland

e 20 avril :

a malédiction vaincue
n regard mélancolique

9535

Composition
CHESTEROC LTD
Achevé d'imprimer en Italie
par GRAFICA VENETA
le 16 février 2011.

Dépôt légal février 2011.
EAN 9782290027363
ÉDITIONS J'AI LU

87, quai Panhard-et-Levassor, 75013 Paris
Diffusion France et étranger : Flammarion